Starszyzna
Kobiet Radzi Światu

Starszyzna
Kobiet Radzi Światu

*Rada trzynastu Babć
przedstawia wizję naszej planety*

Carol Schaefer

Przekład
Katarzyna Emilia Bogdan
Robert Sieklucki

Rzeszów
2010

Tytuł oryginału
Grandmothers Counsel the World
Women Elders Offer Their Vision for Our Planet

Text and photographs © 2006 by Carol Schaefer
Original English Language Publication 2006 by Trumpeter Books

Copyright for the Polish edition © 2010 by Wydawnictwo Biały Wiatr

ISBN 978-83-930663-4-6

Redakcja – *Dariusz Wróblewski*
Korekta – *Jerzy Hogendorf*
Projekt okładki – *Tomasz Sikora (angewehre@gmail.com), projekty graficzne*
Redakcja techniczna i skład – *FOX Publishing Bartosz Kusibab, Rzeszów*

Fotografia na okładce *Marisol Villanueva* –
oficjalny fotograf Międzynarodowej Rady 13 Babć (marisolvillanueva@eartlink.net)

Wydawnictwo Biały Wiatr
ul. Solarza 8/73
35-118 Rzeszów
www.bialywiatr.com
info@bialywiatr.com

Druk i oprawa
Drukarnia Narodowa S.A
30-74 Kraków, ul. Półłanki 18

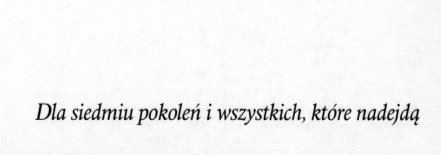

Dla siedmiu pokoleń i wszystkich, które nadejdą

Spis treści

Podziękowania

Przedstawienie głosu Trzynastu Babć – potężnych i świętych kobiet – było ogromnym zaszczytem i zmieniło na zawsze sposób w jaki postrzegam świat i to jak chcę w nim żyć. Głęboko zainspirowała mnie ich pasja i oddanie naszej planecie, tak aby stała się świętym domem dla ludzkości i całego Stworzenia.

Jestem wdzięczna redaktorce, Eden Steinberg, która uwierzyła w wizję książki o Babciach, jeszcze zanim rada spotkała się po raz pierwszy, a także pełna uznania dla agentki Lynn Franklin, za olbrzymie wsparcie w całym procesie pisania książki.

Wyrażam głęboką wdzięczność dla Centrum Świętych Studiów (The Center of Sacred Studies), zwłaszcza dla Jyoti, Ann Rosencranz, Carole Hart i jej zmarłego męża Bruce'a – producentów dokumentu o Babciach – za wsparcie i dostarczenie tak wielu informacji.

Bardzo dziękuję Donnie Kaye White Owl za przyjaźń i rozmowy, które otworzyły mój świat, gdy próbowałam zgłębiać piękno plemiennych ścieżek. Wdzięczność należy się także kolejnej wspaniałej przyjaciółce, Bonnie Corso, za jej wglądy i nieustanne wsparcie. Dziękuję również Artourowi Toulinov za wszelkie instrukcje dotyczące fotografowania i za to, że zawsze jest przy mnie, Bobiemu Kirby za to, że jest takim bratem jakiego można sobie tylko wymarzyć oraz ojcu, Walkerowi Kirby, za wpojenie miłości do książek.

Moim wielkim szczęściem jest miłość i zachęta trzech cudownych synów oraz ich wspaniałych żon – Jack'a i Annie Ryan, Breta i Jessiki Schaefer oraz Kipa i DeAnnie Schaefer, którym jestem winna szczególne podziękowania za ich bezwarunkowe wsparcie. Niezwykłym błogosławieństwem jest również ośmioro ukochanych wnucząt – Dylan, Mia, Asia i Tess Ryan, Cole i Reed Schaefer oraz Hudson i Quinn Schaefer. Moje nadzieje i marzenia związane z nimi, ich dziećmi oraz dziećmi ich dzieci – przyszłością wszystkich dzieci – skłoniły mnie do napisania tej książki.

Przedmowa

Moc słów wypowiadanych od pokoleń, słów pamiętanych dzięki drzewom, przodkom i snom to moc nieodłącznie towarzysząca rdzennym kulturom, wpleciona w tkaninę naszego życia. Wartość tradycji ustnych przekazów i nauk zawartych w opowieściach, przechodzących z pokolenia na pokolenie, stanowi o sile więzi z innymi. Historie i instrukcje, którymi dzielą się ludzie, utwierdzają daną relację w społeczności, są spoiwem wspólnych tańców i śpiewów. Umacniają społeczność – podobnie jak słowa kobiet, o których jest ta książka – *Nokomisinag*, babć.

Przez wiele lat słowa te były ukryte. Miałam okazję wysłuchać przemów wielu z tych kobiet, a niektóre obserwowałam podczas podróży do ich społeczności. Teraz wiem, że ich słowa mają ogromną moc. Połączyły mnie z szerszym aspektem rzeczywistości, której JA, jako duchowa ludzka istota, jestem częścią. Przypomniały mi, że żyję jednocześnie w dwóch światach, materialnym i duchowym. Oto esencja i moc tych nauk – pamiętamy i nieustannie odnawiamy nasze więzi, naszą jedność. Dzięki nim jesteśmy zdolni lepiej zatroszczyć się o wszystkie istoty, całą wspólnotę, niezależnie od tego czy jej przedstawiciele mają stopy, skrzydła, płetwy, korzenie czy łapy.

W społeczeństwie przemysłowym takie więzi zostały zerwane. Na przestrzeni dziejów słowa spisywali „eksperci". Tak stworzone poglądy prezentowano uprzywilejowanemu audytorium, ludziom, którzy umieli czytać i którzy byli zapraszani, aby słuchać tych darów dla społeczeństwa. Słowa rdzennej starszyzny rzadko stanowiły temat rozmów tzw. „obywatelskiego społeczeństwa", w zamian jego członków traktowano zazwyczaj instrumentalnie. Eksperci byli ludźmi szkolonymi w zachodnich naukach, logice i judeochrześcijańskiej teologii. Wygląda na to, że im więcej pisano słów, tym mniej one znaczyły i tym częściej używano ich do tworzenia mało spójnego wewnętrznie społeczeństwa, budowanego na bazie podbojów i krwi.

Żyjemy w nowym tysiącleciu. Zabito większość bizonów, a wielu naszych przodków zginęło od miecza lub od zakażonych ospą koców. Woda jest zatruta i grozi nam globalna destabilizacja klimatu. W naukach społeczeństwa przemysłowego niewiele jest narzędzi pozwalających zająć się stanem katastrofalnej destrukcji, w obliczu której stajemy. Koncentracja na przyszłorocznym budżecie jest nie tylko czymś bardzo krótkowzrocznym, ale nie współgra ze światem natury i historią. Reasumując, może się wydawać, że odpowiadamy przed ludzkim prawem handlując zanieczyszczeniami (handel „dopuszczalnymi" limitami skażeń) i brukując każdą polanę na podstawie „praw budowlanych". Ostatecznie jednak wszyscy musimy pić wodę i oddychać powietrzem.

Źródłem prezentowanych w tej książce nauk jest ścieżka prowadząca ku równowadze, którą mój lud zwie *minobimaatisiiwin*, czyli „dobre życie". Nauki te przypominają, że prawdziwą esencją są dobre relacje z innymi, wdzięczność i kierowanie uwagi na swoje postępowanie (a nie wpływ na zachowanie innych, poprzez osobiste paradygmaty, takie jak choćby zarządzanie zasobami naturalnymi). Postępująca zagłada gatunków nie nastąpiła naturalnie – doprowadziliśmy do niej własnymi rękami i istniejącymi wzorcami zachowań.

Słowa Babć są słowami prawdziwych ekspertów. Nie ma niczego co mogłoby zastąpić międzypokoleniową wiedzę o tym jak żyć w równowadze i jak umacniać związki. Ani naukowe paradygmaty, ani mechanistyczna metodologia, nie wskażą nam drogi przez obecne, pełne wyzwań czasy.

Mamy błogosławieństwo nauk, ofiarowanych przez Babcie i jesteśmy wdzięczni za ich słowa. Zasięg nauczania, prezentowany z różnorodnych punktów widzenia oraz odmiennych kultur, oferuje niezwykłe instrumentarium wiedzy i zachowań. Zbiorowa moc ich głosów i obecności jest imponująca. *Miigwech Nokomisinag, miigwech. (Dziękuję, Babcie, dziękuję.)*

Winona LaDuke

Słowo do Czytelnika

Wielkim zaszczytem była bliska współpraca z Międzynarodową Radą Trzynastu Kobiet Starszyzny Plemiennej. Świadomość, że suma lat przeżytych przez Babcie wynosi osiemset pięćdziesiąt dziewięć, wzbudziła we mnie wielką pokorę. Co więcej, historia kultur, które reprezentują, łączy tysiąclecia.

Nie ma w zasadzie możliwości, aby jedna osoba stała się wspólnym głosem wiekowej, zbiorowej mądrości. Zrobiłam co w mojej mocy, by wyrazić wszystko, czego nauczyłam się od Babć, lecz moja zdolność działania jako pomost czy tłumacz, dla szerszego audytorium, jest oczywiście utrudniona ograniczeniami mojego własnego zrozumienia i doświadczenia. Przyjmuję pełną odpowiedzialność za każde przekłamanie lub braki w poprawnym wyrażeniu nauk i misji Rady Babć.

Chociaż moje nazwisko widnieje na okładce tej książki, wyrażone w niej słowa mądrości nie należą do mnie i nie roszczę sobie do nich żadnego prawa. Książka ta reprezentuje nasze zbiorowe duchowe dziedzictwo.

Niech słowa Babć niosą miłość, wiarę, nadzieję i dobroć dla wszystkich, którzy do nich dotrą i którzy je usłyszą.

Carol Schaefer

Oświadczenie Międzynarodowej Rady Trzynastu Kobiet Starszyzny Plemiennej

My, trzynaście babć z rdzennych plemion, po raz pierwszy zgromadziłyśmy się w miejscowości Phoenica, w stanie Nowy York. Spotkanie trwało od 11 do 17 października 2004 roku. Z czterech stron świata dotarłyśmy na ziemię Konfederacji Irokezów. Przybyłyśmy z deszczowych lasów Amazonii, północnego koła podbiegunowego, wielkich lasów północno-zachodniej Ameryki Południowej, wielkich równin Ameryki Północnej, wyżyn Ameryki Środkowej, Czarnych Wzgórz Dakoty Południowej, gór Oaxaca, pustyni południowo-zachodniej Ameryki, gór Tybetu i deszczowych lasów Afryki Środkowej.

Potwierdzając naszą łączność z tradycyjną medycyną rdzennych ludów i społeczności na całym świecie, kierujemy się wspólną wizją zawarcia nowego przymierza, które obejmie całą Ziemię.

Stanowimy Międzynarodową Radę Trzynastu Kobiet Starszyzny Plemiennej. Połączyłyśmy się w jedności. Nasze przymierze w modlitwie na rzecz oświaty i uzdrawiania powstało dla Matki Ziemi i wszystkich Jej mieszkańców, dla wszystkich dzieci i następnych siedmiu pokoleń.

Jesteśmy głęboko zaniepokojone bezprecedensowym niszczeniem Matki Ziemi, skażeniem powietrza, wody i gleby, okrucieństwami wojny, globalną plagą ubóstwa, niebezpieczeństwami związanymi z bronią jądrową i odpadami nuklearnymi, panującą kulturą materializmu, epidemiami zagrażającymi zdrowiu ludzkości, nadmierną eksploatacją pierwotnych sposobów uzdrawiania oraz niszczeniem plemiennych stylów życia.

My, Międzynarodowa Rada Trzynastu Babć, wierzymy, że nasze modlitwy, a także sposoby zapewniania pokoju i metody uzdrawiania, odziedziczone po przodkach, są w dzisiejszych czasach niezbędne. Łączymy się, by zapewnić opiekę i wykształcenie naszym dzieciom. Łączymy się, by stać na straży tradycyjnych obrzędów i potwierdzić prawo do używania roślin leczniczych bez ograniczeń prawnych. Łączymy się, by chronić ziemię, na której żyją nasze ludy i od której zależy nasza kultura, by bronić zbiorowe dziedzictwo tradycyjnego uzdrawiania i samej Ziemi. Wierzymy, że nauki przodków oświetlą nam drogę przez niepewną przyszłość.

Łączymy się ze wszystkimi, którzy czczą Stwórcę, pracują i modlą się za nasze dzieci, pokój na świecie i uzdrowienie Matki Ziemi.

Dla wszystkich naszych związków:
Margaret Behan, Czejenowie/Arapaho
Rita Pitka Blumenstein, Jupikowie
Julieta Casimiro, Mazatec
Aama Bombo, Tamang
Flordemayo, Majowie
Maria Alice Campos Freire, Brazylia
Tsering Dolma Gyaltong, Tybet
Beatrice Long Visitior Holy Dance, Oglala Lakota
Agnes Baker Pilgrim, Takelma Siletz
Mona Polacca, Hopi/Havasupai/Tewa
Clara Shinobu Iura, Brazylia
Bernadette Rebienot, Omyene

Wprowadzenie

W magicznej, chronionej przez starożytne duchy, dolinie wyniosłych gór Catskill zapłonął święty ogień. Płomień, który go rozpalił, wzniecił w 1986 roku, wódz plemienia Irokezów, Shenandoah. Podczas obchodów międzynarodowego roku pokoju, przed siedzibą ONZ, pocierając o siebie dwa patyki, wytworzył iskrę, zapalając pochodnię pokoju. Tego ranka, w blasku pięknego wschodzącego słońca, budynek ONZ zabłysnął niczym wizja *Wielkiej Sali z Miki*, wspomnianej w przepowiedni Indian Hopi sprzed tysiąca lat. Wiadomość miała być dostarczona w cudownym błyszczącym miejscu, w czasie „Wielkiej Przemiany" w nadziei wprowadzenia tysiąca lat pokoju na świecie. Hopi wiedzą, że oto nadeszły czasy opisane w przepowiedni.

Dzięki niezwykłemu współdziałaniu, pochodnia pokoju odbyła podróż z *Wielkiej Sali z Miki* dookoła świata, przez sześćdziesiąt dwa kraje, w osiemdziesiąt sześć dni. Podczas tej niecodziennej podróży, płomień niesiony był przez tysiące biegaczy i podziwiany przez miliony ludzi, łącznie ze światowymi przywódcami (było to spełnienie snu Gail Straub i jej męża Davida Gershon'a, autorów i ekspertów w dziedzinie umacniania świadomości współistnienia i wzniecenia światowej wizji pokoju i jedności). Gdy pochodnia powróciła do Narodów Zjednoczonych, pojawiły się zdumiewające relacje o działaniu potężnej, alchemicznej siły ognia. Następnie, płomień przeniesiono na ołtarz Santuario de Chimayo w Nowym Meksyku, gdzie płonie nieprzerwanie. Ogień opuścił sanktuarium tylko raz, w 2004 roku, aby zapłonąć na uświęconej ziemi Irokezów.

W otoczeniu mieniących się złotem lasów i w chłodnym, nieruchomym, wieczornym powietrzu, w połowie października 2004 roku, płomień zapoczątkował bezprecedensowe i historyczne zgromadzenie trzynastu kobiet starszyzny plemiennej, strażniczek rdzennych nauk z czasów pierwotnych. Babcie przybyły, aby wypełnić kolejną starą przepowiednię, znaną wielu plemionom na całym świecie – *Gdy Starszyzna Kobiet z czterech stron świata przemówi, nadejdzie nowy czas.*

Zgromadzenie, o którym była mowa w przepowiedni i które pojawiało się w różnych wizjach od niepamiętnych czasów, wyłoniło się w następstwie zamachu z 11 września. Uczestnictwo Babć w zgromadzeniu, zostało przepowiedziane każdej z nich w inny sposób. Niektóre dowiedziały się o nim od swoich babć, gdy były bardzo młode. Wszystkie Babcie zaproszono na to spotkanie dawno temu, przed czasem, który znamy, aby miały ze sobą kontakt w okresie „Wielkiej Przemiany" i by stały się siłą wspierającą pokój na świecie. Przepowiednia mówiła, że teraz muszą podzielić się swoją najbardziej sekretną i uświęconą wiedzą ze wszystkimi ludźmi, również z tymi, którzy ich prześladowali, a wszystko dlatego, że zagrożone jest przetrwanie ludzkości, jeśli nie całej planety.

Sytuacja, w jakiej znajduje się świat, wymaga globalnej odpowiedzi. Babcie – żyjące legendy swoich ludów – reprezentują plemiona z koła podbiegunowego, Północnej, Południowej i Centralnej Ameryki, Afryki, Tybetu i Nepalu. Jako kobiety wiedzące, *curanderas*, szamanki i uzdrowicielki, wniosły do rady nowe wizje i przepowiednie dla ludzkości, plemienne bogactwo i różnorodne źródła mądrości, a także unikalne dla każdej rdzennej społeczności tajemne nauki życia w zgodzie z Uświęconym Porządkiem Wszechrzeczy.

Aż do współczesności, w każdej części świata, rdzenne plemiona funkcjonowały w jedności z otoczeniem. W rezultacie charakter społeczności odzwierciedlał miejsce swego pochodzenia i w ten sposób ukazywał wielką różnorodność, tak charakterystyczną dla całej ludzkości. Unikalna kultura każdego z tysięcy pierwotnych plemion, rozwijała się pod wpływem klimatu oraz konieczności dzielenia życia i przestrzeni z miejscowymi zwierzętami i roślinami. Powstające tradycje, rytuały, opowieści, sztuka i muzyka, były tak samo charakterystyczne dla danego miejsca, jak rosnące tam kwiaty i drzewa. Dlatego tubylcy zawsze podkreślali, że jeśli stracą połączenie z własną ziemią, jak stało się to z większością rdzennych mieszkańców Ameryki, przestaną być tym kim naprawdę są.

W niektórych plemionach, na przykład u Czejenów czy Lakota, naucza się, że ich pierwotna mowa została podarowany przez zwierzęta i dźwięki natury. Ten archaiczny język jest wciąż używany podczas ceremonii i rytuałów, gdyż zgodnie z tradycją, dźwięki te mają moc otwierania bram do Świata Ducha. Legendy przypominają plemionom, że wszystkie nauki pochodzą z obserwacji królestw natury. Ludzie powinni być za nie wdzięczni przez okazywanie szacunku Matce Ziemi i opiekowanie się Nią. Taka bliskość z naturą umożliwiała tym, którzy pozostali na ziemi przodków, żyć z ziemi, nie zakłócając jej równowagi przez tysiące lat.

Babcie mówią, że podstawą przetrwania każdego plemienia była nie tylko zdolność do życia w równowadze z naturą, ale także w harmonii ze sobą. Siła społeczności opierała się na rodzinie, a dobrobyt każdej z nich był niezbędny dla dobrobytu wspólnoty. Naturę postrzegano jako odzwierciedlenie różnych ról w rodzinie. Wierzono, że kobiety i mężczyźni są Duchem zamieszkującym ciało, nieustannie ewoluującym odbiciem Stwórcy, zasadą matki/ojca. Ziemię postrzegano jako Wielką Matkę, dawczynię i żywicielkę życia, ideę żeńskiej energii. W niebie i niebiosach widziano Ojca lub Dziadka, odbicie energii męskiej.

Ze względu na całkowitą zależność od przyrody i ziemi, ludzie traktowali życie jak świętość. Nie byli czymś odrębnym od natury czy kosmosu. To, co czyniono Ziemi i Jej mieszkańcom, czyniono sobie. Wszystko stanowiło część Jedności. Ani zwierzęta ani rośliny nie były traktowane jak rzeczy. Instrumentalne podejście do natury otwiera bowiem wrota do wszelkiej destrukcji i braku szacunku. Joseph Campbell, w przeprowadzonym przez Billa Moyersa wywiadzie, wskazał, *że ego, postrzegające środowisko poprzez „my", nie jest tożsame z tym, które patrzy na świat jako na zbiór rzeczy.*

Zgodnie z rodzinną tradycją wszystkie starsze kobiety, traktowano jak strażniczki, czuwające nad fizycznym i duchowym przetrwaniem rodziny, a tym samym całego plemienia. Babcie były opiekunkami nauk i rytuałów, dzięki którym wspólnota funkcjonowała i mogła rozkwitać. Utrzymywały także pieczę nad społecznym porządkiem. W plemionach na całym świecie, łącznie z wielkim narodem Irokezów (ich plemienna konstytucja była inspiracją dla Konstytucji Stanów Zjednoczonych), przed każdą poważniejszą decyzją – na przykład o wkroczeniu na wojenną ścieżkę – konsultowano sprawę z kobiecą starszyzną – Radą Babć.

Rdzenna ludność żyła w systemie wspólnotowym, opartym na zasadzie współzależności – wszyscy dzielili się z innymi tym, co posiadali i pomagali sobie nawzajem. Nikt nie odgradzał siebie od innych, dlatego nikomu niczego nie brakowało i panowała równość. Myśliwi przynosili pożywienie dla całego plemienia. Nawet jeśli któryś był wyjątkowo skuteczny, nigdy nie brał więcej dla swojej rodziny. W uznaniu jego umiejętności zajmował na ogół zaszczytne miejsce w całej społeczności.

Nie istniała potrzeba indywidualnego gromadzenia dóbr, ponieważ nie doświadczano braku – oczywiście poza momentami, kiedy dotykało ono całe plemię. Społeczność wiedziała jak postępować, by przeżyć. Większość była świadoma, że dzielenie się i ofiarowanie zwiększa wartość osobistych zasobów, a gromadzenie ponad miarę wstrzymuje przepływ obfitości. Więcej korzyści dla ogółu, oznaczało więcej korzyści dla jednostki. Obecnie, dla większości członków rdzennych społeczności, jeden krok poza wspólnotę w świat współczesny oznacza, że częstokroć nie mają co jeść, nie mogą znaleźć dachu nad głową i żyją w nędzy. Jeden dzień we współczesnym świecie może wymazać tysiące lat równowagi i samowystarczalności.

Babcie przypominają, że to od rdzennych plemion powinniśmy nauczyć się jak cała ludzkość może wspólnie się rozwijać. Natomiast członkowie tubylczych społeczności mogą od współczesnego świata przyjąć wiedzę jak przetrwać i funkcjonować niezależnie od własnego plemienia.

Babcie twierdzą, że cechą wspólną rdzennych ludów, jest szacunek dla Świata Ducha. Bramą do tego świata jest natura. Dla wielu pierwotnych społeczności nawet kamienie żyją i posiadają duszę. W istocie, najstarsze wspomnienia przypisuje się kamieniom, ponieważ to one uważane są za najstarsze stworzenia na planecie. Większość rdzennych ludów twierdzi, że w sercu wszystkiego można znaleźć ducha, którego zamieszkuje esencja Stwórcy czy jakkolwiek chcielibyśmy nazwać tę moc. Według nich zwykłe podniesienie kamienia i potrzymanie go w dłoni, w subtelny, lecz głęboki sposób przeobraża człowieka. Odnajdywanie światów wewnątrz zwykłego kamienia objawia światy w nas samych. Dla większości rdzennych ludów bardzo ważna była odwaga, aby móc spoglądać zarówno do wnętrza jak i na zewnątrz. Bliski kontakt z naturą sprawiał, że trudno było uniknąć takiej wewnętrznej wędrówki.

Babcie mówią, że wizje, sny, modlitwy, ceremonie i rytuały są sposobami docierania do Świata Ducha. Pozwalają na bezpośrednie doświadczanie mitów i archetypów kultury, zabierają człowieka poza zwykłą rzeczywistość. Rytuały, wzmocnione intencją, wzmagają koncentrację i umożliwiają dostęp do bardziej wysublimowanych poziomów umysłu. Wspomagają kontakt z przestrzenią duchową, z której pochodzą przepowiednie i wskazówki, pomagają wpłynąć na wydarzenia. W taki właśnie sposób pozyskiwano wiedzę na temat uzdrawiających właściwości roślin, tak rozumiano szacunek dla czterech kierunków i podstawowych żywiołów – ziemi, powietrza, ognia i wody. Każdy, kogo choć raz urzekło piękno zachodzącego słońca czy kto choć raz, komunikując się z naturą znalazł rozwiązanie problemu, otrzymał wgląd w światy, otwarte przed rdzennymi ludami, pielęgnującymi tego rodzaju mądrość.

Według Babć, najważniejszym celem duchowości jest dotknięcie tajemnicy tkwiącej poza słowami, którą można odczuć jedynie w ciszy i samotności. Cisza dostraja do energii, wibracji i duchowych sił, które są ukryte w sercu Stworzenia. Te królestwa są prawdziwe, ale można do nich dotrzeć jedynie poprzez spokój umysłu i praktykę. Nie oznacza to całkowitego braku analitycznego myślenia, jednak myślenie o doświadczeniu w momencie samego doświadczenia, wstrzymuje cały proces. Babcie wierzą, że musimy powrócić do wewnętrznego ducha, ducha wszystkich rzeczy, którego opuściliśmy, poszukując szczęścia na zewnątrz.

Babcie zdają sobie sprawę, że doszło do poważnego zepsucia ducha ludzkości. Globalna ludzka rodzina, makrokosmos systemu plemiennego pogrążona jest w chaosie i chorobie. Żyjemy oddzieleni od siebie i od planety, która karmi nasze ciało i duszę. Przemoc i wojny spowodowały głód, ubóstwo, zanik kultury i brak zrozumienia dla podstawowych ludzkich praw. Woda – krew Matki Ziemi – jest często tak brudna, że nie nadaje się do picia, powietrze w wielu miejscach jest tak zanieczyszczone, że trudno nim oddychać. Babcie pytają czy właśnie tego chcemy dla siebie i przyszłych pokoleń. Utraciliśmy podstawową wiedzę, że całe życie jest święte, a wszystko co istnieje jest Jednością. Babcie mówią, że musimy przebudzić się z tego transu, zanim Ziemia zacznie otrząsać się z nas.

W tradycji każdej z Babć przepowiednie mówią, że wkraczamy w *Czas Oczyszczenia*. Ten proces jest naturalnym oczyszczaniem nagromadzonej negatywnej energii, wytworzonej przez koncentrację na świecie materialnym, a nie duchowym. Życiu należy przywrócić szacunek i chronić je. Każdy powinien mieć zapewniony dostęp do schronienia i naturalnego źródła pożywienia. Babcie wierzą, że wszelkie przejawy życia są połączone ze sobą, więc uzdrowienia, jakości życia i rozwoju duchowego nie można oddzielać od polityki i świadomości. Kultura, która nie opiera się na prawach natury, nie ma prawdziwych korzeni i długo nie przetrwa. Bez głębokiego połączenia z przyrodą ludzie dryfują w zagubieniu, mają negatywny stosunek do świata oraz niszczą siebie duchowo i fizycznie. Kiedy jesteśmy głęboko połączeni z naturą, wszędzie dostrzegamy piękno, także w nas samych.

Każda cząstka świata zawiera w sobie mądrość, klucz do wzniecenia czystej iskry ludzkości. Trzynaście Babć zebrało się w Radzie, by dzielić się modlitwami, rytuałami i ceremoniami. Rada powstała w celu globalnego uzdrowienia i stworzenia przemawiającego jednym głosem przymierza. Babcie mówią o sposobach na samowystarczalność, suwerenność i prawdziwą więź wszystkich ludzi Ziemi, dla życia i pokoju.

Narodziny Rady Babć

Niezwykłe kobiety, które obecnie tworzą Radę Babć, zgromadziła po raz pierwszy Amerykanka Jeneane Prevatt (Jyoti). Podczas pracy nad doktoratem, Jyoti trafiła do Instytutu Carla Gustava Junga w Zurychu. Tam zainteresował ją temat – jak rdzenne tradycje całego świata mogą pomóc współczesnym ludziom w odkryciu wewnętrznej mądrości i mocy. Obecnie Jyoti jest dyrektorem Centrum Świętych Studiów (Center for Sacred Studies), organizacji *non-profit*, zajmującej się kultywowaniem rdzennych sposobów życia poprzez edukację, praktykę rozwoju osobistego i wymianę doświadczeń. Jyoti założyła także, duchową wspólnotę Kayumari w górach Sierra Nevada w Kalifornii.

Jyoti przez wiele lat odwiedzała pierwotne społeczności na całym świecie i uczyła się od nich. Zainspirowana ich duchowością, zaczęła modlić się o wskazanie sposobu na *zachowanie mądrości rdzennych plemion i wcielenie w życie ich nauk*. W odpowiedzi na te modlitwy, zaczęła doświadczać serii wizji. W jednej z nich ujrzała krąg starszych kobiet z różnych części świata. Poczuła że została powołana, by udzielić głosu tym kobietom. Podążając za wizją, odnalazła adresy, które wraz z innymi członkami wspólnoty zebrała podczas podróży po całym świecie. Ostatecznie wysłała zaproszenie do szesnastu kobiet z różnych części planety. W zaproszeniu opisała swoją wizję i poprosiła kobiety o ich obecność w radzie. Gdy któraś odmawiała, polecała Jyoti kogoś w zastępstwie.

Wszystkie Babcie, które zaakceptowały zaproszenie – nawet jeśli początkowo czuły się tego niegodne – głęboko w sercu wiedziały, że mają uczestniczyć w radzie. Wiedziały, że Babcie ze Świata Ducha, mądre istoty, o których ludzkość zapomniała, nawoływały je do działania. (szczegółowy opis powstania Rady Babć znajduje się w dodatku).

Jyoti nie miała pojęcia jak liczna ma być rada. Dopóki Babcie nie zebrały się po raz pierwszy, nikt nie wiedział ile powinno ich być. Przepowiednia przejawia się i potwierdza zwykle na przestrzeni lat. Dzieje się to w małych częściach i dzięki wielu osobom, a z każdym kolejnym objawieniem pogłębia się jej znaczenie. Tak też było w przypadku Babć, a wizje i przepowiednie dotyczące rady rozwijały się w czasie i coraz bardziej ukazywały przeznaczoną jej liczebność, pracę i zadania.

Na początku Babcie poznały właściwą liczbę członków rady – trzynaście. Nastąpiło to pierwszego dnia, w momencie kiedy Rita Pitka Blumenstein, Babcia z plemienia Jupików, przedstawiała się innym kobietom. W jej oczach pojawiły

się łzy, gdy rozdawała babciom trzynaście kamieni i trzynaście orlich piór; dar
na którego przekazanie czekała od dawna. Kiedy Rita miała dziewięć lat, prababcia wręczyła jej trzynaście kamieni i tyle samo orlich piór, prosząc by wręczyła
je kobietom utworzonej Rady Babć, której częścią, w przyszłości miała stać się
dziewczynka.

W tradycji każdej z Babć, liczba trzynaście była uważana za świętą. W zamierzchłych czasach, rok dzielono na trzynaście miesięcy, a cykl kobiety był ściśle połączony z cyklem księżyca – w ciągu roku było trzynaście pełni. W tamtych czasach,
kobiety darzono wielkim szacunkiem. Z ich zsynchronizowanych z niebiosami
ciał, na podobieństwo Matki Ziemi, rodziło się życie.

Zbiorowa siła trzynastu Babć, wynikająca ze współczucia oraz oddania życiu,
naturze i inteligencji nieodłącznej Stworzeniu, przejawiła się już przed pierwszym spotkaniem, w momencie, gdy zaczęły napływać datki. Nie było jeszcze
wtedy wiadomo czym konkretnie rada będzie się zajmować i kiedy się zbierze.
Ludzie pracowali za darmo, aby doszło do spotkania Babć. W ciągu dwóch lat,
które Jyoti poświęciła na przygotowania do pierwszej konferencji w Nowym Jorku, uzbierano dwieście pięćdziesiąt tysięcy dolarów. Dokładnie tyle potrzebowa-
no na tygodniowe spotkanie Babć oraz innych wybranych kobiet z całego świata.
Dzięki tej sumie można było zapewnić im dach nad głową i honorarium oraz
przyjąć trzystu uczestników konferencji. Pieniądze pochodziły z dotacji, prywat-
nych datków i opłat od wszystkich zaproszonych. Znalazły się też pieniądze na
film dokumentalny o pracy rady. Idea jej zawiązania spotkała się z wielką szczo-
drością, miłością i wiarą.

Pradawna mądrość, wizja przyszłości

Wcielając pradawne, plemienne sposoby postrzegania świata i dostosowując je
do zagadnień istotnych dla współczesnego świata, Babcie mają nadzieję zmienić
kierunek, w jakim zmierza ludzkość oraz zapewnić pokój i dobrobyt dla wszystkich przyszłych pokoleń. Te duchowe przywódczynie – szamanki, uzdrowicielki i przekazicielki duchowej energii – zajmują się kwestiami, które mają pomóc
w tworzeniu zdrowej przyszłości – uzdrawianiem rodzin, zakończeniem wojen,
stworzeniem właściwych związków między kobietami a mężczyznami, zintegro-
waniem medycyny naturalnej z medycyną współczesną, zachowaniem równowagi

ekologicznej Ziemi i wydobyciem zbiorowej mocy kobiet przez pogłębianie związku z wewnętrznym wymiarem kobiecości.

Babcie, dzieląc się wizjami, przepowiedniami i pradawnymi sposobami uzdrawiania, mają nadzieję zainspirować ludzi do bardziej świadomego uczestnictwa w rozwoju świata. Wszystkie kobiety są potężnymi opiekunkami tradycji plemiennych i są niezłomne w najlepszym tego słowa znaczeniu. Dzięki głębokiej wiedzy i szacunkowi dla wszelkich przejawów stworzenia są poetkami życia i wspaniałymi gawędziarkami. Już zwykłe obcowanie z nimi jest darem samym w sobie. Ich opowieści oraz sposób wyjaśniania pradawnych archetypowych mądrości otwiera liczne drzwi prowadzące do ludzkich ciał, serc i psychiki.

Jedna ze starożytnych przepowiedni Indian Hopi, wspólna dla wielu plemion z całego świata, dotyczy powstania świata. Kiedy Stwórca powołał cztery rasy, każdej z nich dał pewne zadanie. Miały one wspólnie tworzyć świat, w którym życie będzie uznawane za święte. Rasa czerwona, rdzenni mieszkańcy obu Ameryk, dostali pod opiekę Ziemię – nauki dotyczące roślin, pożywienia i ziół. Żółta rasa posiadła wiedzę o powietrzu, duchowym rozwoju opartym na niebie, wiatrach i oddechu. Czarna rasa dostała wiedzę o głębi ludzkich emocji oraz o wodzie – żywiole, który będąc z jednej strony tak potężnym, z łatwością przystosowuje się do otoczenia. Wreszcie biała rasa otrzymała wiedzę ognia, który tworzy, konsumuje i jest w ciągłym ruchu.

Oddech, krew i kości sprawiają, że na fundamentalnym poziomie nie ma różnicy między nami. Babcie przypominają, że wewnątrz siebie wszyscy jesteśmy jednością. Według przepowiedni ludu Hopi dopóki wszystkie cztery rasy nie zbiorą się razem, na Ziemi nie zapanuje prawdziwy i trwały pokój. Aż do dzisiaj, rasa czerwona, ze swoją mądrością, była wykluczona ze światowego dialogu. Faktycznie dopiero Babcie i ich rada wypełnia przepowiednię Hopi. Po raz pierwszy w historii spotkały się wszystkie cztery rasy, niosąc wyjątkowe nauki, które mają pomóc odnaleźć drogę do stworzenia lepszego świata. Babcie spotkały się z kobietami zachodu, reprezentującymi współczesne ścieżki życia, w nadziei na ponowne połączenie wiedzy, która przez wiele tysięcy lat pozwalała na rozkwit planety. Z różnych państw, ale z jednym sercem, przybyły na ziemię Irokezów, ziemię czystych rzek i pradawnych gór.

Święty ogień miał płonąć przez siedem dni. Babcie podchodziły do ognia, składając mu dary, niektóre modliły się w ciszy, inne śpiewały i powoli chodziły wokół kręgu, zatrzymując się w czterech kierunkach. Kiedy Agnes Baker Pilgrim, najstarsza członkini plemienia Indian Takelma, żyjącego wzdłuż rzeki Rouge w południowym Oregonie (a także najstarsza Babcia Rady i zarazem jej rzeczniczka), okrążała ogień, nagle zerwał się wiatr i zawirował wokół Babć. Na okolicznych drzewach nie drgnął ani jeden liść.

Są z nami Babcie z drugiej strony – powiedziała wtedy z wielką pokorą, ale wcale nie zaskoczona Babcia Agnes – *Udzielają nam swojego błogosławieństwa.*

CZEŚĆ PIERWSZA

Babcie

Agnes Baker Pilgrim
Takelma Siletz
(Grants Pass, Oregon)

Za każdym razem, gdy Agnes Baker Pilgrim, znany na świecie duchowy autorytet i Opiekunka Świętej Ceremonii Łososia, opowiada o rozdzierającym serce pięknie i niesamowitej mocy karmiącej samicy łososia, która poświęca życie, wypełniając swoje przeznaczenie, łzy zachwytu i wdzięczności kręcą się w oczach słuchaczy. Po długiej i niebezpiecznej wędrówce w górę rzeki do miejsca, z którego pochodzi, gdzie po raz ostatni składa jaja, samica łososia powraca w dół rzeki, aby powoli zakończyć życie. W procesie śmierci, jej ciało rozpada się, stając się pożywieniem dla innych, małych ryb. Pozostałe szczątki ciała karmią trzydzieści trzy gatunki ptaków i czterdzieści cztery gatunki zwierząt, które piją wodę i przenoszą minerały, użyźniając tym samym ziemię i wzbogacając otaczającą roślinność.

Potęga słów i obrazów Babci Agnes, oparta na tysiącu lat rytuałów i ceremonii, poświęconych świętej ścieżce ludu łososia, sprawia, że w pewnym momencie sam słuchacz staje się łososiem. Ludzie zaczynają odnajdować w sobie rzadko dziś praktykowaną gotowość do bezwarunkowego ofiarowania i dzielenia się. Poznają prawdę o naszej łączności i współzależności, o tym, że jesteśmy jedynie drobnymi cząstkami Stworzenia.

Zgodnie z legendą, łososie były podobnymi do nas istotami i żyły w pięknym mieście pod dnem oceanu – mówi Babcia Agnes – *Duch Ludu Łososia postanowił powracać każdej wiosny i jesieni, aby wykarmić dwunożnych. Ludzie mawiają – Babciu Agnes, to okropna historia! Ale ja mówię, że łososie pragną się poświęcać, aby nas wykarmić.*

Wierząc w słuszność swojego działania, Babcia Agnes przywróciła i ożywiła Świętą Ceremonię Łososia. Utracono ją sto pięćdziesiąt lat wcześniej, gdy biali górnicy przybyli na południowo-zachodnie wybrzeże Oregonu i urządzili masakrę wśród Indian. W ciągu czterech lat zniszczyli to, co przetrwało tysiące lat.

Odpady górnicze zaczęły spływać rzekami, zmniejszając populację łososia i większości słodkowodnych ryb, w które obfitowały rzeki. Górnicy i ich rodziny, zasiedlając ziemię, bez odrobiny szacunku zdziesiątkowali populację jeleni i saren oraz bezpowrotnie wykorzystali większość naturalnych zasobów. W pogoni za szybkim gromadzeniem bogactw zakłócili naturalny porządek, który dzięki pełnym czci praktykom rdzennych plemion, był podtrzymywany przez wiele lat.

Od momentu gdy Babcia Agnes przywróciła ceremonię, znacznie wzrosła liczba łososi powracających w górę rzeki, w celu złożenia ikry. Okoliczni mieszkańcy czują większe połączenie z ziemią i otwierają się na tak istotne więzi z innymi i samymi sobą. Ceremonię poparł i wspiera magazyn National Geographic wraz z firmą Eastman Kodak. Do wzrostu świadomości na temat ceremonii przyczyniła się również Marta Stewart, uczestnicząc w niej podczas swojego programu.

Babcia Agnes uważa, że głównym zadaniem ceremonii jest stworzenie przestrzeni dla uzdrawiającej energii Stwórcy, poprzez wyrażenie wdzięczności wobec Ludu Łososia za karmienie ludzi.

Staram się nauczać zasady wzajemności – mówi Babcia – *My, istoty dwunożne, zwykle bierzemy, a rzadko dajemy coś w zamian. Brak wzajemności oznacza odrzucenie naturalnej równowagi. Rytuały i ceremonie przywracają energię wzajemności.*

Babcia Agnes – duchowa członkini starszyzny Konfederacji Plemion Siletz, uważana jest za żywą legendę wśród swojego ludu. Jeździ po całym świecie, walcząc w interesie planety i zagrożonych gatunków.

Jestem głosem tych, którzy głosu nie mają – wyznaje – *Wszyscy mówimy w imieniu niewidzialnego świata, mówimy w imieniu Matki Ziemi, starając się powstrzymać duchową ślepotę. Mówimy w imieniu królestwa zwierząt, w imieniu tych, co żyją w wodach, w imieniu czworonogich i jednonogich (drzew), tygrysa bengalskiego, wielbłąda, słonia czy istot pełzających. Modlę się, aby Stwórca nas usłyszał. Te istoty też mają prawo do życia. Dawno temu Stwórca dał nam wskazówki jak mamy żyć. Powiedział jak dbać o siebie, co jeść i gdzie mieszkać. Niestety zakłóciliśmy tę równowagę. Wycięliśmy zieleń z twarzy Matki. Zanieczyściliśmy wodę – Jej krew. Na wierzchołkach gór pozostawiamy karczowiska, podczas gdy to drzewa przywołują wiatr i deszcz. Brak starych drzew na wierzchołkach gór oznacza poważne problemy. Małe drzewa nie potrafią tyle, co stare, które wycięto.*

Według Babci Agnes, razem z rozumem, otrzymaliśmy pełnomocnictwo od Stwórcy, aby dbać o wszystko, co było tu przed nami i utrzymywać *równowagę pomiędzy czterema żywiołami – ziemią, powietrzem, wodą i ogniem.*

Jak mówi Babcia – *Odeszliśmy od tych nauk i dlatego planeta cierpi.*

W 1982 roku u Babci Agnes lekarze stwierdzili raka. Stanęła wtedy w obliczu śmierci. Poprosiła jednak Stwórcę, aby pozwolił jej żyć ze względu na swoją rodzinę. Wierzyła, że ma jeszcze wiele do zrobienia w świecie. Od tamtej pory nie zwalnia tempa.

Na duchową ścieżkę przywołało ją poczucie niepokoju, które pojawiało się nawet podczas snu. Miała wtedy czterdzieści pięć lat. Jakaś siła pchała ją w kierunku duchowości. Dowiedziała się, że ma oczyścić własne wnętrze. Zwalczała ten wewnętrzny głos nie czując się godna, aby wyruszyć w duchową podróż. W tym czasie doświadczyła śmierci ego. Po wielu wewnętrznych walkach stoczonych ze Stwórcą, przyjaciel poradził, aby przestała się opierać i poddała. Kiedy wreszcie zdecydowała się podążać duchową ścieżką, poczuła jak z jej serca spadł wielki ciężar. Jej widzenie poszerzyło się i mogła postrzegać zewnętrzny świat z zamkniętymi oczami. Przyrzekła kroczyć tą ścieżką, aby uhonorować i uszanować przodków, rodziców, dzieci oraz przyszłe pokolenia. Ślubowała walczyć w imieniu dobrobytu ukochanej Matki Ziemi i świętych miejsc swego ludu.

Społeczeństwo dominacyjne często gardzi mądrością rdzennych ludów na temat świętości, profanuje święte miejsca. Musimy powstrzymać tę duchową ślepotę, niezdolność dostrzegania i odczuwania otaczającego nas sacrum.

Babcię Agnes przyjęła na świat jej babcia, położna. Dziadek, George Harney, był pierwszym wybranym wodzem Konfederacji Plemion Siletz. Jej ojciec również pełnił funkcję wodza.

Moja matka, córka pierwszego wybranego wodza, wzbudzała powszechnie wielki podziw. Traktowano ją jak księżniczkę, choć słowo księżniczka nie istnieje w naszym języku.

Rodzina wywodzi się z plemion Indian Siletz i Takelma z rejonu Table Rocks. To społeczności, które przez ponad dwadzieścia dwa tysiące lat żyły wzdłuż rzeki Rogue, w południowo-zachodnim Oregonie. Górny dopływ rzeki Siletz to miejsce, do którego wygnano ludzi w czasie Szlaku Łez (Trail of Tears). W rdzennym języku Takelma oznacza – *ci, którzy mieszkają wzdłuż rzeki.*

Pierwotne imię Babci Agnes to Taowhywee, co znaczy Gwiazda Poranna. Kiedy kobieta odwiedziła rezerwat Blood w Albercie (Kanada), nadano jej jeszcze jedno rdzenne imię, Naibigwan – Ważka. W jej społeczności ważkę uważano za *przeobraziciela.* Legenda mówi, że kiedy ludzie tego plemienia wymarli, powrócili na ziemię jako ważki.

Ważki są czymś niezwykle istotnym w moim życiu – mówi Babcia Agnes – Przekonasz się o tym jeśli przyjdziesz do mojego domu. Mam je na skarpetkach. Są w moich włosach, na zasłonach, ręcznikach i fartuchach. Mam je na przeróżnych świecznikach i przedmiotach, wiszących na drzewach przed domem. Jestem pewna, że to dzięki nim przodkowie cały czas chcą mi coś przekazać!

Babcia Agnes wychowała się w biednej, jedenastoosobowej rodzinie, w domu bez prądu. Pomimo że były to czasy Wielkiego Kryzysu, właściwie nigdy nie odczuwała braku. Nie znała innej rzeczywistości. Od dzieciństwa obcowała z roślinami, w rodzinnym ogrodzie.

Na początku dostałam pod opiekę cztery rośliny. Kiedy szłam do szkoły, byłam już odpowiedzialna za cztery grządki.

Rodzice Babci Agnes umarli gdy uczęszczała do szkoły średniej. Od tego czasu opiekowali się nią bracia. Kiedy dorosła, rozpoczęła pracę w Portland, na stanowisku asystentki lekarza, a następnie jako instrumentariuszka w miejscowym szpitalu. W tym czasie spotkała przyszłego męża. Wzięli ślub, gdy miała dwadzieścia lat. Z ich związku narodziły się trzy córki. Po śmierci pierwszego męża, ponownie wyszła za mąż i znów urodziła troje dzieci. Stała się matką trzech synów i trzech córek. Kiedy ponownie owdowiała, poślubiła mężczyznę z plemienia Jurok. W międzyczasie straciła dwóch synów – pierworodnego i najmłodszego. Dziś ma osiemnaścioro wnucząt i dwadzieścioro siedmioro prawnucząt. Niedawno przyszło na świat piąte pokolenie jej rodziny, prapraprawnuczka. Babcia Agnes jest dumna, że wszyscy żyją w zgodzie z tradycją, podążając właściwą ścieżką.

Po wielu latach pracy w Indiańskiej Służbie Zdrowia, pięćdziesięcioletnia Babcia Agnes wróciła na studia, kończąc psychologię i indianistykę. Była także jedną z najstarszych nauczycielek na Uniwersytecie Południowego Oregonu, który ukończyła i gdzie pomogła założyć Akademię Młodzieży Konanway Nika Tillicum (Wszystkich Moich Związków). W akademii oprócz zwykłych zajęć naucza się rdzennego protokołu oraz sztuki teatralnej, aby pomóc młodym ludziom przełamać nieśmiałość. Przez dziewiętnaście dni studenci mieszkają w miasteczku uniwersyteckim, gdzie oprócz nauk o rodzimej kulturze, poznają życie studenckie. Na przestrzeni lat, Babcię Agnes wielokrotnie wyróżniano za jej społeczną aktywność w nauczaniu i sprawowaniu opieki nad tradycją. Doceniano ją jako źródło inspiracji, zarówno lokalnie jak i na całym świecie.

Jako najstarszą z trzynastu kobiet, Babcię Agnes poproszono o przewodniczenie radzie. Zwracając się do innych babć podczas pierwszego spotkania, Babcia powiedziała – *Wiara we własne siły, wiedza, mądrość, troska i dzielenie się przy stole, to coś wspaniałego. Czułam was wszystkie zanim was ujrzałam. Piękne jest to, że Stwórca jest po naszej stronie, gdyż kroczymy według tego, co głosimy. To, samo w sobie, ma moc.*

Babcia Agnes wierzy, że Babcie stworzone są z esencji, która z pokolenia na pokolenie była przekazywana wojownikom.

Przodkowie przemawiają, używając naszych głosów – mówi – *Tę radę zapoczątkował Świat Ducha. Każdą z nas tu przywołano. Nasze modlitwy mają poruszyć serca ludzi. Możemy pomóc zatrzymać duchową ślepotę na całym świecie. Nasze modlitwy mogą odmienić życie terrorystów. Zebrano nas z czterech stron świata, abyśmy mogły tego dokonać. Możemy być głosem siły, zachęty, miłości i walki o pokój. Pamiętajmy, że kropla wody drąży skałę.*

Babcia Agnes żyje z nadzieją, że zachowamy piękno istniejącego świata, aby siedem następnych pokoleń także mogło się nim cieszyć. Wierzy, że zostaliśmy do tego zachęceni przez poprzednie siedem pokoleń. Babcia często powtarza, że *wczoraj jest historią, jutro tajemnicą, a dzisiaj darem, więc powinniśmy żyć mądrze.*

Bernadette Rebienot

Omyèné

(GABON, AFRYKA)

Bernadette Rebienot, urodziła się w Libreville w Gabonie, we wspólnocie językowej Omyèné. Gdy miała pięć lat straciła matkę i od tego czasu wychowywał ją ojciec z babcią. Bardzo młoda i niewinna, otrzymała pierwszą wizję podczas rodzinnego spotkania. Zobaczyła umierającego w wodzie przyjaciela rodziny. Podzieliła się tym doświadczeniem z ojcem, jednak jego powątpiewający ton sprawił, że zamilkła. Nie miała odwagi, aby wyjaśnić co zobaczyła.

Po tym zdarzeniu Bernadette przestała opowiadać o obrazach, które samoistnie pojawiały się w jej umyśle. Tę zdolność, jak i wiele innych wyjątkowych talentów, odziedziczyła po babci bliźniaczce. Babcię Bernadetty wprowadzono w tradycyjny sposób uzdrawiania, praktykowany przez Pigmejów od tysięcy lat. Jej specjalnością były trudne porody i leczenie złamań. Dzięki babci, Bernadette bardzo wcześnie poznała świat natury. To ona uczyła ją o wszystkich żyjących wokół roślinach, z których niektóre wysiewały się naturalnie, a inne zostały posadzone, ze względu na swoje uzdrawiające właściwości. Wpoiła jej też, że rośliny są szczególnym darem od przodków i muszą być chronione dla przyszłych pokoleń. Dziadek Bernadette zawsze powtarzał – *szanuj las, myśl o dniu jutrzejszym.*

Kiedy Bernadette osiągnęła wiek szkolny zmarła jej matka. Opiekę nad nią powierzono wtedy zakonnicom. Jej babcia mocno wierzyła, że wykształcenie jest paszportem, podnoszącym poczucie godności. W ramach zabawy, Bernadette zaczęła dzielić się swoimi wizjami z przyjaciółmi. Wkrótce jednak poważnie zachorowała. Choroba zaatakowała prawą stronę jej twarzy. Żyła z rozdzierającym bólem. Musiała przebywać w ciemności, ponieważ światło nasilało cierpienie.

Mimo wysiłków medycyny, choroba nie ustępowała przez trzy lata, co bardzo niepokoiło całą rodzinę. W końcu, za namową babci, postanowiono skorzystać z tradycyjnych metod leczenia. Pigmejski szaman, którego poproszono o pomoc, ujrzał w wizji, że Bernadette ma wyjątkowy dar i musi zaakceptować chorobę jako ścieżkę inicjacji uzdrowicielki. W jej kulturze inicjacja oznacza duchowe uzdrowienie i odnosi się głównie do uzdrowienia ducha, rzadziej ciała fizycznego.

Istnieją dwa typy ludzi, inicjowani i nie inicjowani, ludzie, którzy posiadają wiedzę duchową i ci, którzy jej nie mają – mówi Babcia Bernadette – *Ścieżka wiedzy obdarza inicjowanego innym postrzeganiem życia, innym rodzajem rozumienia, zarówno rzeczywistości w ogóle jak i własnego życia. Ludzie są wszędzie tacy sami. Od każdej osoby zależy, którą ścieżką podąży.*

Tradycyjne uzdrawianie w kulturze Babci Bernadette przyjmuje, że ludzie mają dwa ciała – fizyczne i duchowe. Praktycy tradycyjnego uzdrawiania akceptują naturalny proces, który umiejscawia człowieka w bezpośredniej relacji z naturą i kosmosem. Kiedy pojawia się choroba, zajmują się pacjentem, a nie samą chorobą.

Choroba jest czymś obcym. Zamieszkuje w nas i dokucza, abyśmy dokonali niezbędnych duchowych przemian – wyjaśnia Babcia Bernadette – *Należy zająć się duchowym ciałem na równi z ciałem fizycznym. Zachodni świat nauki rozpoznaje jedynie fizyczną chorobę i na tym kończy leczenie. Nie zajmuje się duchową stroną człowieka. W Afryce uważa się, że te dwa ciała przenikają się wzajemnie i nie są sobie wrogie. Oba biorą udział w uzdrawianiu człowieka.*

Co najmniej osiemdziesiąt procent populacji Afryki korzysta z pomocy uzdrowicieli i szamanów. Babcia Bernadette uważa, że na całym świecie, obydwa środowiska, tradycyjne i naukowe, powinny wzajemnie się szanować i akceptować. Jeśli spełnimy ten warunek, zaczniemy pracować nad prawdziwym uzdrowieniem ludzkości.

Ponieważ na początku Babcia Bernadette nie chciała wziąć na siebie odpowiedzialności jaką pociąga za sobą bycie uzdrowicielką, jej wielkie umiłowanie życia i tańca, okazywały się przeszkodą w inicjacji. W końcu jednak choroba nie pozostawiła wyboru. Ponieważ musiała unikać światła, nie mogła żyć tak jak do tej pory. Musiała zaakceptować inicjację. Pigmejski szaman, powszechnie uważany za wielkiego człowieka, poprosił trzech innych, aby uczestniczyli w specjalnym rytuale. To był najwyższy zaszczyt.

Większość rdzennych kultur stosuje jakąś szczególną roślinę, która jest niezbędna dla procesu uzdrawiania i która jest używana w ceremoniach. Tradycyjną rośliną ludu Gabon, której użyto podczas inicjacji Babci Bernadette i która rośnie w tamtejszych lasach jest *Iboga*.

Historia *Ibogi* sięga tysięcy lat wstecz, a rozpoczyna się od dwóch grup Pigmejów, które żyły w niewiarygodnie rozrośniętym gąszczu pierwotnego lasu deszczowego Gabonu, pokrywającego dwadzieścia dwa miliony kilometrów kwadratowych ziemi. Obcy przybysze często postrzegali ten gęsty, wilgotny las, z uginającymi się pod ciężarem wody drzewami oraz niepokojącymi odgłosami ptaków i zwierząt jako miejsce nieprzyjazne. Czuli się tam samotni i przerażeni. Nie rozumieli, że przeciągły, smutny płacz kameleona w rzeczywistości oznajmiał, że w drzewach ukryty jest miód, a wszystko w lesie nieustannie zaspokaja każdą potrzebę. Nie mając szacunku ani dla natury ani dla rdzennych mieszkańców, biali ludzie zaczęli kolonizować ten teren. W przeciwieństwie do przybyszów, Pigmeje wciąż czcili magiczny las, który był ich żywicielem, opiekunem i bóstwem. Zawsze żyli w głębokiej i radosnej bliskości ze swoim leśnym światem, dzieląc z nim tajemny język, który pozostaje zagadką dla ludzi z zewnątrz.

Dzisiaj las w Gabonie jest zagrożony. Firmy prowadzące wycinkę, łupią ten klejnot natury w zawrotnym tempie. Ścinane są największe, kilkusetletnie drzewa, co bezpowrotnie zaburza delikatną równowagę ekologiczną – a wszystko po to, aby zapewnić zapotrzebowanie na parkiet i meble robione z egzotycznego drewna. Kłusownicy używają dróg pozostawionych po wycince do prowadzenia polowań na słonie, goryle i szympansy, których mięso jest przysmakiem. Istnieje prawdopodobieństwo, że mięso tych zwierząt przyczynia się do rozprzestrzeniania AIDS i wirusa Ebola. W miarę jak maleją zapasy żywności, wzrasta zagrożenie lokalnej populacji. Wątpliwe jest czy leśne zwierzęta przetrwają ciągłe najazdy kłusowników.

W miarę jak zakłócana jest delikatna równowaga lasu, zagrożone jest również jedno z największych produkowanych przez las lekarstw, roślina użyta w inicjacji Babci Bernadette. *Ibogę*, jeden z wielu darów lasu, odkryli Pigmeje, obserwując jej działanie na niektórych zwierzętach, które jadły korzenie rośliny. Zauważyli, że pozwala ludziom pracować przez wiele godzin bez odczuwania zmęczenia i głodu. Jest także afrodyzjakiem uzdrawiającym ciało duchowe.

Iboga jest skarbem naszej kultury – wyjaśnia Babcia Bernadette – *Posiedliśmy tajemnicę tej rośliny i nie godzimy się, by nazywać ją halucynogenem. Iboga uzdrawia ducha, jest rośliną medytacji. Pozwala uwolnić pamięć z emocji przeszłości, rozpoznać wewnętrzne blokady, rozwiązać wewnętrzne konflikty i pogodzić się ze sobą.*

Praktycy medycyny tradycyjnej mają poczucie, że środowisko naukowe nie rozumie znaczenia *Ibogi*. A jest to roślina niezwykła. Po kilkuset latach obserwacji potwierdzono, że może uwolnić z alkoholizmu, zwalcza też uzależnienie od innych używek i narkotyków, sama nie prowadząc do nałogu.

Iboga nie uzależnia – wyjaśnia Babcia Bernadette – *Tak naprawdę trzeba mieć odwagę, aby ją zażyć, ponieważ zmusza do głębokiego i szczerego wglądu w siebie. Iboga stanie się na pewno częścią medycyny jutra.*

W czasie pierwszej inicjacji, nastoletnia Babcia Bernadette zobaczyła wszystko, co miało wydarzyć się w jej przyszłości i wyzdrowiała. Powoli, pod nadzorem szamana i nauczyciela, zaczęła używać swoich darów, ostatecznie rozumiejąc i akceptując własne przeznaczenie oraz duchowość, dzięki którym została uzdrowicielką. Zdolności, rozwinięte pod troskliwą opieką mistrza, stosuje obecnie ucząc, uzdrawiając i prowadząc Rytuał Inicjacji Kobiet Iboga Bwiti. Ludzie używają jej imienia duchowego, które oznacza *Wyczekiwana Przez Długi Czas.*

Nie zaskakuje mnie to, co dzisiaj robię – wyjaśnia Babcia Bernadette – *Ujrzałem to dawno temu. Nie pominęłam nic z tego, co zobaczyłam i niczego nie dodałam. Świątynia, którą budujemy, powstaje z wszystkiego, co jest w nas. Mały wewnętrzny głos, który wszyscy posiadamy, jest naszym doradcą.*

Babcia Bernadette już wkrótce po inicjacji stała się sławna we własnym kraju. Od 1994 roku jest dyrektorem Departamentu Zdrowia Medycyny Naturalnej. Z racji zajmowanego stanowiska uczestniczyła w wielu międzynarodowych konferencjach. Jest wdową, matką dziesięciorga dzieci. Ma dwadzieścioro troje wnucząt.

Przez tysiąclecia, kobiety w Gabonie regularnie spotykały się w lesie, dzieląc się wizjami, modląc o pokój na świecie i pomyślność swojego ludu.

W Gabonie – mówi Babcia Bernadette – *kiedy przemawiają starsze kobiety, słucha nawet prezydent. Wszędzie wokół toczy się wojna, ale w naszym kraju nie ma konfliktów.*

Zwracając się po raz pierwszy do Rady Babć, Babcia Bernadette powiedziała, że siedzenie wokół stołu z nimi wszystkimi jest jak spełnienie pięknego snu. W transie widziała wcześniej każdą uczestniczkę – trzynaście Babć z całego świata, mówiące jednym głosem.

Duch lasu w Gabonie powiedział, że nie możemy się już wycofać. Nie możemy się bać. Czas ucieka. Czas nagli. Duch istnieje. Jest o wiele silniejszy od ciała. Według Babci z Afryki, duchowość nie zna ras. Nikt nie wybiera miejsca, w którym się rodzi. Jedynie przeznaczenie. Akceptujmy to. Wszyscy mamy tych samych przodków, bo ludzkość jest jedną rodziną. Pomyślcie o naszych siostrach, które walczyły i umarły za ludzką rasę. Wstawmy się za wszystkich, którzy walczyli o pokój.

Dzisiaj rano, gdy w tych pięknych lasach obserwowałam sarnę, Duch dwukrotnie wypowiedział moje imię – powiedziała – *Jego głos zapewnił mnie, że praca, którą wykonujemy, jest naprawdę wielka.*

Flordemayo
Majowie
(Góry Ameryki Środkowej/Nowy Meksyk)

Babcia Flordemayo – członkini starszyzny Majów i *Curandera Espiritu* (duchowa uzdrowicielka), urodziła się na granicy Nikaragui i Hondurasu, w górach Ameryki Środkowej. Jej matka, położna i uzdrowicielka, owdowiała, kiedy dziewczynka miała dwa i pół roku. Najmłodsza pośród piętnaściorga dzieci, z których wszystkie miały jakiś dar, Flordemayo była jedynym dzieckiem obdarzonym zdolnością otrzymywania wizji. W kulturze Majów wrodzona zdolność uzdrawiania i otrzymywania wizji jest wielkim zaszczytem. Z tego powodu niektóre rodziny w Ameryce Środkowej są bardzo liczne. Rodzice mają bowiem nadzieję, że narodzi się dziecko z takim właśnie darem.

Przed śmiercią – opowiada Babcia Flordemayo – *matka powiedziała, że przyszłam na świat, aby „zamknąć jej oczy". Innymi słowy, matka mogła spokojnie odejść, wiedząc, że dzieło uzdrawiania będzie kontynuowane.*

Prawie każdego poranka, przy śniadaniu, matka dziewczynki pytała wszystkie dzieci o ich sny. Dzięki temu była w stanie prześledzić gdzie nocą było każde z nich. Flordemayo bardzo wcześnie zaczęła mówić i dzięki temu mogła uczestniczyć w tych rozmowach i przekazywać matce swoje wizje.

W wieku czterech lat dziewczynka zaczęła uczyć się od matki. Jej inicjacja nastąpiła dokładnie o północy, przy pełni księżyca, gdy matka powiedziała – *Córko, obudź się! Nadlatuje bocian!*

W blasku księżyca pobiegły do sąsiadów, aby odebrać poród. Flordemayo przeszła pomyślnie tę próbę i od tamtej pory asystowała matce przy wszystkich porodach. Zwykle siadała przy kuchennym piecu, gdzie częstowano ją kubkiem gorącego kakao lub gotowanym na glinianym piecu mlekiem i oczekiwała narodzin dziecka. Kiedy matka przynosiła zawiniętą w koc – niczym serdelek – nowo

narodzoną istotę, zawsze prosiła o wyczytanie historii jej życia. Duchowe istoty mówiły małej Flordemayo co ma przekazać. Uwielbiała to robić.

Dorastając, Flordemayo uczyła się sztuki uzdrawiania zgodnie z tradycją, poprzez ustne wskazówki od matki, przekazywane z pokolenia na pokolenie.

Właśnie tak pracuję. Tuż obok zawsze mam ducha matki i babki – wyjaśnia Flordemayo.

Historia *curanderismo* liczy pięćset lat. Powstało wraz z przybyciem do Ameryki europejczyków i niewolników z Afryki. Doszło wtedy do połączenia tubylczej wiedzy z mądrością ludów afrykańskich i chrześcijańskich. Mianem *curanderas* określa się zwykle położne, ludzi wróżących z kości, masażystów i zielarzy. Sztukę *curandersimo* praktykuje się w Meksyku oraz w Środkowej i Południowej Ameryce. Pochodzenie tradycyjnego uzdrawiania jest wyłącznie rdzenne, ale *curanderismo* to mieszanina różnych praktyk – chrześcijańskich, afrykańskich i miejscowych.

W 1960 roku, kilkunastoletnia Flordemayo wraz z matką i kilkorgiem rodzeństwa była zmuszona przeprowadzić się do Nowego Jorku. Sytuacja polityczna w rodzinnym kraju stawała się bowiem coraz bardziej napięta i niebezpieczna. Przeprowadzka do Nowego Jorku była szokiem dla dziewczyny. Nie znała miejscowego języka, a w swoim własnym nie potrafiła jeszcze pisać ani czytać. Matka trzymała ją z dala od formalnego nauczania, aby nie zakłócać nauki o uzdrawianiu. Po przeprowadzce do Nowego Jorku, Flordemayo przez wiele lat nie miała kontaktu z tradycyjną szkołą.

Kiedy matka poważnie zachorowała, przyspieszyła proces wdrażania córki w sztukę uzdrawiania. Dziewczyna rozwinęła wtedy w sobie zdolność widzenia chorób i ich przyczyn. Matka zmarła na krótko przed planowanym ślubem Flordemayo z poznanym w Nowym Jorku mężczyzną. Przez wiele lat po śmierci matki, kobieta czuła się bardzo samotna, pozostawiona sama sobie w kulturze, której nie rozumiała i która nie rozumiała jej. Jednocześnie w tym samym czasie otrzymywała wiele objawień i zawsze czuła przy sobie obecność matki. Doświadczała boskiego prowadzenia i osiągnęła dużą biegłość, pomagając ludziom w uwalnianiu negatywnej energii.

W 1974 roku, plemienna starszyzna z różnych wspólnot przemierzała Stany Zjednoczone, nauczając, że wszyscy jesteśmy Jednością, że nie istnieje rzeczywiste oddzielenie i że musimy zadbać o naszą planetę. Jasnożółty autobus o nazwie Cztery Strzały z kolorowymi flagami, powiewającymi w oknach, niespodziewanie zatrzymał się w Adirondacks, naprzeciwko domu Flordemayo, do którego wprowadziła się z mężem. Dwudziestokilkuletnia kobieta oniemiała, gdy ktoś zapytał o jej pochodzenie i plemię. Zakłopotana, zgodziła się wsiąść do autobusu i wskazać drogę do college'u. Wkrótce potem jako tłumaczka stała się częścią wydarzenia.

Podróż starszyzny miała na celu skupienie uzdrawiającej energii w Północnej Ameryce, tak aby zainicjować spełnienie pradawnego proroctwa Orła i Kondora. Przepowiedziano wtedy, że pewnego dnia plemienna starszyzna z różnych części kontynentu zacznie się gromadzić oraz dzielić wiedzą i sposobami uzdrawiania, przekazując ludzkości pradawną mądrość. Według przepowiedni to ludzie Centrum (Ameryki Środkowej) mieli ułatwić ruch energii z południa (od Ludzi Kondora) na północ (do Ludzi Orła), aby te dwie grupy ponownie spotkały się i połączyły.

Przepowiednia mówiła, że *ludzie z centrum zjednoczą Orła z północy i Kondora z południa. Dojdzie do spotkania krewnych ze wszystkich części Ameryki, ponieważ wszyscy są jednością, tak jak palce u dłoni.*

W czasie, gdy nie było jeszcze państw ani międzynarodowych granic, ludzie obu Ameryk spotykali się ze sobą, dzieląc mądrością, wiedzą i doświadczeniem. Z powodu odległości, czasu i braku szybkiego transportu takie spotkania mogły odbywać się raz na sto lat. Starszyzna z tamtych czasów wiedziała jednak, że kiedyś, w przyszłości, swobodny przepływ między kulturami zostanie zatrzymany. Ludzie obu kontynentów będą rozwijać się niezależnie w dziedzinach, które ich pociągają i zapomną lub zmniejszą wpływ braci i sióstr z innych rejonów.

Reprezentowani przez Orła, rdzenni mieszkańcy Ameryki Północnej rozwinęli się w kierunku ceremonii i nauki duchowej. Tubylcy z Ameryki Środkowej rozwinęli wiedzę dotyczącą czasu i astronomii, tworząc dokładny system kalendarzy ze zrozumieniem ruchu planet i gwiazd. Wreszcie reprezentowane przez Kondora, plemiona Ameryki Południowej rozwinęły rolnictwo oraz wiedzę na temat leczniczych roślin i obecnie produkują większość znanych na świecie warzyw.

Dla wspólnego dobra obu Ameryk i ich mieszkańców, niezbędne jest ponowne zjednoczenie ludzi, tak aby żadna grupa nie pozostawała w tyle. Czas, o którym mówiła starszyzna w swojej przepowiedni, właśnie nadszedł.

Babcia Flordemayo skupia się właśnie na tym czasie w historii, o którym mówi przepowiednia, bo kiedy Orzeł i Kondor ponownie wzlecą razem – skrzydło przy skrzydle – ludzie odnowią swoje więzi, będą dzielić się wiedzą i ocalą jedni drugich. Powstanie nowa świadomość, która połączy dokonania umysłu z głęboką mądrością serca, ponieważ to stanowi klucz do pomyślnej i zrównoważonej przyszłości. Najpierw jednak obie grupy ludzi muszą się porozumieć i odnowić kontakt.

Według przepowiedni to właśnie kobiety będą kroczyć pełne mocy – mówi Babcia Flordemayo – *My, kobiety, mamy przed sobą niezwykłą i odpowiedzialną podróż. Całe życie jesteśmy opiekunkami i kroczymy wraz z Matką. Mamy to w sobie. Ważne jest, aby kobiety miały wewnętrzną wolność w sercu i aby wyrażały siebie duchowo. Musimy nauczyć się trwać w równowadze w momencie teraz i ofiarować każdej chwili sto procent naszej modlitwy i uwagi. Kiedy tracimy równowagę, bo życie daje nam w kość, musimy szybko powracać do chwili obecnej. Moment po momencie. Nie da się tego zrobić trwając w nadziei, że zmiana sama nastąpi jutro. Musimy dać z siebie sto procent właśnie teraz i każdej następnej chwili. Owszem może nie być to łatwe, ale potężny duch kobiecości jest obecnie z nami.*

Babcia Flordemayo uczy, że drogą do równowagi jest odczuwanie miłości i ożywczej energii, płynącej przez nasze stopy z serca Ziemi oraz przywołanie energii *niebios*, aby wpłynęła przez koronę naszych głów. Przyzwolenie, aby te dwie energie spotkały się w centrum naszej istoty jest dopełnieniem tego procesu. Ostatecznie mamy pozwolić tak powstałej energii, aby płynęła tam, gdzie jest potrzebna.

Modląc się w ten sposób, Babcia Flordemayo podróżowała po całym świecie i służyła za pomost dla światła. Widziała, że ludzie w każdym zakątku świata wołają o modlitwę i potrzebują jej. Odmienne języki, kultury i religie nie są w tym żadną przeszkodą. W istocie nie mają wiele wspólnego z prawdziwą modlitwą, której podstawą jest szacunek i autentyczna pokora.

Obecnie żyjemy zbyt intensywnie i w dużym chaosie. Wszędzie jest tak dużo do zobaczenia i usłyszenia. Ześrodkowanie wewnątrz siebie i modlitwa to dwa sposoby, aby panować nad lękiem – mówi Babcia Flordemayo – *Niech każdy twój oddech będzie wypełniony modlitwą.*

Flordemayo oznacza *kwiat brzasku* i jest nazwą uzdrawiającej rośliny. Płatki kwiatu mogą być pastelowo różowe, białe, żółte lub purpurowe. Pachnący kwiat jest delikatny i kwitnie tylko jeden dzień. W tradycyjnej medycynie roślina stosowana jest głównie przez kobiety, a używana do wywoływania laktacji i kurczenia macicy po porodzie. Podobno powstrzymuje również rozwój AIDS.

Na pustyni w Nowym Meksyku, w Instytucie Medycyny Naturalnej i Tradycyjnej uprawia się tysiące leczniczych roślin, z których produkowana jest seria tradycyjnych, uzdrawiających produktów. Instytut jest właścicielem banku ekologicznych nasion, zbieranych na całym świecie, które – jeśli zajdzie taka potrzeba – zapewnią ich wzrost i zastosowanie w przyszłości. Flordemayo wierzy, że nadszedł czas, aby ujawnić sekrety na temat roślin i ich leczniczych właściwości, tak aby nie było żadnych barier w zrozumieniu ich zastosowania. Według niej nadeszła także pora, aby dzieci całego świata poznały sztukę uzdrawiania. Po raz pierwszy w historii, tradycyjni uzdrowiciele będą dzielić się ze światem swoją tajemną wiedzą. Ich pragnieniem jest, aby ludzie korzystali z tej mądrości i w ten sposób doszło do przyspieszenia zmian na ziemi.

Rośliny dają nam moc regeneracji – mówi Babcia Flordemayo – *Musimy jednak szanować je, chronić i modlić się za nie. Jesteśmy związani z duchem każdej rośliny oraz duchem świętych wód. Musimy troszczyć się o te rzeczy dla przyszłych pokoleń. Rytuały, ceremonie i astronomia naucza kiedy jest dobry czas na sadzenie i zbiór roślin. W tej pracy wspiera nas wielu nauczycieli. Mieszkańcy Ameryki Środkowej już wiedzą jak udzielić pierwszej pomocy. Jeżeli tak wzmocnieni, zaczniemy wszystko od początku, znajdziemy rozwiązania na współczesne dolegliwości.*

W niecałe sto lat, niemal całkowicie utraciliśmy mądrość przodków – mówi Babcia Flordemayo – *Nie możemy już dłużej marnować czasu. Spoczywa na nas ogromna odpowiedzialność.*

Babcia Flordemayo wiele nauczyła się od starszyzny, którą spotkała w żółtym autobusie. Uważa, że dziedzictwo Majów jest kamieniem węgielnym jej pracy. Traktowana wśród swoich współbraci jak kapłanka, pracuje ze świętym oddechem, świętymi kąpielami w ziołach, bezkrwawymi operacjami, nakładaniem rąk i uzdrawianiem na odległość. Przywraca równowagę w ciele fizycznym, emocjonalnym i duchowym oraz w subtelnym systemie energetycznym, znanym jako aura i czakry.

Babcia Flordemayo jest również Tancerką Słońca. Zobowiązała się wobec Ducha, że będzie tańczyła dla dobra narodów. Taniec Słońca jest czymś tak świętym, że nie powinno się o nim rozprawiać. Babcia przeprowadza ceremonie uzdrawiania, zgodne z tradycją Majów. Praktykuje Ścieżkę Trzynastu Świętych Ośrodków (Path of the Thirteen Sacred Center), prowadzi warsztaty i zajęcia oraz wykłada na konferencjach podróżując po całym świecie. Stworzyła także program wprowadzający ludzi z różnych środowisk w *curanderismo.*

W każdej pracy podążam za Duchem – mówi Babcia Flordemayo – *Nauczam przede wszystkim tego jak być człowiekiem, szanować innych i czuć wolność w sercu.*

Babcia Flordemayo jest dyrektorem Instytutu Medycyny Naturalnej i Tradycyjnej, który jest jednocześnie szkołą i ośrodkiem uzdrawiania. Stoi na czele Konfederacji Rdzennych Mieszkańców Ameryk, organizacji *non-profit*, działającej na rzecz zjednoczenia rdzennych ludów świata i przekazywania ich wiedzy całej ludzkości. Za swoją pracę w dziedzinie uzdrawiania otrzymała prestiżową nagrodę Martina de la Cruz. Mieszka z mężem, ma dwoje dzieci i trójkę wnuków.

Kiedy Rada spotkała się na ziemi Orła, Babcia Flordemayo, przedstawiając się, ofiarowała taką oto modlitwę:

W imię serca niebios, serca wiatru, serca ognia, dziękuję ci, ukochany Duchu ognia, opiekunie wszystkich pokoleń, Duchu, który czynisz nas tym kim jesteśmy. Oddaję Ci cześć. Dziękuję za prowadzące nas światło, które objawia naszą prawdziwą naturę. Dziękuję światłu, które w nas płonie i które doprowadziło do tego spotkania.

Dziękuję Ci kręgu, duchu piękna, ogniu, Ojcze/Matko Stwórco ludzkości. Dziękuję, że troszczysz się o nas przez cały czas. Dziękuję za Twoją odwieczną obecność. Stoimy teraz przed Tobą. Moje serce czuje piękno, płonie. Z ogniem jesteśmy ludźmi, bez niego jesteśmy niczym.

Dziękuję ci, duchu Babć, który nas prowadzisz i który nie pozwolisz, abyśmy zawiodły. Dziękuję za twoje wsparcie. Składam ci hołd. Dziękuję, że pozwalasz mi uczestniczyć w świętym kręgu, w tym uświęconym czasie. To niezmiernie ważne, aby rozpowszechnić wieść o naszym duchowym spotkaniu. Zaiste jest to niezbędne. Wybiła już jedenasta.

Margaret Behan

Arapaho/Czejenowie

(MONTANA)

Margaret Behan, Kobieta Czerwony Pająk, urodziła się czwartego lipca, w amerykańskie Święto Niepodległości. Rodzina ze strony jej matki to klan Bobra, który stanowi część ludu Czejenów z Oklahomy. Rodzina ze strony ojca to potomkowie plemion Czejenów i Arapaho, należący do Szałasu Królika.

Modlono się za mnie zanim przyszłam na świat – mówi Babcia Margaret – *Matka chciała mieć kolejne dziecko, więc dziadek odprawił w tej intencji ceremonię pejotla. Byłam trzecim pokoleniem poczętym dzięki pejotlowi i wychowałam się otoczona jego uzdrawiającą mocą. Pejotl stanowi nieodłączną część mojego życia.*

Babcię Margaret uczono, że pejotl jest sakramentem i nie można go stosować jako środka odurzającego.

Pejotl ma uzdrawiającą moc – mówi Margaret – *Nie powoduje uzależnienia. Ze względu na gorzki smak, niewielu chce go używać dla zabawy. Ceremonialne zastosowanie pejotla, zgodnie z regułami postępowania i tradycją, to kwestia wyboru.*

Kiedy byłam mała, dziadek postawił dla mnie tipi i odprawił ceremonię za całe moje życie – mówi Babcia Margaret – *Wśród Czejenów mówi się, że „zasiał dla mnie modlitwy". Dziadek widział, że w przyszłości pejotl będzie bardzo korzystny dla ludzi.*

Babcię Margaret zawsze poruszają historie tych, których pejotl uzdrowił. Dorastała wśród takich opowieści. Kiedy pewnego dnia jej matka spadła z konia i złamała kość biodrową, lekarze chcieli ponownie złamać kość, aby zrosła się poprawnie. Jednak dziadek nie wyraził na to zgody. W zamian odprawił uzdrawiającą ceremonię i matka dziewczynki zaczęła chodzić.

Gdy ośmioletni syn Babci Margaret miał bardzo wysokie ciśnienie, lekarze zalecili, aby wysłać go do szpitala dziecięcego w Bostonie. Niestety kobieta nie miała pieniędzy, żeby tam dotrzeć i leczyć dziecko.

Dziadek i wujkowie odprawili wtedy ceremonię pejotla. Lekarze nie mogli uwierzyć, że syn całkowicie wyzdrowiał – wspomina Babcia Margaret – *Odwiedził nas wtedy pewien kardiolog i był bardzo podekscytowany, ponieważ nigdy wcześniej nie spotkał się z podobnym przypadkiem. Innym razem zwołaliśmy spotkanie, kiedy lekarze poddali się w sprawie mojej bratowej, cierpiącej na chorobę Crohna. Co prawda jest to choroba fizyczna, ale według naszego rozumienia powodują ją emocje. Uzdrowienie nastąpiło na naszych oczach. Lekarze ponownie nie mogli uwierzyć. Według akademickiej medycyny choroba Crohna jest nieuleczalna. Takie cuda od zawsze były częścią mojego życia.*

Pejotl jest rośliną o uzdrawiającej mocy, która wywołuje dobre samopoczucie i bogate, barwne wizje. Docierając do podświadomości ujawnia źródło fizycznego problemu. Roślina ta – gatunek z rodziny kaktusowatych – jest uważana za świętego, boskiego *posłańca*, ponieważ pozwala na bezpośredni kontakt z Bogiem, bez pośrednictwa kapłana. Jej duchowa moc pomaga nawiązać kontakt z Bogiem wewnątrz każdego z nas i przywraca równowagę człowieka z Ziemią. Dla wielu pejotl jest nauczycielem i sposobem na życie. Istnieje przekonanie, że właściwie zastosowany sprawia, że wszelkie inne środki stają się zbyteczne. Uzdrowienie, które zachodzi na duchowych poziomach istnienia, jest trwałe i powoduje fizyczną poprawę.

Indianie zamieszkujący tereny Stanów Zjednoczonych poznali pejotla dzięki rdzennym mieszkańcom Meksyku. Chociaż wśród Indian czczących tę roślinę, traktowanie go jako środka odurzającego i spożywanie bez odprawienia ceremonii, było i jest uważane za świętokradztwo, wraz z przybyciem nowych osadników, pejotl stał się przedmiotem kontrowersji i prześladowań. Kiedy na rdzenne ziemie ludu Czejenów przybywało coraz więcej osadników wizje otrzymywane dzięki pejotlowym ceremoniom pozwalały tubylcom podtrzymywać więzi i zachowywać własną tradycję.

W 1918 roku dziadek Babci Margaret pomógł zalegalizować pejotl. Stało się to dzięki wcześniejszemu, niezwykłemu wydarzeniu. Para białych ludzi, desperacko poszukująca pomocy dla umierającego dziecka, zwróciła się do niego o pomoc. Ludzie z jej plemienia nigdy wcześniej nie leczyli białych, ale dziadek i wujkowie zgodzili się odprawić ceremonię. Dziecko przeżyło. Po tym wydarzeniu, chłopcu powtarzano wielokrotnie – *Nigdy nie zapomnij Indian. Dzięki nim wydarzył się cud. Nigdy o tym nie zapomnij.* Kiedy chłopak dorósł, został prawnikiem, a potem objął urząd senatora. W 1918 roku spotkał się z dziadkiem Margaret i powiedział, że chce zalegalizować ceremonię z użyciem świętej rośliny i zachować rdzenne sposoby uzdrawiania. Senator pomógł utworzyć *Kościół Rdzennych Mieszkańców*

Ameryki (Native American Church). Od 1974 roku, wraz z uchwaleniem ustawy o wolności religijnej, od Północnej Dakoty aż po Meksyk, używanie pejotla stało się legalne podczas niektórych ceremonii rdzennych plemion. Do tego czasu wszelkie obrzędy Indian były uznawane za niedozwolone, bez względu na to czy stosowano w nich pejotl czy nie. Przez całe dziesięciolecia w pierwszej poprawce do konstytucji nie było mowy o swobodzie religijnej Indian.

Rodzice Babci byli robotnikami sezonowymi dlatego wychowaniem ośmiorga dzieci – w tym najmłodszej Margaret – zajmowali się głównie dziadkowie (w 1920 roku występowali w słynnym widowisku Wild West Show). Potem Margaret i jej rodzeństwo wysłano do szkół misyjnych i rządowych z internatami.

Rodzice nie zawsze mogli być przy mnie – wspomina Babcia Margaret – *W naszej kulturze nie mamy cioć i wujków, ale wiele matek i ojców. Miałam więc wielu rodziców, pomimo, że moi biologiczni często wyjeżdżali.*

Od swojej matki, Margaret nauczyła się pracy z koralikami, szycia sukienek dla lalek i symboliki świętych wzorów plemienia. Tworzenie lalek stało się dla niej sposobem artystycznej ekspresji. Kiedy dorosła, rzeźby i inne dzieła sztuki przyniosły jej wiele nagród i zaszczytów.

Kiedy Babcia Margaret miała pięć lat, wysłano ją do szkoły z internatem.

W miarę możliwości rodzice przychodzili do mnie w odwiedziny, śpiewali pieśni i opowiadali różne historie, abym nie zapomniała naszej kultury i tradycji – wspomina – *Ojciec opowiadał, że Stwórca kocha nas tak bardzo, że podarował nam gwiazdę. Tą gwiazdą jest ogień. Jesteśmy więc Gwiezdnymi Ludźmi. Powiedział mi też, że Orzeł jest aniołem i zawsze powinnam się do niego modlić. Te dary od Stwórcy pomogły mi być tutaj dzisiaj.*

Życie Babci Margaret nie było łatwe. Wcześnie zaczęła nadużywać alkoholu. Na początku zmuszała się do picia, ponieważ chciała dopasować się do grupy rówieśników. Potem maltretowana przez męża z trudem wychowywała troje dzieci. Nie wiedziała gdzie zgłosić się po pomoc i co robić. Zawsze pomagała innym, ale jej samej trudno było prosić o wsparcie. W końcu zwróciła się z prośbą do wujka o ceremonię pejotla.

Podczas ceremonii, szaman pejotlowy, który jest liderem rytuału, ma własny ołtarz w postaci paleniska. Każdy uczestnik może patrzeć w ogień, aby otrzymać swoją wizję – wyjaśnia Babcia Margaret – *Ja ujrzałam rozbity i popękany sierp księżyca. Natychmiast pomyślałam, że coś jeszcze gorszego wydarzy się w moim życiu i bardzo się przestraszyłam. Prowadzący ceremonię wujek cały czas mnie obserwował. Widział moje przerażenie. Pomimo wszystko kontynuowałam modlitwę. W tym momencie nie mogłam się poddać.*

Za chwilę Babcia Margaret zobaczyła, że jej ognisty ołtarz popękał i był bardzo zniszczony. Wszyscy inni również to dostrzegli i ucieszyli się. Stwierdzili, że to dowód, iż przybyły pomocne duchy, aby jej pomóc.

Wtedy zrozumiałam, że mogę prosić o pomoc dla siebie – mówi – *Czułam obecność Ducha. Byłam spokojna i wiedziałam, że jestem pod opieką. Sama pamięć tego doświadczenia pomaga mi do dzisiaj.*

Babcia Margaret nieprzerwanie wpatrywała się w ognisty ołtarz i ujrzała wizję siebie w poszarpanym ubraniu, getrach i nowych mokasynach. Jedną stopę miała w błocie, drugą na trawie. Patrzyła na buty, a jej wujek dmuchnął w gwizdek z kości orła. Znowu wszyscy zaczęli się cieszyć, ale Margaret myślała że chyba zwariowali. *Z czego tak się cieszą?* Wujek ujrzał tę samą wizję i wyjaśnił, że podarta spódnica oznacza coś zupełnie odwrotnego. W istocie to ubranie było nowe, a buty stare.

Łatwiej wyjaśnić to w naszym języku – mówi Margaret – *W wizjach wszystko pojawia się na odwrót. Wtedy zaczęłam uczyć się dostrzegania znaków w ceremonii.*

Kiedy matka Margaret umierała, poprosiła córkę o przygotowanie czterech ceremonii pejotla, zanim opuści ten świat. Pomogły jej siostry. Przyszli wszyscy krewni i przynieśli świętą roślinę. Każdy w tipi był bardzo szczęśliwy.

Wszystko było takie wspaniałe – wspomina Babcia Margaret – *Byłam zdumiona i zrozumiałam, jak potężny jest Duch, który czyni te wszystkie rzeczy w moim życiu.*

Niestety po śmierci matki, życie Margaret znowu legło w gruzach. Nieraz zastanawiało ją to i dziwiło. Przecież odprawione wcześniej ceremonie miały ją chronić. *Myślałam, że ceremonie zaopiekują się mną na zawsze. Niestety znowu wpadłam w alkoholizm.*

W końcu, pierwszego stycznia, kilka miesięcy po śmierci matki, Babcia Margaret znowu poszła na ceremonię pejotla, prosząc o trzeźwość. Słyszała wcześniej, że nigdy nie należy igrać z modlitwami, a prośby o pomoc traktować poważnie i z należytym szacunkiem. Tym razem chciała sprawdzić czy jej modlitwa okaże się prawdziwa czy będzie kolejną grą umysłu.

Wkrótce po ceremonii zaczęła spotykać trzeźwych ludzi. Wiedziała już, że modlitwa była autentyczna i zadziałała. Ponownie rozpoczęła terapię. Tym razem towarzyszył jej mąż, który również nadużywał alkoholu. Niestety po dwóch tygodniach zrezygnował, ale ona wytrwała. Była zdeterminowana, aby żyć w trzeźwości.

Podczas leczenia, terapeuta zadał trzy pytania, które odcisnęły mocny ślad w jej umyśle.

Spytał jak postrzegam siebie w towarzystwie innych ludzi, jak widzę siebie w lustrze, a na-stępnie jak traktuję samą siebie – wyjaśnia Babcia Margaret.

Chociaż kobieta chciała uwolnić się z nałogu jak za dotknięciem czarodziejskiej różdżki, zdała sobie sprawę, że będzie to długi i bolesny proces. Kiedy stawiła mu czoła, odkryła, że zadręcza się nienawiścią do siebie. Musiała przetransformować to niskie poczucie własnej wartości. Uświadomiła sobie również, że aby wytrwać w trzeźwości, musi odejść od męża.

Naprawdę musiałam stanąć twarzą w twarz ze sobą – mówi Babcia Margaret – *Musia-łam bardzo bezpośrednio i autentycznie skonfrontować się z dotychczasowym pojmowaniem Ducha, ceremonii i własnych próśb. Dopiero kiedy uświadomiłam sobie to wszystko, byłam w stanie zaufać na głębszym poziomie.*

W trakcie leczenia, dyrektor programu zaproponował Babci Margaret stypendium, aby sama mogła zostać terapeutką uzależnień. Wtedy odrzuciła tę propozycję. Czuła się przede wszystkim artystką i nie widziała się w tej roli. Dwa tygodnie po ukończeniu terapii otrzymała jednak smutny telefon. Jej zięć, alkoholik, pomimo leczenia, odebrał sobie życie. Dwoje wnucząt nagle straciło ojca.

Nie mogąc otrząsnąć się z tej wiadomości, Babcia Margaret poprosiła o kolejną ceremonię pejotla – *Podczas rytuału, zobaczyłam w ogniu, że muszę wrócić. Dziadek zawsze podkreślał, że należy dobrze poznać przeciwnika. Wiedzieć czym się żywi. Poczuć jak pachnie i co robi. Wróciłam więc z płaczem do dyrektora i poprosiłam o odrzucone wcześniej stypendium, tak aby lepiej poznać uzależnienie. Uszanowałam moje modlitwy oraz to, co zobaczyłam w ogniu.*

Pomimo że praca w szkole zmuszała ją do życia w ubóstwie, Babcia Margaret była zdeterminowana, aby ukończyć naukę. Wierzyła, że skoro Duch pokazał jej ścieżkę, powinna nią podążać.

Kiedy wzięła życie w swoje ręce, wszystko nagle zaczęło się układać. Kiedy nadszedł czas na odbycie stażu, od trzech lat była już trzeźwa. Miała wiele możliwości, zwłaszcza jako rdzenna Indianka. Ostatecznie zdecydowała się pomagać swoim współbraciom i prowadzić terapię we własnym języku. Doprowadziła do końca wszystkie nierozwiązane sprawy w życiu, rozwiodła się i wzmocniła relacje z dziećmi. Jej rodzinne gniazdo opustoszało. Wtedy podjęła decyzję o przeprowadzce do Montany.

Na początku czuła się bardzo samotna, a jedyną znajomą osobą była jej siostrzenica. Kiedy po przyjeździe odkryła, że ktoś inny objął stanowisko na które czekała, stanęła przed kolejnym wyzwaniem. Nie myśląc zbyt długo otworzyła budkę z taco (danie kuchni meksykańskiej – przyp. tłum.). Wtedy wydarzyło się coś dziwnego – wielu ludzi zaczęło tam przychodzić, jakby przyciąganych jej obecnością. Na początku nie rozumiała co tak naprawdę się dzieje. Inne osoby podążające duchową ścieżką, które zwykle pozostawały w ukryciu i nigdy nie rozmawiały o sobie ze zwykłymi zjadaczami chleba, zaczęły przychodzić do niej i wprowadzać ją w swój świat.

Czułam że to jakaś nowa inicjacja – mówi – *Walczyłam trzy lata i byłam bardzo samotna, a teraz zaczęłam odkrywać ten inny, piękny świat mojego ludu.*

W tym samym czasie Babcia Margaret zaangażowała się w psychodramę i dostrzegła, że ma ona wiele wspólnych cech z ceremoniami i rdzennymi sposobami uzdrawiania, w których najpierw również pracowano z emocjonalnymi i duchowymi aspektami choroby.

Psychodrama przynosi natychmiastowy rezultat – wyjaśnia Babcia Margaret – *Jeśli ktoś ma problemy z gniewem, odgrywa na żywo swoją złość i wściekłość. Cały czas jest przy tym terapeuta. Uzdrowiciele postępują dokładnie tak samo.*

Psychodrama stała się ważnym narzędziem w jej pracy z traumą i uzależnieniami. Przed upływem roku, Babcię Margaret zaczęto zapraszać na prezentacje i spotkania do różnych miejsc w kraju. Obecnie prowadzi warsztaty dla ludzi różnego pochodzenia i w każdym wieku. Jej podejście do alkoholizmu jest wyjątkowe, ponieważ pokazuje jego przyczyny i uczy rozpoznawania wczesnych stadiów. Zwykle ci którzy do niej trafiają są już na zaawansowanych etapach choroby, dlatego tak ważna jest prewencja. Jej metoda polega na ukazywaniu różnicy pomiędzy eksperymentowaniem z alkoholem, a przymusem picia, wynikającym z potrzeby akceptacji przez grupę. Według Babci Margaret chęć przynależności i brak pewności siebie jest pierwszym znakiem ostrzegawczym. Narkotyki służą temu samemu celowi. Babcia Margaret odkryła, że kobiety nie są świadome krzywdy jaką wyrządzają sobie, wpadając w przymus uzależnień.

Jako przedstawicielka piątego pokolenia Indian, które przeżyło masakrę nad Sand Creek w 1864 roku – uważaną przez wielu za najbardziej tragiczną rzeź w historii Stanów Zjednoczonych – Babcia Margaret prowadzi badania nad traumą pokoleniową, wzorcami straty, żalu, niebezpieczeństwa, lęku, nienawiści i chaosu związanymi z tamtym wydarzeniem. Obok jej uznanych zdolności w tworzeniu lalek jest również poetką i dramatopisarką. Jest także rdzenną tancerką plemienia Czejenów i liderką tańców podczas zgromadzeń *pow-wow* (zjazd plemienny lub międzyplemienny, połączony z tańcami, śpiewami, targami rzemiosła; okazja do spotkań i wymiany doświadczeń – przyp. tłum.).

Siedemnaście lat temu Margaret po raz pierwszy została babcią i otrzymała błogosławieństwo, które w jej plemieniu jest uświęceniem wejścia w ten etap życia. Radzie Babć przedstawiła się śpiewając Pieśń Żółwia, której nauczyła się od swojej babci. Następnie powiedziała, że stała się częścią rady, ponieważ zupełnie odmieniła własne życie i czuje, że jest wiele osób, które powinna reprezentować poprzez swoje uczestnictwo.

Marzeniem Babci Margaret jest wolność wszystkich ludzi od niedostatku i ubóstwa. Kobieta pragnie, aby jej lud całkowicie uwolnił się od alkoholu, narkotyków i innych uzależnień.

Dopiero od dwustu lat mamy problem z uzależnieniami. Wcześniej było to czymś obcym i nieznanym. Właśnie teraz możemy powrócić do czasu, gdy byliśmy potężnymi ludźmi. Ludzie mocy to ludzie wewnętrznie wolni i wyzwoleni. Musimy uwolnić się od uzależnień i od osądów społeczeństwa. Zwykły spacer po górach może wywołać uczucie haju. Podobnie zbieranie dzikiej rzepy – to również może okazać się świętą praktyką. O tym wszystkim musimy sobie przypomnieć.

Zwracając się bezpośrednio do rady, Babcia Margaret powiedziała – *Wiem, że starożytne praktyki, które przynosimy z naszych tradycji, dokonają wielkich zmian.*

Rita Pitka Blumenstein

Jupikowie

(PÓŁNOCNE KOŁO PODBIEGUNOWE)

Babcia Rita Pitka Blumenstein, członkini starszyzny ludu Jupików, jest pierwszą osobą na Alasce certyfikowaną jako tradycyjna lekarka, mimo że nigdy nie ukończyła żadnej szkoły. Rita dorastała słuchając i czerpiąc z potężnych nauk mądrych babć i prababć.

Wychowałam się z babciami, spacerowałam z nimi i uczyłam się od nich. Być może nie mam takiej mądrości jak one, ale czuję połączenie ze wszystkimi Babciami wszechświata. Mam silną potrzebę dzielenia się ich naukami – mówi Babcia Rita – *Czuję, że ludzie są gotowi na to, aby wzrastać dzięki duchowi Babć i sięgać daleko ku krańcom wszechświata.*

Babcia Rita przyszła na świat w rybackiej łodzi. Jej rodzina pochodzi ze wsi Tununak, położonej na północno-wschodnim wybrzeżu wyspy Nelsona (o powierzchni dwóch kilometrów kwadratowych), w południowo-zachodniej części Alaski. Przenikliwe zimno i surowa tundra oznaczała dla Jupików ciężkie życie. Brak lasów i jakichkolwiek drzew sprawiał, że każdego roku odmawiali specjalną modlitwę o otrzymanie drewna niesionego przez wodę. Byli też zależni od duchów zwierząt, które prosili o pomoc. Intensywna walka o przetrwanie dała społeczności siłę, pogłębiła zażyłość plemienną, a każdego przedstawiciela obdarzyła silnym charakterem. Słowo Jupik w tamtejszym języku oznacza *prawdziwy człowiek*. Kiedy na ich wybrzeże przybyli Jezuici, cała społeczność mocno opierała się wszelkim próbom ewangelizacji. Zbyt wielka była potęga tamtejszych szamanów i plemienna tradycja.

Po drugiej wojnie światowej, rząd Stanów Zjednoczonych próbował zniszczyć kulturę Jupików, poprzez odebranie praw do myślistwa i rybołówstwa oraz założenie miejscowych szkół, gdzie dzieciom zabraniano mówić w rodzimym języku. Stare sposoby przetrwania w tundrze były celowo i systematycznie wykorzeniane.

Jupickie imię Babci Rity oznacza – *Decydujące Oczyszczenie Ścieżki ku Światłu.*

Pomimo polityki rządu udało mi się uczestniczyć w starych obyczajach – wyjaśnia Babcia Rita – *Ich nieodłączną część stanowiły różne ceremonie. Odprawiano rytuały dla czterech pór roku, obrzędy z maskami, modlitwy do wszechświata, uroczystości odnoszące się do rywalizacji między szamanami. Kiedy byłam mała, ta ostatnia ceremonia bardzo mnie przerażała. Nie rozumiałam jej. Dzisiaj widzę, że wszystko było po to, abyśmy obecnie mogli żyć w sposób, w jaki żyjemy. Wszystko służyło mojej obecnej pracy. Nasi przodkowie odprawiali ceremonie dla przyszłości. Tak naprawdę chodziło o czasy współczesne.*

Babcia Rita wierzy, że każdy z nas – łącznie z tymi, którzy przyjdą w przyszłości – pochodzi z nasion i jak rośliny jest wysiewany do ziemi. Wszyscy jeszcze przed urodzeniem wybierają sobie rodziców i przyszłe doświadczenia.

Matka uczyła, że jej brzuch był moim pierwszym światem – mówi Babcia Rita – *Kiedy byłam w łonie, czerpałam wiedzę bezpośrednio od niej. Przebywanie w brzuchu matki jest jak pobyt pod lodem – nie jesteś pewny czy istnieje światło i słyszysz wszystko, ale bardzo niewyraźnie.*

Jupikowie wierzą, że nauka na ziemi rozpoczyna się w momencie, gdy ciało rozwija się w łonie matki. Cokolwiek robi matka w okresie ciąży, wpływa na dziecko. Istnieją wskazówki jak postępować z nienarodzonym dzieckiem. Pojawiamy się w łonie bardzo mali, a potem powoli rośniemy – najpierw nie przyjmując zewnętrznego pokarmu – i rozwijamy świadomość świata.

Deseń na bębnie Babci Rity, którego wykonanie zajęło jej dwa lata, jest wyobrażeniem kobiecego łona. Każdy wzór i każdy symbol ma tu znaczenie. Widnieją na nim cztery kierunki świata. Oko jest okiem wszechświata, jego świadomością. Jest tam również niebo, a w środku okręgu umieszczono symbol nadziei. Bęben jest zrobiony z drewna brzozowego. Brzoza w języku Jupików oznacza *mocny*, ponieważ używa się jej do bardzo wielu rzeczy – budowania czółen, wyplatania koszy, przygotowywania syropów i cukru. Z wewnętrznej kory drzewa Jupikowie robią lekarstwo na raka, zaś z zewnętrznej sporządzają napój, który ma zapobiegać tej chorobie. Skóra na bębnie jest tak wyprawiona, aby jego wibracja niosła się aż po krańce wszechświata i z powrotem.

Jasne kolory, złote, poranne słońce oraz zachód słońca także stanowią część bębna. Jest tam obecna woda, jako karmicielka, powietrze, które jest jak oddech i wiatr, który jest miłością, ciepłem i bezpieczeństwem. Brąz symbolizuje Ziemię, zieleń – rośliny. Orzeł reprezentuje zwierzęta. W bębnie ważny jest każdy element i interakcja między symbolami.

Od momentu narodzin Rity, babcie z jej plemienia wiedziały, że dziewczynka ma dar, dzięki któremu będą przejawiać się duchowe moce. Już od czwartego roku życia dziewczynka zajmowała się uzdrawianiem.

Wciąż nie wiem czym jest to, co robię. Po wszystkim tak naprawdę nie mam pojęcia co się wydarzyło – wyjaśnia.

Jedna z pierwszych lekcji, którą Rita otrzymała od swoich babć, dotyczyła tego, że szkoła jest ważna, ale najważniejsze jest poznawanie siebie. Ta zasada stała się kamieniem węgielnym jej własnej mądrości.

W młodości, przez dwa lata, Babcia Rita cierpiała na dyfteryt. *Nie mogłam nic mówić tylko słuchać. Miałam trudności z oddychaniem.*

W 1995 roku odkryła, że jest chora na raka. Wiedziała, że aby uwolnić się od choroby musi dokonać uzdrowienia na głębszym poziomie. Rak pomógł jej uświadomić sobie gniew i smutek spowodowany brakiem ojca.

Ojciec umarł miesiąc przed moimi narodzinami – wyjaśnia – *Zawsze pragnęłam mieć ojca, który opiekowałby się mną, przytulał, chodził na spacer. Ponieważ nigdy nie robiłam tych rzeczy jako dziecko, byłam zła i tłumiłam to w sobie. Moje przyjście na tę planetę nie było łatwe. Bóg przekazał mi, że nie będę miała prostego życia.*

Jednak strata ojca i wynikające z tego cierpienie stały się katalizatorem wewnętrznej pracy i pomogły zrozumieć co jest potrzebne do uzdrowienia i stworzenia lepszego życia.

Bóg powiedział mi, że wszystkiego jest pod dostatkiem, a jedynym sposobem, aby doświadczyć obfitości jest przebaczenie. Trzymanie się negatywnych emocji powoduje raka i inne choroby. Uzdrawiamy się nie tylko dla siebie, ale dla całego wszechświata. Pierwotną przyczyną każdej choroby jest to, że nie pamiętamy kim jesteśmy – mówi Babcia Rita – *Istotne jest, aby pozwolić sobie wiedzieć to co naprawdę już wiemy, zamiast zmuszać się do bycia kimś innym. Jeśli jest zbyt wiele takiego dążenia, nie rozpoznajemy tego czego rzeczywiście pragniemy, nawet jeśli pojawia się to tuż przed nosem.*

Starszyzna zawsze podkreślała, aby nie polegać tylko na intelekcie lub tylko na uczuciach. Niektórzy ludzie myślą i nie czują, podczas gdy inni czują, a nie myślą. Myślenie i czucie zawsze sobie towarzyszą. W naszej społeczności dzieci od wczesnych lat są nauczane, że kiedy o czymś myślą, muszą to także poczuć. A kiedy coś odczuwają, powinny to również przemyśleć.

Uprzejmości uczyliśmy się w domu rodzinnym – wspomina Babcia Rita – *W naszej kulturze jej oznaką jest niezadawanie zbędnych pytań. Starszyzna zawsze powtarza, aby po prostu słuchać, a odpowiedzi pojawią się same. Owszem mogą nadejść nawet po roku, ale to jest w porządku. Odpowiedź przychodzi, kiedy jest potrzebna. Tak bardzo wpojono mi, aby nikomu nie przerywać, że teraz zapominam, że mogę zapytać, kiedy ktoś do mnie mówi –* śmieje się Babcia – *Ja zachęcam młodych ludzi do zadawania pytań. Według mnie to część procesu uczenia.*

Kiedy ktoś zwraca się do Babci Rity po pomoc zwykle traktuje to jako ostatnią deskę ratunku.

Sekret polega na tym, że ja nic nie wiem. Wszystko, co wiem to to, że jestem Rita Pitka Blumenstein, jestem twoim przyjacielem, nie jestem chora, smutna ani zagniewana. W czym mogę ci pomóc?

Po takim wstępie, Babcia Rita, wierząc, że trudne emocje zawsze w końcu tworzą chorobę, zaczyna odkrywać z pacjentem te, które do niej doprowadziły – *Emocje stają się fizycznością, a fizyczność staje się emocjonalnością. Prawdziwe uzdrawianie to wewnętrzne obnażanie –* mówi.

Razem z pacjentem pracują, odkrywając kolejne warstwy emocji, ukryte żale i urazy oraz złość nagromadzoną we wczesnym dzieciństwie. W ten sposób rozpoznawany jest podstawowy emocjonalny problem, powodujący fizyczne objawy.

Problemy fizyczne wywodzą się z tych wszystkich ukrytych spraw, każdej emocjonalnej rany i niewyrażonych w pełni uczuć – wierzy Babcia Rita – *Dzieje się tak, kiedy zapominamy, kim jesteśmy.*

Babcia Rita podkreśla, że to niezdrowa potrzeba bycia doskonałym doprowadza nas do surowego traktowania siebie – *Zmuszamy się zamiast pozwalać. Musimy żyć w pośpiechu, bardziej się starać, zadowalać kogoś, być silnym. To wszystko niepotrzebna presja. Prawdziwe pozwalanie to bycie sobą. Aby coś zrobić należy dać sobie czas, wziąć pod uwagę siebie, uszanować i być otwartym na spełnianie własnych potrzeb. W taki sposób sam stajesz się uzdrowicielem, poznajesz siebie i możesz się tym dzielić*

W istocie Babcia Rita czuje, że najlepiej naucza innych poprzez zwykłe bycie.

Ludzie mogą rozpoznać swoje talenty i zdolności tylko dzięki byciu sobą – *Współczesne problemy rodzą się z tego, że za bardzo poszukujemy i zadajemy zbyt wiele pytań. Szukamy odpowiedzi, ale kiedy już się pojawią, wcale ich nie słuchamy. Nie przyjmujemy odpowiedzi i nie pozwalamy sobie zastanowić się nad nimi.*

W wieku dziewięciu lat Babcia Rita zaczęła miewać wizje i wglądy dotyczące przyszłości. Na początku nie wiedziała, co się z nią dzieje. Chcąc ją ochronić, matka ostrzegała, aby nikomu nie wyjawiała tego, co widzi. Dla małej Rity widzenie i trzymanie tego w sobie było największym wyzwaniem w życiu. Wierzy, ze wizja, jaką miała o ludziach, patrzących z przerażeniem ku niebu, dotyczyła wydarzeń z 11 września 2001 roku

Jej prababcia, bardziej niż ktokolwiek inny, ufała że Rita w przyszłości będzie duchowym przywódcą i uzdrowicielką. Na dowód tego podarowała dziewięcioletniej dziewczynce trzynaście kamieni i trzynaście orlich piór, które pewnego dnia miała przekazać kobietom zebranym w niezwykłej radzie, wypatrzonej w wizjach.

Poza uzdrawianiem, Babcia Rita nauczała wyplatania koszy, śpiewania tradycyjnych pieśni i tańców, podczas warsztatów prowadzonych w ponad stu pięćdziesięciu krajach. Zbierała przy tym pieniądze na szkoły dla rdzennych Amerykanów. Nagrano i opublikowano jej nauki na temat *Kręgów Rozmów* (ang. talking circle). Na co dzień Babcia Rita jest lekarzem plemiennym South Central Foundation. Do uzdrawiania używa roślin oraz energii, łącząc mądrość, którą otrzymała dawno temu od swoich babć.

W 2006 roku Babcia Rita została niezwykle uhonorowana przez miejscowego burmistrza i jej własne plemię. Osiemnasty lutego ustanowiono dniem Rity Pitki Blumenstein. Obecnie jest wdową, choć przez czterdzieści trzy lata była szczęśliwą żoną i matką – pomimo śmierci pięciu z sześciorga jej dzieci.

Zabrał je Bóg – mówi o tym zwyczajnie.

Mąż Babci Rity posiadał żydowskie pochodzenie. Jej córka nazywa siebie *Jewskimo* (gra słów: zestawienie Jew – żydowski i Eskimos – człowiek tundry – przyp. tłumacza) Rita jest babcią sześciorga wnucząt. Jedno z nich – dwunastoletnią dziewczynkę, która rozmawia z Matką Ziemią – uczy uzdrawiania i sposobów kultywowania tradycji.

Podczas podróży po kraju, z Seattle do Albany, Babcia Rita napisała wnuczce o łzach, które pojawiły się w jej oczach, kiedy patrzyła z okna samolotu i odczuwała smutek planety. Napisała, że wielu ludziom wydaje się, że są panami tej ziemi. Takie osoby nie rozumieją, że cały wszechświat należy do wszystkich. Niczego nie można posiadać, ponieważ wszystko jest wspólne.

Nic nie należy do nas – mówi Babcia Rita – *Każdy znalazł się tutaj, aby służyć wszechświtu. Czas mija bardzo szybko. Wszystko się zmienia, poza ziemią, na której żyjemy. A kiedy ona ulega przemianie, musimy to zaakceptować. Nic nie można z tym zrobić. Kiedy Matka Ziemia pokazuje, że jest zagniewana, przemienia to nas wszystkich. Babcia nauczyła mnie dawno temu, że stajesz się prawdziwym człowiekiem, kiedy uczysz się akceptować i odpuszczać. Jesteśmy tutaj dla wszechświata. Urodziliśmy się na tej planecie, aby jej służyć.*

Babcia Rita wierzy, że dawno temu zaplanowano, że ludzkość przejdzie przez trzynaście etapów ewolucji. Mimo, iż trzynastka powszechnie uważana jest za pechową liczbę, ona podkreśla, że to bardzo szczęśliwa cyfra.

Babcia Rita, ze łzami w oczach, obdarowała każdą z Babć szczególnym kamieniem i orlim piórem, które dostała od swojej prababci, specjalnie na tę okazję.

Trzynaście kamieni na cześć trzynastu Babć, trzynastu planet w naszym wszechświecie i trzynastu pełni księżyca w roku – wyjaśniła – *Spóźniłyśmy się, ale jesteśmy!*

Zapraszając babcie do siebie na Alaskę, Babcia Rita powiedziała – *Kiedy ludzie myślą o Alasce odczuwają chłód. Według mnie kiedy ktoś ma zimne serce, zawsze będzie mu zimno. Z drugiej strony ciepło w sercu sprawia, że wszędzie jest ciepło. Przyjedźcie na Alaskę, a my was ogrzejemy!*

Tsering Dolma Gyaltong

Tybetańska Buddystka
(TYBET/KANADA)

W 1958 roku, Babcia Tsering Dolma Gyaltong, z dwojgiem dzieci na plecach, uciekła do Indii z powodu brutalnej interwencji chińskich komunistów w jej ojczyźnie. Odbyła wtedy niebezpieczną, trwającą miesiąc, podróż przez góry ukochanego Tybetu. Jej trzecie, najstarsze dziecko zostało w rodzinnej wiosce. Praca męża, zabiegającego o prawa Tybetu u rządów całego świata, sprawiła że zbyt ryzykowne stało się pozostawanie w kraju.

Po wkroczeniu komunistów, Chiny zagarnęły dwie trzecie terytorium Tybetu, wymordowano milion dwieście tysięcy rodowitych mieszkańców i spalono sześć tysięcy dwieście pięćdziesiąt cztery klasztory. Wycięto rozległe połacie lasów. Sto tysięcy Tybetańczyków zatrzymano w obozach pracy, a kolejne sto musiało schronić się za granicą. Babcię Tsering i jej rodzinę zmuszono do odbycia tej samej drogi, którą przebył Dalai Lama.

By nie wpaść w ręce najeźdźców przemieszczali się jedynie pod osłoną nocy, co ogromnie utrudniało ucieczkę. Któregoś wieczoru, zabrany w podróż koń potknął się i strącił siedzące na nim osoby. Matka Babci Tsering i jedno z dzieci stoczyli się na wąską, górską dróżkę. Od tej pory wszyscy poruszali się pieszo, a kuzyn prowadził konia, niosącego niewielki zapas żywności.

Aby nie doszło do zdemaskowania ucieczki, najstarsza córka Babci Tsering, uczęszczająca do komunistycznej szkoły, musiała zostać razem z kuzynami w Tybecie. Gdyby tak nagle zniknęła, pracownicy szkoły natychmiast daliby znać chińskim urzędnikom i najprawdopodobniej cała rodzina Babci Tsering straciłaby życie. Podobnie jak Dalai Lama – uzyskując azyl w Indiach – Babcia Tsering i jej rodzina prawdopodobnie już nigdy nie powróci do Tybetu.

Babcia Tsering urodziła się w 1933 roku w Lhasie, gdzie spędziła całe dzieciństwo i młodość. Miała czworo rodzeństwa. Troje z nich wstąpiło do klasztoru, ona zaś została w domu.

Moja rodzina nigdy nie była zamożna – wyjaśnia Babcia Tsering – *ale byliśmy bardzo szczęśliwi. Nasze umysły były szczęśliwe. Mogliśmy zapewnić opiekę wielu dzieciom. W jednym gospodarstwie mieszkało kilka pokoleń. Gdy rodzice pracowali, dziadkowie zostawali w domu i zajmowali się dziećmi.*

Babcia Tsering uważa, że to rodzice są odpowiedzialni i tak wychowują dzieci, że te dorastając niszczą świat.

Według Dalai Lamy – wyjaśnia Babcia Tsering – *pierwszą nauczycielką dziecka jest matka. To ona uczy je jak odróżniać dobro od zła i jak być dobrym człowiekiem. Uprzejmość jest jedną z cech, która musi być zaszczepiona i pielęgnowana od małego. Dzieci należy uczyć szacunku dla wszelkich przejawów życia i duchowych tradycji. Taka wiedza jest bardzo ceniona w Tybecie.*

Gdy Babcia Tsering miała dwanaście lat, umarła jej babcia. Dziewczynka doskonale pamięta jak trzymała dłoń staruszki w momencie jej śmierci. Po śmierci żony, dziadek pozostał w rodzinnym domu.

W wieku piętnastu lat, Babcia Tsering zaczęła praktykować Buddyzm. Nauczyła się, że indywidualna jaźń nie jest tak istotna, a każdy powinien dbać o dobro innych. Ta mądrość do dziś dodaje jej sił. Pogłębiając wiedzę, Babcia Tsering uświadomiła sobie, że jej babcia była doskonałym przykładem osoby, która z oddaniem służyła innym. Podobnie jak jej matka – również ciepła i wielkoduszna kobieta. Kiedy ktoś podziwiał jej naszyjnik, potrafiła bez chwili wahania zdjąć go i podarować.

Życie kobiet w Tybecie było bardzo ciężkie – wspomina Babcia Tsering – *Biorąc pod uwagę fakt, że byłam dziewczynką, miałam wielkie szczęście, że wysłano mnie do szkoły. Z wdzięczności pisałam i czytałam listy kobietom, które tego nie potrafiły.*

Babcia Tsering uważa, że między duchowymi tradycjami świata nie istnieją poważne różnice. To co wyróżnia Buddyzm to uwaga skupiona na treningu umysłu.

To w naszym umyśle powinniśmy czuć się szczęśliwi – wyjaśnia Babcia Tsering – *Gdyby każdy odbył szczerą duchową praktykę, rozwijającą pozytywne nastawienie, świat nie byłby w tak opłakanym stanie. Nawet najwspanialszy postęp technologiczny nie uczyni nas szczęśliwymi. Na świecie tak trudno o pokój. To bardzo mnie smuci. Dzieci, zamiast uzyskiwać opiekę i mądrość od dziadków, są szybko oddawane do żłobków, gdzie z dala od domu uczą się zachodniego sposobu życia. W dzisiejszych czasach rodzinom trudno być razem.*

Babcia Tsering jest bardzo zatroskana powszechnością zabijania i zniszczenia we współczesnym świecie. Uważa, że głównym powodem, dla którego nie szukamy i nie odnajdujemy wewnętrznego pokoju jest współzawodnictwo i fakt, że wszyscy skupiają się wyłącznie na sobie.

Wszyscy ludzie pragną szczęścia, ale nie potrafią go znaleźć. Zamiast tego doświadczają głębokiego cierpienia i umierają w bólu – wyjaśnia – Na przykład ktoś, w pocie czoła, może zebrać dużą ilość pieniędzy, ale po śmierci nie będzie miał z nich żadnych korzyści. Pieniądze, za którymi wszyscy tak gonią, nie dają tego, czego naprawdę szukamy. Pieniądze nie mogą zapewnić pomyślności. Prawdziwym problemem jest brak miłości do siebie nawzajem. Nie mamy w sobie tych głębokich, czystych uczuć, które tworzą pozytywne związki. Bardzo nam tego brakuje.

Czternaście lat po ucieczce do Indii, Babcia Tsering przeprowadziła się z rodziną do Toronto w Kanadzie, po tym jak Dalai Lama i rząd Tybetu poprosili Tybetańczyków, aby osiedlali się w różnych częściach świata. Babcia Tsering wybrała na schronienie właśnie Kanadę. Obecnie Tybetańczycy mieszkają w wielu krajach, a wszędzie tam, gdzie się znajdują, starają się propagować pokój i zdrowe współistnienie. Jak na ironię przesłanie pokoju, które uchodźcy starają się nieść światu, jest w bardzo szczątkowej postaci u tych, którzy pozostali w Tybecie. Ci, którzy nadal tam żyją, utracili niezależność i podstawowe prawa człowieka. Swoje codzienne modlitwy Babcia Tsering ofiaruje światu i swoim rodakom, aby mimo wszystko zaznali pokoju i szczęścia.

Czworo dorosłych dzieci Babci Tsering również mieszka w Toronto.

Modlę się o to i zawsze im przypominam, aby żyli z pożytkiem dla wszystkich istot na świecie i aby ich umysły były wypełnione pozytywnym nastawieniem. Wpajam, aby zawsze myśleli o innych i nikogo nie krzywdzili.

W 1984 roku, Babcia Tsering wróciła z Kanady do Indii i wskrzesiła Stowarzyszenie Kobiet Tybetu, które obecnie ma trzydzieści trzy oddziały na całym świecie, łącznie z filią w Nowym Jorku i Toronto. W 1995 roku uczestniczyła w Czwartej Światowej Konferencji Kobiet, która odbyła się w Pekinie. Naraziła się tym na wiele niebezpieczeństw, jako że razem z innymi, otwarcie krytykowała rząd chiński za sposób, w jaki traktował Tybetańczyków, a zwłaszcza kobiety.

Zwracając się do Babć po raz pierwszy, Babcia Tsering wyraziła wielką nadzieję, że rada pomoże odrodzić ducha zdrowej ludzkości, co według niej jest niezbędne, aby na Ziemi zapanował nowy porządek. Wyraziła też przekonanie, że to każdy człowiek z osobna tworzy zarówno pokój jak i cierpienie. Babcia Tsering uważa, że współczesne matki stwarzają matki przyszłości, a wizja nowej ziemi jest fundamentem jej pracy. Ma głęboką nadzieję, że odkryjemy lepsze sposoby wychowywania dzieci.

Babcia Tsering podarowała Radzie starą tybetańską modlitwę:

Niech duch przebudzenia, który jeszcze nie powstał, powstanie w naszych sercach, a kiedy powstanie, niech nie słabnie, lecz wzrasta.

Mona Polacca

Hopi/Havasupai/Tewa
(ARIZONA)

Babcia Mona, członkini indiańskich plemion, żyjących wzdłuż rzeki Kolorado w Parker w Arizonie, uważa, że znajomość swoich przodków jest równie ważna, co podanie imienia. Plemię ze strony jej matki to Indianie Havasupai, ludzie niebieskozielonej wody. Ich plemienny rodowód sięga ludu Havasupai, pierwotnie zamieszkującego obszar Wielkiego Kanionu. Ze strony ojca, Mona wywodzi się z ludu Hopi-Tewa, z rejonu o nazwie First Mesa w północnej Arizonie. Należy także do Klanu Słońca i Klanu Tytoniu.

W języku Hopi jej nazwisko – Polacca, oznacza motyla. Odziedziczyła je po dziadku ze strony ojca. Według mądrości Hopi, motyl jest symbolem duchowej transformacji człowieka.

Kiedy przyszły motyl pełza po Matce Ziemi pod postacią gąsienicy widzi jedynie to, co jest tuż przed nim – wyjaśnia Babcia Mona – *Następnie przychodzi czas, gdy zawija się w mały kokon i wkracza w ciemność. W niej całkowicie się „rozpada". Wtedy zachodzi wielka przemiana.*

Indianie Hopi są przekonani, że również dla człowieka czas ciemności jest niezbędnym warunkiem doświadczenia duchowej transformacji. Istotne w wierzeniach Hopi jest to, że chociaż gąsienica zmieniła się już motyla i może poruszać się w kokonie oraz powrócić do życia, nie wydostaje się z niego do czasu aż będzie całkowicie gotowa.

Ostatecznie, motyl pojawia się na świecie jako piękne stworzenie – mówi Babcia Mona *– Ale nie od razu wzbija w powietrze. Siedzi bez ruchu, jak gdyby ponownie ustanawiał połączenie z żywiołami życia – wodą, powietrzem, ogniem i ziemią. Następnie nadchodzi chwila, gdy jego skrzydła zaczynają trzepotać. Dzięki sile żywiołów wewnętrzna siła motyla pozwala mu się poruszać. Kiedy nadchodzi odpowiedni moment i wzbija w powietrze, zaczyna postrzegać świat z zupełnie nowej perspektywy, perspektywy większego piękna i szerszego horyzontu. To wszystko usłyszałam o byciu motylem od swojego ludu.*

Babcia Mona nauczyła się indiańskiego sposobu życia od matki ojca, która żyła sto dwa lata.

Była bardzo uduchowioną kobietą – wspomina Babcia Mona – *Zawsze podkreślała jak ważne jest bycie dobrym człowiekiem. Mówiła do mnie – „Bądź uprzejma. Bądź miła dla innych. Kochaj swoich braci i siostry, bo oni są wszystkim, co masz". Taki jest mój sposób na życie. Taki jest sposób życia na indiańskiej ścieżce.*

Babcia Mona nie znała babci ze strony matki, która pochodziła z ludu Havasupai. Jedyną pamiątką po niej jest fotografia, która wisi nad wejściowymi drzwiami domostwa.

Zawsze kiedy wychodzę z domu – mówi Babcia Mona – *otrzymuję błogosławieństwo od spoglądającej na mnie babci. Mówię jej, że przez jakiś czas mnie nie będzie i proszę o opiekę nad domem. Kiedy wracam, babcia mnie wita. Chociaż nigdy jej nie spotkałam, jestem z nią połączona.*

Dziadek i pradziadek ze strony matki byli ostatnimi wodzami ludu Havasupai. Babcia Mona wierzy, że dzięki modlitwom jej przodków, starszyzny i innych kuzynów, Stwórca przygotował dla niej ścieżkę na tym świecie. Dzięki ich modlitwom otrzymała osobistą drogę, po której kroczy. Zawsze wiedziała, że modlitwy w jej intencji rozpoczęto na długo przed narodzinami. Dziadkowie wiele pokoleń wstecz, modlili się za tych, którzy narodzą się w przyszłości.

Modlili się za pra–pra–pra prawnuczków, których nie mogli spotkać, ale wiedzieli, że są nadchodzącym życiem. Modlili się za nas, abyśmy i my poszli ich przykładem i kontynuowali modlitwy, a dzięki nim rozpoznawali kiedy otrzymujemy błogosławieństwo. Uczono mnie, że podążanie tą ścieżką to żywa pamięć o przodkach, którzy byli tu przed nami i zanosili modlitwy, umożliwiające nasze przyjście. To dzięki nim mogę stać, chodzić i klęczeć na Matce Ziemi, aby zanosić modlitwy za kolejne pokolenia.

Dla Babci Mony wszystkie modlitwy są jak strzały, lecące przed nią, torujące drogę i oczyszczające ścieżkę. Jej pozostaje tylko podążać za nimi.

Staram się patrzeć na wszystko, co przychodzi do mnie w ciągu dnia, jako na część błogosławieństwa pochodzącego od tej pradawnej modlitwy.

Najważniejszą naukę, o której zawsze pamięta, otrzymała od matki.

Matka powiedziała – *Nie jesteś tutaj tylko dla siebie. Dokądkolwiek idziesz, reprezentujesz swoją rodzinę – matkę, ojca, dziadków, ciocie, wujków, wszystkich. Reprezentujesz nasze plemię, naszych współbraci. Więc gdziekolwiek podążasz, tym właśnie jesteś – naszym posłańcem.*

Dzięki tym słowom, Babcia Mona, podczas swojej pracy, którą prowadzi w wielu miejscach na świecie, bardzo uważa na to co mówi i jak postępuje. Podróżuje również dla swojej matki, która nigdy nie będzie miała tej możliwości. Ona zawsze ją prosi – *Przywieź mi coś drobnego, mały kamień lub muszelkę. Coś prostego.*

Przez prawie trzydzieści lat, Babcia Mona pracowała z ludźmi uzależnionymi od alkoholu i innych substancji. Od dziecka, zarówno babcia jak i rodzice wpajali jej, aby modliła się za tych, którzy cierpią i była dla nich życzliwa. Łagodne traktowanie sprawi, że pewnego dnia uświadomią sobie swoją wartość, poczują że także i oni mają coś do ofiarowania.

Nie potrzeba wiele, aby uczynić przyjazny gest, wobec kogoś, kto jest w trudnej sytuacji – mówi Babcia Mona – *Kiedy podchodzi do mnie bezdomny, zawsze ofiaruję mu kilka monet, ponieważ wiem, że równie dobrze mógłby to być jakiś mój krewny, który akurat byłby głodny i spragniony. Gdy ta osoba odchodzi zawsze modlę się za nią. Być może kiedyś jej życie ułoży się lepiej, dlatego staram się już teraz otoczyć ją życzliwością.*

Kiedy we wczesnych latach siedemdziesiątych do rezerwatów wprowadzono, finansowane przez władze federalne, pierwsze projekty wspomagające rdzennych Amerykanów, Babcia Mona zaangażowała się w pracę nad zapobieganiem pladze uzależnień od alkoholu i narkotyków wśród młodzieży. Wiele plemion zatrudniało co prawda specjalistów spoza społeczności, ale Babcia Mona zawsze to kwestionowała czując, że wszystko co potrzebne dostępne jest w rezerwacie.

Moje wątpliwości okazały się słuszne. Sama zaczęłam pracę przy wdrażaniu programów dla młodzieży.

Każdej zimy i wiosny Babcia Mona organizowała konferencje, podczas których starszyzna mówiła młodym o życiu i tradycji. Młodzież mogła usłyszeć poprawnie śpiewane tradycyjne pieśni i nauczyć się tradycyjnych gier. Dawało jej to głębsze poczucie tożsamości, celu i kierunku. Rozpalano wtedy ogień, wokół którego świętowano, a starszyzna odprawiała rytualne modlitwy.

Pewnego razu członek starszyzny plemienia Mohave stanął przy ogniu. Zanim rozpoczął modlitwę, popatrzył na wszystkich i powiedział – *„Wiecie, jest w tym coś naprawdę wyjątkowego. Biali często rozniecają wielkie ognisko, tak wielkie, że wszyscy muszą się od niego odsuwać. Indianie rozpalają mały ogień, aby wszyscy zbliżyli się do siebie".*

W ten sposób zgromadzeni blisko ognia, pracowaliśmy i bawili się tak, by wszyscy mogli nawzajem się słyszeć, czuć ciepło i wzajemną więź.

Młodzi ludzie bardzo angażowali się w organizację konferencji. Niektórzy przygotowywali posiłki, które wszyscy wspólnie spożywali. Dla Indian jedzenie jest duchową częścią życia, karmi zarówno ciało fizyczne jak i ducha.

Odsłanialiśmy przed młodymi ludźmi duchowość codzienności – wyjaśnia Babcia Mona – *Większość członków starszyzny już nie żyje, ale gdziekolwiek teraz podróżuję zawsze tak pracuję. Młodzież może zobaczyć, że taki sposób życia jest dostępny dla każdego. Nie jest* to coś, co ogląda się przez szybę w muzeum, gdzie tylko stoi się i patrzy. Młodzi ludzie mogą namacalnie doświadczyć świętych tradycji i obyczajów. To nie tylko nasza historia, ale istotna część współczesnego życia.

Największą nagrodą dla Babci Mony jest to, że ludzie, wychodząc z uzależnienia, dostrzegają wartość własnego życia i stają się bardziej twórczy. Babcia widzi jak pozytywnie wpływa to na społeczność, szczególnie, gdy uzdrowiona osoba wyciąga pomocną dłoń ku innym.

Babcia Mona była zaangażowana w prowadzone badania nad uzależnieniami. Jedno z nich wykazało, że główną motywacją, dzięki której rdzenne Amerykanki przezwyciężają nałogi jest zagrożenie odebrania im dzieci. Inne badanie wśród młodzieży potwierdziło, że instynkt Babci Mony był słuszny. Młodzi ludzie pozytywnie reagują na programy z elementami kulturowymi, takimi jak szałas potu, śpiewy czy bębnienie. Na postępy w leczeniu wpływa przede wszystkim głęboki poziom połączenia z esencją tego kim są, a także z plemieniem, przodkami i tradycyjnymi symbolami. Ci, którzy utrzymują bliski kontakt z rytuałami, oferującymi szacunek dla siebie i dla świętych ścieżek, są w stanie zachować trzeźwość, nawet z dala od rezerwatów.

Babcia Mona, która ma syna, dwie córki i siedmioro wnucząt, nazwała Babcie *piękną rodziną świata*. Wyjaśniła, że w tradycji Indian Hopi, spotykając innych ludzi, wyciąga się otwartą dłoń, pokazując, że przychodzi się w pokoju. Oddała też cześć Dziadkowi Ogniowi, reprezentowanemu przez ogień, wzniecony z pierwotnego płomienia pokoju.

W dawnych czasach nie mieliśmy map ani znaków drogowych, a mimo to byliśmy w stanie swobodnie się przemieszczać. Mogliśmy podróżować – wyjaśnia Babcia Mona – *bo był z nami święty ogień. Zawsze kiedy gubiliśmy drogę, odczuwaliśmy chaos i dezorientację, nie wiedząc w którą stronę się zwrócić, siadaliśmy przed Dziadkiem Ogniem. Kiedy byliśmy osłabieni fizycznie, mentalnie czy duchowo, robiliśmy to samo i zaczynaliśmy się modlić. W ten sposób wyłaniał się właściwy kierunek i działania, które mieliśmy podjąć. Dziadek Ogień przekazywał nam znaki. Nasze serca wypełniały się ciepłem, miłością i współczuciem. Taki jest Dziadek Ogień. Zawsze go szanuj, zawsze się do niego zwracaj i pozwól, aby cię wspierał.*

Naukę o Dziadku Ogniu przekazała mi matka, abym mogła siedzieć tutaj z Babciami i szukać nowego kierunku, inspiracji, czegoś dobrego, nie tylko dla nas, ale dla wszystkich ludzi.

Rita Long Visitor Holy Dance
Beatrice Long Visitor Holy Dance

Oglala Lakota

(Południowa Dakota)

Siostry Rita i Beatrice Long Vistor Holy Dance wywodzą się z rodu Long Visitor, z plemienia Szalonego Konia, nazwanego imieniem jednego z najbardziej cenionych wojowników Lakota – Oglala. Szalony Koń zaciekle walczył z białymi osadnikami, kiedy wtargnęli na ziemie ludu Lakota. Stawał też w obronie tradycyjnych, indiańskich rytuałów i sposobów życia. Rita i Beatrice pochodzą z południowo-zachodniego zakątka rezerwatu Pine Ridge, w południowo-zachodniej Dakocie Południowej, miejsca największego ubóstwa w Ameryce. Oprócz kilku stacji benzynowych, Pizzy Hut, Taco John i sklepu spożywczego, sprzedającego także towary żelazne, w rezerwacie nie ma żadnej działalności handlowej. Bezrobocie wynosi osiemdziesiąt pięć procent.

Indianie Oglala z rezerwatu Pine Ridge są największą grupą narodu Siuksów, reprezentującą większość Siuksów Teton. W 1890 roku biali osadnicy, polując dla rozrywki i dziesiątkując ogromne stada bizonów – główne źródło pożywienia Indian Lakota – doprowadzili do wielkiego ubóstwa, chorób i rozpaczy. Zjawiska przemocy, alkoholizmu oraz fakt, że około połowa młodzieży porzuca szkołę, a współczynnik samobójstw jest dwukrotnie większy niż średnia krajowa, sprawiają, że rząd Stanów Zjednoczonych nadal podejmuje wysiłki, aby przejąć kontrolę nad Czarnymi Wzgórzami (Black Hills).

W 1868 roku, na mocy porozumienia w Fort Laramie, Stany Zjednoczone przyznały Czarne Wzgórza Indianom Lakota, ale rok później, kiedy odkryto tam złoża złota, Kongres odebrał im wszelkie prawa do ziemi. Dopiero w 1980 roku, Sąd Najwyższy Stanów Zjednoczonych uznał, że – *odebranie Czarnych Wzgórz*

(sześćdziesięciu miliardów dolarów w złocie) było najobrzydliwszym przypadkiem hańbiącego potraktowania ludzi, którego dopuścił się rząd Stanów Zjednoczonych.

Pomimo wszechobecnego ubóstwa, naród Lakota nadal zdecydowanie odmawia przyjęcia oferty rządu Stanów Zjednoczonych, który chce wykupić te ziemie za pół miliarda dolarów. Tamtejsi Indianie nie uważają siebie za biednych, niedouczonych barbarzyńców i dzikusów, ale za ludzi o innym systemie wartości. Według nich o ziemi, powietrzu i wodzie nie można myśleć w kategoriach materialnych. Taka transakcja oznaczałby dla nich zdradę własnego narodu, przodków, kultury i religii.

Od ponad pięciuset lat Czarne Wzgórza są centrum świata społeczności Lakota, podczas gdy biali znają te tereny zaledwie od dwóch stuleci. Chociaż zbezczeszczono wiele miejsc, w których modlili się przodkowie Lakota, ziemie te nadal uważane są za święte. Rośnie tam wiele gatunków leczniczych ziół.

Każdy uzdrowiciel zgodnie z tradycją najpierw modlił się, a następnie w odpowiednim czasie, składał Ziemi i roślinie ofiarę z tytoniu i czerwonej brzozy. Dopiero potem podejmował decyzję, którą część rośliny należy zastosować w konkretnym przypadku. Czy będą potrzebne jedynie liście? A może również łodyga? Jeśli potrzebny był korzeń czy jest wystarczająca ilość roślin tego gatunku, aby zapewnić jej przetrwanie przez następne siedem pokoleń?

Pomimo, że dom Babci Rity i Babci Beatrice był ogrzewany jedynie drewnem i oświetlany lampą naftową, obie kobiety mają dobre wspomnienia z dzieciństwa. Aż do 1985 roku, kiedy wprowadzono kanalizację, Babcia Beatrice przynosiła do domu wodę z rzeki. Pożywienia dostarczał im ogród u podnóża góry. Przez wiele lat, w okresie żniw, kobiety zbierały się, aby suszyć kukurydzę, rozmawiać i pomagać sobie nawzajem. Na wspomnienie, gdy jako młode dziewczyny, wbiegały na strome wzgórze, niosąc w workach ogromne dynie i płachty wypełnione fasolą, siostry wybuchają salwami śmiechu. Wszystkie prace wykonywano ręcznie. Rodzina hodowała też bydło i kury.

Kiedy w wieku siedmiu lat Rita wyjechała do katolickiej szkoły, pięcioletnia Beatrice nie mogła powstrzymać się od płaczu.

Poszłam do szkoły w nowych mokasynach i z nową chustą – wspomina Babcia Rita – *Nie znałam ani jednego słowa w języku angielskim. Kiedy przybyłam, zakonnice wzięły mnie za rękę i oprowadzały po różnych miejscach. Nie rozumiałam nic z tego, co mówiły. Szłyśmy jednym korytarzem, potem drugim, gdzie słyszałam krzyczące i bawiące się dzieci. Zakonnice otworzyły drzwi do wielkiego pokoju. Bawiły się tam małe dziewczynki. Miałam zostać z nimi dopóki nie przydzielono mi mojego łóżka.*

Następnego dnia Rita poszła do szkoły. Nie rozumiała ani jednego słowa nauczyciela.

Po kilku miesiącach – wspomina – *zaczęłam trochę rozumieć ten język, szczególnie „tak"
i „nie"! To było trudne. Karcono nas za posługiwanie się ojczystym językiem – językiem Lakota – i w końcu prawie całkiem wypleniono go z mojego umysłu.*

Kiedy Beatrice osiągnęła odpowiedni wiek, dołączyła do Rity w tej samej szkole. Dziewięć miesięcy w roku dziewczynki spędzały w szkole z internatem, a pozostałe trzy pomagając rodzicom. Babcia Beatrice wspomina jak razem z Ritą zawsze płatały różne figle, zarówno w szkole jak i w domu. Obie dziewczynki były urodzonymi psotnicami.

Bardzo doceniałam wszystko, co zakonnice robiły dla mnie w szkole – mówi Babcia
Beatrice – *Odkładały na bok ubrania, w których przybyłyśmy dając nam nowe mundurki
i buty. Zakonnice i księża wpajali nam wiele dobrych i pożytecznych rzeczy. Uczono nas jak
pracować w kuchni, akademiku i jadalniach. Pokazywano co należy robić i w jaki sposób. To
było dobre. Każdego ranka wstawałyśmy o szóstej, a o siódmej uczestniczyłyśmy we mszy.
Potem zaczynały się zajęcia szkolne. Przez dziewięć miesięcy w roku to był nasz dom.*

Babcia Rita wspomina zakonnika ze Szwajcarii, który uprawiał ogród warzywny. Jesienią, gdy dzieci wracały do szkoły, ogrodnik wraz z chłopcami zbierał plony.

*Wszystkie warzywa przechowywano w piwnicy. Zakonnik robił beczki kiszonej kapusty
i kiszonych ogórków dla dzieci. Jedna z zakonnic zajmowała się mlekiem i robiła masło. Inny
zakonnik razem z chłopcami zajmował się piekarnią. Były kury i bydło. Jedliśmy mięso, drób,
jajka i wszystko to, na co miałyśmy ochotę. Każdego dnia były świeże produkty. Wszyscy
uczyliśmy się zmywać naczynia, sprzątać stoły i pomagać przy gotowaniu.*

W 1942 roku matka dziewczynek, Antonia Long Visitor Holy Dance, zachorowała na raka. Po ukończeniu gimnazjum, przez cztery kolejne lata, Rita musiała zostać w domu, aby wspierać matkę i ojca w pracy przy bydle i koniach. Ojciec był przedstawicielem Rady Plemiennej. Beatrice wraz z braćmi wróciła do szkoły. Niedługo potem stan matki pogorszył się i na dziewięć miesięcy została przykuta do łóżka. Zmarła w 1964 roku.

To był dla nas smutny czas – wspomina Babcia Rita – *Przez prawie miesiąc ojciec
spędzał noce poza domem. Zastanawiało mnie co robi w tym czasie. W końcu dowiedziałam
się, że sypiał na grobie żony.*

*Miałyśmy dobrego ojca. Zawsze dawał nam wszystko, czego potrzebowałyśmy. Kiedy
ukończyłyśmy szkołę, tata zapewniał nam ubranie i nigdy nie pozwolił, abyśmy chodziły
głodne. Chociaż nie musiał tego robić, troszczył się o nas nawet kiedy wyszłyśmy za mąż.*

Po ukończeniu szkoły, Rita i Beatrice pracowały na roli przy wykopywaniu ziemniaków. To była ciężka, fizyczna praca. Mieszkały wtedy w namiocie. Beatrice zajmowała się kuchnią, a Rita pracowała w polu, gdzie zarabiała trzy centy za każde pięćdziesiąt kilogramów zebranych ziemniaków.

Pracowałam za takie właśnie wynagrodzenie. Beatrice płaciłam centa za czyszczenie ziemniaków – wspomina Babcia Rita, chichocząc – *Chodziłyśmy do miasta. Nie stać nas było na wiele, ale kupowałyśmy książki. Czasami nawet po dwadzieścia na raz. Oczywiście musiałyśmy też mieć podwójne wesele. Przecież nie mogłam wyjść za mąż bez Beatrice. Tata zapewnił podwójny obiad weselny!*

Babcia Rita była mężatką przez cztery lata, zanim urodziła pierwsze dziecko. W tym czasie Babcia Beatrice miała już czworo. *Ludzie żartowali ze mnie* – wspomina Babcia Rita – *Mówili, że biorę złe lekarstwa, żeby nie mieć dzieci. Ich słowa raniły mnie. Pomagałam Beatrice zajmować się jej dziećmi i modliłam do Wielkiego Ducha, pytając dlaczego nie mam własnych. Później urodziłam dzieci – łącznie z bliźniakami, siedmioro chłopców i jedną dziewczynkę.*

W miarę upływu lat, po założeniu rodzin, Rita i Beatrice prawie się nie widywały. Rita żyła faktycznie w izolacji, ponieważ miała wielu synów, a to córki angażowały kobiety w życie społeczne. W 1971 roku Babcia Rita opuściła rezerwat w poszukiwaniu zatrudnienia i zapewnienia dzieciom lepszej sytuacji materialnej.

Dziewiętnaście lat po śmierci matki, ojciec zginął w wypadku samochodowym. Od tamtej pory, podczas wieczornych i porannych modlitw siostry zawsze pamiętały o rodzicach i dziadkach. W czasie, gdy przygotowywano jedzenie na święte ceremonie, modliły się za nich, roniąc zawsze wiele łez.

W moim domu są trzy pokoje – mówi Babcia Beatrice – *Nie mam wiele. Woda z kranu nie nadaje się do picia. W rurach jest pleśń i jakość wody wciąż się pogarsza. Starałam się o pomoc w administracji mieszkaniowej, ale nikt mi nie pomógł.*

Siedem dni w tygodniu, od czterech do sześciu godzin dziennie, Babcia Beatrice pomaga pielęgniarkom w miejscowym szpitalu. Dostarcza leki pacjentom z gruźlicą. Wcześniej zajmowała się chorymi na cukrzycę. Początkowo sama chciała być pielęgniarką, ale los nie dał jej takiej szansy.

Zajmuję się chorymi, którzy nie rozumieją, co mówią do nich lekarze na temat diety i troski o siebie – mówi Babcia Beatrice – *Pracuję w służbie zdrowia od 1974 roku, starając się pomóc moim współbraciom, którzy są bardzo biedni i nie stać ich na dobre leczenie. Niektórym jest dużo gorzej niż mnie.*

Babcia Beatrice uważa, że pacjenci zamiast przyjmować tak dużo chemicznych leków powinni powrócić do ziołolecznictwa. Jest przekonana, że ona także, pomimo poważnych problemów z sercem, które prawdopodobnie spowodowało palenie, powinna leczyć się naturalnie.

Babcie Ritę i Beatrice niepokoi nie tylko ubóstwo w rezerwacie, ale także ogromny problem związany z alkoholem i narkotykami. Alkohol odbiera dzieci rodzinom. Przez to uzależnienie siostry straciły najstarszego i najmłodszego brata oraz dwoje wnucząt.

Wcześniej lud Lakota nie znał alkoholu – wyjaśnia Babcia Beatrice – *Ludzie byli czyści. Prawidłowo się odżywiali i dobrze żyli. Alkohol przywieźli biali osadnicy. Teraz niszczy nasz lud, niszczy wszystkie plemiona na całym kontynencie. Rdzenni Amerykanie nie wiedzą jak się z nim obchodzić. Jeszcze gorsze są narkotyki. Musimy od nowa dotrzeć do naszych wnuków, którzy muszą zrozumieć, ze Stwórca obdarza nas wszystkim, czego potrzebujemy. Opiekuje się nami. Nie ma potrzeby używać alkoholu czy narkotyków*

Babcia Beatrice mówi, że wszystko wyglądało inaczej kiedy dorastała. Teraz młodzi chłopcy proszą dziadków o pieniądze – głównie na narkotyki – a kiedy ich nie dostają, są wobec nich bardzo niegrzeczni. Bardzo młode dziewczyny, już trzynasto-czternastoletnie rodzą dzieci. Kobiety i mężczyźni mdleją na ulicach. Niektórzy żebrzą i odgrażają się, kiedy nie dostaną pieniędzy. Siostry mówią, że takie zachowanie jest próbą przetrwania w zupełnie obcym dla nich świecie.

Naprawdę jest bardzo źle – mówi Babcia Beatrice – *Często uczestniczymy w Tańcu Słońca i modlimy się za nasz lud. Modlimy się, aby alkohol i narkotyki nie dotykały młodszych pokoleń. Tym, którzy są uzależnieni mówię, że to złe duchy starają się ich kontrolować. Wchodzą w nich i nie chcą odejść. Sugeruję, żeby spróbowali się ich pozbyć. Idźcie do swoich rodzin, które was kochają i nie chcą widzieć w takim stanie. Trzeba obchodzić się z nimi łagodnie, a wtedy zawsze dziękują. Tak czy owak samotne spacery po mieście nadal są niebezpieczne. Zawsze zabieram ze sobą Ritę*

Jestem jej ochroniarzem – śmieje się Babcia Rita, po czym dodaje poważniejszym tonem – *W domu przez cały czas używamy indiańskich sposobów uzdrawiania. Nasza duchowa ścieżka – Taniec Słońca – zachęca do modlitwy i powrotu do tradycji. Wielu młodych uczestniczy w tym rytuale, ucząc się ponownego połączenia ze źródłem swojej istoty.*

W tradycji ludu Lakota jest siedem obrzędów, które, jak mówi legenda, ofiarowała Kobieta Biały Bizon dziewiętnaście pokoleń wstecz. Są to – *Zatrzymywanie Ducha, Oczyszczenie, Poszukiwanie Wizji, Taniec Słońca, Tworzenie Związków, Przygotowywanie Dziewczynki do Kobiecości i Rzucanie Świętą Piłką.*

Zwracając się do Rady Babć, obie kobiety wyraziły wdzięczność za to, że mogły się przyłączyć, aby wspólnie mówić o pokoju, miłości, nadziei, wierze, miłosierdziu i wszystkim co odnawia harmonię z Matką Ziemią. Babcie mają nadzieję, że ich praca w Radzie przyniesie wiele dobrego dla dzieci, wnucząt i wszystkich jeszcze nienarodzonych, a także przywróci prawo samostanowienia ludowi Lakota.

Maria Alice Campos Freire

Santo Daime

(LASY DESZCZOWE BRAZYLII)

Kiedy Babcia Maria Alice była małą dziewczynką trudno było odnaleźć się jej na Ziemi – *Nie mogłam wpasować się w żadne struktury i czułam się oddzielona od rzeczywistości* – wyjaśnia – *Byłam bardziej połączona z gwiazdami i Gwiezdnymi Istotami, które przekazywały mi wiedzę.*

Jej umysł przepełniały wspomnienia, które były całkiem odmienne od życia na Ziemi.

Jako mała dziewczynka byłam pewna, że jestem bardzo stara – mówi – *Teraz, gdy jestem babcią, czuję się jak dziecko!*

Nikt z rodziny nie potrafił mnie zrozumieć. To byli dobrzy ludzie – wyjaśnia – *Interesowali się polityką i kwestiami społecznymi, ale byli nastawieni bardzo materialistycznie. Brakowało im duchowości.*

Babcia Maria Alice dostała imię po matce ojca, którą wszyscy uważali za obłąkaną, ponieważ miała problemy z pamięcią i zdawała się żyć w innym świecie. Pamiętała jedynie jak grać na pianinie i jak śpiewać. Pomimo to, Babcia Maria Alice zapamiętała babcię jako szczęśliwą i kochającą dzieci kobietę.

Jej druga babcia umarła, gdy matka Marii Alice była dziewczynką. Tym niemniej jej życie miało duży wpływ na Marię Alice. *Dużo o niej słyszałam* – mówi – *Wszystkimi się opiekowała. Umarła podczas epidemii odry. Zajmowała się tak dużą grupą ludzi, że zabrakło jej czasu dla siebie. Osierociła pięcioro dzieci. Mama zamieszkała wtedy ze swoją babcią. Prababcia była ubogą kobietą, która bardzo dużo się modliła.*

Obie moje babcie żyły jakby w innym wymiarze – wyjaśnia Babcia Maria Alice – *Ja też tak mam. Też żyję w nieco innym świecie. Żyję bliżej z Babciami, którą są po drugiej stronie. To moje życie. Pracuję z duchowymi przewodnikami i duchami. Te Babcie, których nie ma w tym wymiarze, ale które są moją duchową rodziną, mają duży wpływ na to jak żyję.*

Dorastając w Brazylii, Babcia Maria Alice była narażona na prześladowania i skutki prowadzonej wojny domowej. Siedemnastoletnią kobietę, mieszkającą wtedy w Chile,

więziono i torturowano. Była w tym czasie w ciąży. Jej córka urodziła się, kiedy Maria Alice otrzymała w Europie azyl polityczny. Dziecko nieustannie płakało. Kiedy kobieta szukała wsparcia, poradzono jej, aby przeprowadziła się do Afryki. Tak zrobiła i natychmiast po przyjeździe córka przestała płakać, a Babcia Maria Alice zaczęła świadomie poświęcać czas duchowości. Miała wtedy dwadzieścia trzy lata. Podczas pobytu w Afryce, otrzymała wiele wskazówek dotyczących swojej przyszłości i po raz pierwszy doświadczyła komunikacji z przeszłymi wcieleniami.

Po ogłoszeniu amnestii, Babcia Maria Alice wróciła do Brazylii, gdzie otworzyły się przed nią nowe możliwości. Przeszła inicjację w tradycji Umbanda, brazylijskiej, synkretycznej religii, łączącej afrykańskie, chrześcijańskie i miejscowe wierzenia. Podczas jednego z rytuałów, w jej wizji pojawił się czarnoskóry mężczyzna. Była to oświecona istota przybyła z kosmosu, która przekazała jej wiadomość podpisaną imieniem „Mestre (Mistrz) Irineu".

Jak dowiedziała się później, Mistrz Irineu był duchowym opiekunem sakramentalnego napoju o nazwie Santo Daime. Kiedy żył na Ziemi nosił imię Raimundo Irineu Serra. Miał ponad dwa metry wzrostu. Urodził się na północno-wschodnim wybrzeżu Brazylii, ale jako dorosły mężczyzna przeprowadził się do Amazonii, gdzie pracował przy pozyskiwaniu kauczuku z tamtejszych drzew. Pewnego dnia tubylcy zaproponowali mu wywar z dwóch roślin, pochodzących z lasu – pnącza Mariri i liścia Chacrona. To była słynna Ayahuasca – sakramentalny napój rdzennych mieszkańców Amazonii. Po wypiciu płynu, Irineu w swojej wizji spotkał Królową Lasu, białą kobietę w niebieskich szatach, w której rozpoznał Matkę Boską. Kobieta zaleciła, aby założył nową religię, w której będzie się używało sakramentalnego napoju w specjalnych rytuałach, wprowadzających w doktrynę chrześcijańską przy pomocy pieśni i tańców. Santo Daime znaczy „*święty daj mi*" zioło, co jest wezwaniem do boskiej iluminacji i uzdrowienia. Wywar przyrządza się gotując święte rośliny i tworząc tym samym możliwość do otrzymania nauk i przekazów.

Wkrótce po swoich wizjach z Mistrzem Irineu, Babcia Maria Alice otrzymała możliwość spożycia Santo Daime. To był nowy stopień duchowej inicjacji. W trakcie rytuału, dostała wskazówkę, aby wybrać się do Amazonii, gdzie – jak jej powiedziano – odkryje kolejny ważny aspekt swojego duchowego pochodzenia. Miała połączyć miejscową, afrykańską i chrześcijańską duchowość.

Zaczynałam rozumieć swoje wcześniejsze doświadczenia – wyjaśnia Babcia Maria Alice – *Dostrzegłam sens przeżytego cierpienia, które miało rozbudzić moją duchowość. To było wielkie wyzwanie.*

W Amazonii spotkała ucznia Mistrza Irineu, Padrinho Sebastião, przywódcę duchowej społeczności, mieszkającej głęboko w tamtejszych lasach deszczowych. Jak się okazało to on przywołał tam jej ducha. Babcia Maria Alice nie miała pieniędzy, aby dotrzeć do miejsca, w którym mieszkał, ale niespodziewanie wszystko, co było niezbędne otrzymała od przyjaciela. Razem z dwiema córkami i całkowitym zaufaniem w sercu, wyruszyła w podróż do odizolowanego od świata zakątka lasu, gdzie na kawałku ziemi rząd stworzył rezerwat. Opiekę nad nim powierzono społeczności prowadzonej przez Sebastião. Kiedy przybyła, mężczyzna przywitał ją jak własną córkę.

Wielu ludzi z całego świata odwiedza to miejsce. Przybywają, aby wypić święty napój, poznać przeszłe wcielenia i zrozumieć swoje prawdziwe zadanie w życiu. Podobnie jak pejotl i inne uzdrawiające rośliny, Santo Daime używane jest jedynie w celach duchowych, w trakcie ceremonii i rytuału. Dzięki niemu ludzie są w stanie wyraźnie dostrzec psychiczne blokady, które powstrzymują ich przed byciem tym, kim naprawdę są. Życie społeczności znacznie poprawia się dzięki jego użyciu. Ogólne korzyści płynące z picia wywaru uważa się za niezwykłe. W dodatku nie powoduje on uzależnienia, ani żadnego typowego zachowania kojarzonego z nadużyciem narkotyków.

Społeczność, którą opiekuje się Sebastião stosuje tradycyjne metody uzdrawiania i korzysta ze wszystkich świętych roślin Amazonii. Babcia Maria Alice czuje się uświęcona czystością leśnych istot, drzew, roślin i grzybów. *Ludzie mają tak wiele do oczyszczenia na poziomie psychicznym, aby móc odczuwać spokój i piękno lasu. Nasza społeczność pragnie udostępniać ten poziom szczęścia innym, pokazywać, że taka radość jest możliwa. Oddanie przynosi nam szczęście.*

Miałam wizję, czułam prowadzenie i poświęciłam tej społeczności siedemnaście lat życia – kontynuuje Babcia Maria Alice – *Życie tutaj, w środku dżungli, jest prawdziwym wyzwaniem. Nawet jeśli chcesz uciec, nie jest to możliwe. Podjęłam jednak świadomą decyzję, w pełni angażując się w obecne życie.*

Babcia Maria Alice jest wdzięczna, że poddała się swojemu przeznaczeniu. Miejscowa społeczność rozrosła się do tysiąca członków. Podczas odbywających się duchowych festiwali, prawie dwa tysiące osób (łącznie z przyjezdnymi) śpiewa i tańczy dla Boga, co według Babci Marii Alice, czyni wszystkich bardzo szczęśliwymi.

Osiedliśmy w tym lesie, aby żyć pełniej i bardziej prawdziwie – wyjaśnia Babcia Maria Alice – *To pojawia się w nas, ponieważ pracujemy z ziemią i szanujemy naturę. Sianie,* zbieranie plonów czy drewna na opał nie jest proste i może przysporzyć wielu trudności, ale ostatecznie ten wysiłek przynosi spełnienie. Życie w lesie sprawiło, że w końcu jestem szczęśliwa będąc na Ziemi. Jestem wdzięczna, że mogę żyć w harmonii ze wszystkimi stworzeniami. Mogę rozmawiać z roślinami, chmurami i rzekami, a później dzielić się tym z innymi i uczestniczyć w tym uzdrawiającym procesie wraz z całą naturą. Czuję się wyróżniona i błogosławiona.

Clara Shinobu Iura, inna członkini Rady Babć, jest także częścią społeczności Santo Daime. Babcia Clara przyłączyła się do społeczności kilka miesięcy po Babci Marii Alice. U obydwu kobiet Sebastião rozpoznał nadzwyczajne moce uzdrawiające, o których same nie wiedziały i poprosił, aby wspólnie leczyły innych. Od 1998 roku obie Babcie podróżują po świecie, pomagając różnym społecznościom oraz ich kościołom w przywracaniu równowagi i pokoju.

Przeznaczenie związało mnie i Clarę – mówi Babcia Maria Alice – *Za każdym razem kiedy wydaje się, że podążamy w przeciwnych kierunkach, dzieje się coś, co ponownie zbliża nas do siebie.*

W momencie śmierci czcigodnego Sebastião, jego syn włożył jedną dłoń ojca w dłoń Babci Clary, a drugą w dłoń Babci Marii Alice. Obydwie kobiety poczuły wielką pokorę wobec zaszczytu, który je spotkał. To była bardzo głęboka i święta chwila.

Jako Madrinha, Babcia Maria Alice, prowadzi ceremonie Umbanda w kościele Santo Daime w Ceu do Mapia. Uzdrawia także przy pomocy różnych roślin Amazonii. Założyła Centro Medicina da Floresta i działa na rzecz ochrony dziedzictwa lasów deszczowych. Jest ogromnie wdzięczna za inspirację otrzymaną od duchowego mistrza i misję stworzenia legalnej organizacji chroniącej święte rośliny Amazonii. Poświęca się także edukacji dzieci i młodzieży, ponieważ jak twierdzi to jedyny sposób na kontynuację jej pracy i zachowanie rdzennej mądrości.

Niegdyś Amazonia – największy biologiczny skarb Ziemi – pokrywała czternaście procent powierzchni planety, dzisiaj jedynie sześć procent. Ostatni deszczowy las, jaki pozostał, może zostać unicestwiony w ciągu najbliższych czterdziestu lat. W wyniku wycinki lasów, prowadzonej przez międzynarodowe korporacje i właścicieli ziemskich, prawie połowa gatunków roślin, zwierząt i mikroorganizmów może zostać zniszczona lub poważnie zagrożona wyginięciem.

Utracimy wiele lekarstw na zagrażające życiu choroby. Pięć wieków temu w Amazonii żyło dziesięć milionów Indian. Konkwistadorzy, którzy przybyli z krzyżem w jednej dłoni i z mieczem w drugiej, zabili wielu rdzennych mieszkańców, a pozostałych uczynili niewolnikami. Obecnie żyje mniej niż dwieście tysięcy tubylców. Utracono niezastąpioną, tysiącletnią wiedzę na temat leczniczych właściwości roślin. Mówi się, że za każdym razem, gdy umiera miejscowy szaman czy uzdrowiciel to tak jakby spłonęła cała biblioteka.

Babcia Maria Alice mówi, że odkrywając niesamowite właściwości lecznicze roślin z lasów deszczowych, firmy farmaceutyczne, zaczęły walczyć o ich przetrwanie. Niestety zachodnie podejście jest wciąż ograniczone, pełne uprzedzeń i nastawione na zysk. Nikt nie pojmuje, że moc roślin zamknięta w tabletkach jest o wiele mniejsza niż ich właściwości w naturalnym stanie. W tabletce czy kapsułce zanika siła życiowa rośliny – kluczowy, uzdrawiający element.

Zwracając się po raz pierwszy do Rady Babć, Maria Alice mówiła jak szczególny to dla niej moment. *Wierzę, że każdą z nas doprowadziło tu przeznaczenie* – powiedziała – *I będziemy nadal prowadzone, aby dokonać tego do czego zostałyśmy wezwane. Nie możemy powiedzieć, że należymy do takiej czy innej rasy. Na przestrzeni wielu wcieleń wszyscy byliśmy wszystkim. Teraz nasze ścieżki spotkały się ponownie, aby odrodzić pierwotne połączenie. Pochodzimy z różnych tradycji wierzeń i kultur, ale w życiu jesteśmy tym samym płomieniem.*

Jestem wdzięczna świętej Matce, naszej planecie Ziemi, która przyjęła nas wszystkich, a także przeznaczeniu, dzięki któremu jesteśmy kanałem wiecznego życia, otrzymującym wiedzę od przodków i przekazującym ją przyszłym pokoleniom

Babcia Maria Alice wierzy, że wszystkie Babcie doświadczyły tak wiele w swoim życiu, aby móc stać się częścią Rady – *Wszystkie dotarłyśmy do miejsca, w którym rozpoznajemy co jest dla nas dobre i co jest właściwe dla ludzkości. Choć możemy nie wiedzieć wielu rzeczy, mamy siłę i pewność co jest korzystne dla wszystkich ludzi. Nie potrzebujemy przemocy, pieniędzy, walki i współzawodnictwa. Musimy jedynie oddać się i poświęcić Boskiemu Stworzeniu. Mamy być szczęśliwi, kochać siebie nawzajem i otwierać na to, co Bóg ma do zaoferowania.*

Chociaż jesteśmy stare, w tym momencie dziejów nasz głos jest bardzo ważny dla świata. Niektórym ludziom błędnie wydaje się, że są wielcy. Wszyscy jesteśmy mali wobec miłości, która jest jedyną prawdziwą rzeczą jaką mamy. Możemy ofiarować światu dobre słowa. Bardzo głęboko wierzę, że możemy coś zmienić, że będziemy w stanie dać nową nadzieję przyszłym pokoleniom.

Clara Shinobu Iura

Santo Daime

(LASY DESZCZOWE BRAZYLII)

Babcia Clara Shinobu Iura, córka japońskich imigrantów, urodziła się i wychowała w stolicy stanu São Paulo, w Brazylii.

Należałam do osób, które nie wierzą w żadne duchowe prawdy – mówi Babcia Clara – *Studiowałam filozofię i najbardziej fascynowała mnie epistemologia, teoria poznania.*

Clara pochodzi z rodziny praktykującej tradycyjny buddyzm. Jej prababcia była jedną z pierwszych kobiet w Japonii, które miały dostęp do świętych pism, co pozostawiło trwały ślad w jej sercu.

Matka Clary opowiadała, że podczas posiłków otwierano drzwi tamtejszego klasztoru, aby nakarmić ubogich. W Japonii uważano ich za szczególną klasę i darzono szacunkiem. *Według świętych Pism mnisi mieli żywić się tym samym co ubodzy* – wyjaśnia Babcia Clara – *Z czasem jednak złamano zasady i mnisi zaczęli spożywać wystawne posiłki w wydzielonym miejscu. Jednak moja prababcia nie zmieniła obyczaju. Nadal jadała z biedakami. Cieszyła mnie ta historia i była powodem do dumy. Jestem potomkinią prawej kobiety, obrończyni świętych zasad, kogoś, kto w dziewiętnastym wieku miał nadzieję na wyzwolenie, pomimo trudnej sytuacji związanej z własną płcią.*

Babcia Clara wspomina, że już jako mała dziewczynka różniła się od innych dzieci. Często zamęczała rodziców pytaniami dlaczego rzeczy wyglądają tak jak wyglądają. Interesowała ją społeczna niesprawiedliwość i różnice. Nie czuła się swobodnie w bardzo represyjnym – szczególnie w stosunku do kobiet – japońskim społeczeństwie. Japończycy bardzo zwracali uwagę na to co zewnętrzne. Chcieli dobrze się prezentować, aby nie przynosić wstydu swojemu narodowi po przegranej II wojnie światowej.

W czasie politycznego przewrotu w Brazylii, wydarzyło się coś, co uwolniło serce Babci Clary – ojciec, który miał sieć sklepów meblowych, zbankrutował.

Skompromitowało to jej rodzinę. Babcia Clara straciła status uprzywilejowanej kobiety i zezwolono jej na pracę. Praca uwolniła ją wewnętrznie, przywróciła do prawdziwego życia i zdjęła odpowiedzialność wobec japońskiej społeczności.

Po tym doświadczeniu zaczęłam poszukiwać esencji istnienia – kim jestem, dlaczego urodziłam się w tej rodzinie i co jest fundamentem prawdy o życiu? Do tego czasu wierzyłam, że wszystko, łącznie z Bogiem, jest wytworem umysłu – wyjaśnia Babcia Clara.

Babcia Clara zaczęła studiować filozofię, wierząc, że to właśnie ona i książki dadzą jej odpowiedzi na nurtujące pytania. Około 1968 roku dołączyła do wyłaniających się w tym czasie młodzieżowych ruchów na rzecz wyzwolenia, które kwestionowały społeczne, polityczne i moralne status quo. Dla młodych ludzi i wszystkich, którzy wierzyli w sprawiedliwość społeczną, był to burzliwy czas poszukiwań.

Doświadczyłam wtedy rzeczy, które doprowadziły mnie do wielu skrajności – wspomina Babcia Clara – *Kiedy w końcu ocknęłam się i uświadomiłam sobie swoją sytuację, nosiłam ze sobą stary worek z ubraniami, mieszkałam w opuszczonym domu i gotowałam jedzenie w puszkach. Na szczęście uratowała mnie Boska Opatrzność. W magiczny wręcz sposób nawiązałam kontakt z ludźmi wywodzącymi się z różnych rdzennych kultur i autentycznych duchowych tradycji. Dzięki nim przeszłam prawdziwą, wewnętrzną inicjację. Nareszcie byłam w stanie wyrwać się z ponurego świata, do którego doprowadziły wcześniejsze poszukiwania.*

Babcia Clara wciąż pamięta ludzi związanych z Bagawan'em Rajneesh'em (OSHO – przyp. red.), który stosując własny system nauczania i specjalne praktyki, otworzył drzwi jej zrozumienia oraz stworzył przestrzeń dla świętego wszechświata, o którym nawet nie śniła. Rzeczy, które wydawały się fikcyjnym wytworem umysłu teraz zaczęły jawić się jako coś rzeczywistego. Babcia Clara zaczęła doświadczać nieznanego, a najprzeróżniejsze istoty pojawiały się, aby z nią rozmawiać i dawać dowód na to o czym mówiły. Przynosiły ze sobą mnóstwo głębokiej wiedzy i wiele wewnętrznych transformacji.

Najbardziej niesamowite było trwające trzy miesiące spotkanie z istotami, które powiedziały kobiecie, że pochodzą z dalekiej planety, niewiarygodnie odległej od Ziemi. Przyszły, aby nawiązać kontakt i zostawić przesłanie dla ziemian. Mówiły w dziwnym języku, używając jej ciała jako odbiornika – *Nigdy wcześniej nie doświadczyłam czegoś podobnego* – mówi Babcia Clara – *Po jakimś czasie te dziwne dźwięki znalazły mechanizm w moim ciele, który pozwalał na tłumaczenie ich na nasz język, jednocześnie nie pozwalając na zakłócenia ze strony umysłu. Słyszałam słowa, których wcześniej, jako studentka filozofii z marksistowskim zacięciem, nie ośmieliłabym się wypowiedzieć na głos – jedność wszechświata, planeta Ziemia, miliony lat świetlnych itp., słowa które przypominały mi Flash Gordona* (komiks science fiction – przyp. tłum.) *albo coś w tym stylu, pomimo że nigdy nie czytałam literatury tego typu. Kiedy istoty kontaktowały się ze mną, czułam wyraźne zmiany w ciele. W czasie tych trzech miesięcy prawie nie spałam i nie jadłam. To było cudowne przeżycie. Nie było miejsca na wątpliwości, dowody były niezaprzeczalne.*

Istoty zostawiły wiadomość dla mieszkańców Ziemi – ostrzeżenie, abyśmy nie zagubili się w materialnym i technologicznym stylu życiu i nie zapomnieli o duchowej świadomości, o Bogu, stwórcy wszelkiego stworzenia – mówi Babcia Clara – *Powiedziały, abyśmy przestali lekceważyć Jego stworzenie oraz powstrzymali dewastację Ziemi, która objawia się w postaci choroby planety i jej mieszkańców. Przekazały, że zniszczenie będzie kontynuowane i jedynie autentyczna zmiana świadomości przyniesie nadzieję na zbawienie. Ostrzegły, aby być uważnym na mechanizmy i przedmioty, które mogą zanieczyścić i zniszczyć ziemską atmosferę. Mówiły jak ważne jest przebywanie w stanie podwyższonej uważności. Te wydarzenia miały miejsce dwadzieścia osiem lat temu, kiedy powyższe zagadnienia nie były jeszcze tak aktualne jak dzisiaj.*

Istoty przekazały również Babci, że razem z innymi świadomymi ludźmi została wybrana, aby przekazać to przesłanie wszystkim mieszkańcom Ziemi, zanim dojdzie do wielkiego kataklizmu, który od dawna wieszczyli ludzie posiadający świętą wiedzę. Istoty zapowiedziały, że Babcia Clara wkrótce spotka ludzi, mieszkających między Rio i São Paulo, którzy rozwijają duchową świadomość i którzy zajmują się ochroną środowiska – *Byłam zdezorientowana, myślałam, że wszystko wydarzy się natychmiast* – mówi Babcia Clara – *Oczekiwałam z niepokojem, ale nic się nie działo. Chciałam się już poddać, odłożyć to kosmiczne doświadczenie do szuflady i zapomnieć co mi powiedziano. Wszystko jednak powróciło, gdy spróbowałam Santo Daime w górach Visconde de Mauá, pomiędzy Rio a São Paulo. Właśnie wtedy miałam pierwszy kontakt ze świętym napojem i hymnami, przywołującymi duchową świadomość, czczącymi słońce, księżyc, gwiazdy, las, ziemię i morze. Szukałam tego przez ponad siedem lat.*

Ludzie, którzy przygotowali dla niej Santo Daime żyli w komunie i podobnie jak ich przywódca Sebastião Mota de Melo, mieszkali w głębinach Amazonii. Clara spotkała ojca Sebastião. w Rio de Janeiro, gdzie przybył w poszukiwaniu uzdrowienia. Podczas spotkania, ku wielkiemu zdziwieniu Babci Clary, wykrzyknął – *Ach! W końcu przybyła osoba, którą one (duchy) miały zesłać, by mnie wyleczyć.* Co ciekawe nie znał wcale Babci Clary. Widział ją po raz pierwszy. Wtedy zaczęły otwierać się drzwi przeznaczenia, które zaprowadziły ją do Céu do Mapiá w Amazonii, gdzie przybyła na zaproszenie ojca Sebastião i gdzie mieszka do dziś.

Chociaż Babcia Clara zaakceptowała zaproszenie odczuwała niepokój. Jak Sebastião. – człowiek tak bardzo ceniony za mądrość mógł zaufać jej, osobie, która popełniła w życiu tak wiele błędów i była nieświadoma? Na początku nie potrafiła mu zaufać. Jednocześnie podziwiała go, że miał odwagę założyć społeczność w środku lasu, z dala od wszystkiego i dzielić się swoim przesłaniem. Nadzieją Sebastião. było podźwignięcie flagi nowego świata, z nowym systemem naturalnego i zdrowego życia, ludzkości zwróconej ku Bogu, z dala od zanieczyszczeń, kłamstw i iluzji, które oddalają nas od prawdziwej Jaźni.

Sebastião zachęcał każdego do poszukiwania Boga wewnątrz siebie – wyjaśnia Babcia Clara – *Sugerował wszystkim, aby byli autentycznie obecni. Zachęcał do szerzenia wśród mieszkańców Ziemi prawdy o świętości Matki Natury.*

Babcię Clarę zawsze zdumiewała prostota i moc przekazu ojca Sebastião..

Dzisiaj, prawie dziewiętnaście lat po przybyciu do Amazonii, której nie opuściła już nigdy, Babcia Clara twierdzi, że swym życiem zaświadcza o prawdzie duchowej ścieżki jaką wybrała. Jako członkini Rady Babć i jeden z głosów modlących się za Ziemię, Babcia Clara pragnie podnosić świadomość na temat planety, którą zamieszkujemy. Ponadto chce szerzyć duchową prawdę o życiu. Zachęca, aby każda rdzenna społeczność, zamieszkująca Matkę Ziemię zachowała dla przyszłych pokoleń mądrość otrzymaną od Boga.

Mam nadzieję, że dzięki babcinej miłości i trosce, słowa Rady zagoszczą w sercach ludzi rządzących Ziemią – mówi Babcia Clara – *i przebudzą wewnętrzne dziecko, które mieszka w każdym z nas. Tylko to pozwoli rozbudzić duchową świadomość i tym samym odwrócić bieg historii.*

Aama Bombo (Buddhi Maya Lama)

Tamang
(Nepal)

Buddhi Maya Lama, znana także jako Aama Bombo (Matka Szamanka) przyszła na świat w ubogiej rodzinie, w odizolowanej od reszty świata wsi, we wschodniej części strefy Bagmati w Nepalu. Jej ojciec był cenionym szamanem, a matka drugą z jego siedmiu żon. W rodzinie było dziewięcioro dzieci.

Życie dorastającej Babci Aamy było naznaczone zmaganiem i walką o przetrwanie. Kiedy dziewczynka miała dziesięć lat, matka uciekła w nieznane, zostawiając córkę pod opieką babci. Babcia Aama wychowała się w tradycji Tamang, której korzenie tkwią w Tybecie i do której należy największa etniczna grupa Nepalu. W tej tradycji kobiety nie mogły praktykować szamanizmu. Chociaż już jako pięciolatka, Aama chciała zostać uzdrowicielką, ojciec, w każdy możliwy sposób, ograniczał rozwój jej darów. W wieku szesnastu lat, Aama przeprowadziła się do Katmandu. Tam zakochała się i poślubiła mężczyznę, który miał już dwie żony. Wszyscy żyli zgodnie pod jednym dachem. Ojciec Babci Aamy umarł w wieku osiemdziesięciu lat.

Kiedy Babcia Aama miała dwadzieścia pięć lat zaczęła doświadczać nienaturalnego drżenia w całym ciele, które trwało przez kolejne czternaście miesięcy. Ludzie, którzy ją otaczali byli przekonani, że to początek choroby psychicznej. Zabierano ją do różnych uzdrowicieli bezskutecznie szukając kuracji, która by jej pomogła. Wydawało się, że jedynym wyjściem jest szpital psychiatryczny.

Szukając ostatniej deski ratunku, Babcia Aama udała się do buddyjskiego lamy, któremu udało się odkryć źródło problemu. Nieżyjący od dziewięciu lat ojciec Aamy szukał kogoś, przez kogo mógłby przekazać swoje nauki i kto kontynuowałby jego pracę. Nie potrafił jednak znaleźć nikogo o dobrym sercu. Już po śmierci musiał zaakceptować, że jedynie jego żyjąca córka – pomimo swojej płci – była wystarczająco czysta, aby otrzymać jego nauki. Kiedy Babcia Aama rozpoznała i uszanowała wolę duszy ojca oraz inne dusze, które chciały z nią współpracować, poczuła się lepiej. Od tamtej pory, cała wiedza o szamańskim uzdrawianiu przyszła do niej przez ojca oraz istoty i dusze, które zaczęły ją odwiedzać i nauczać pradawnej sztuki.

Babcia Aama jest teraz ukochaną i powszechnie znaną szamanką w Nepalu. Z równym oddaniem i szacunkiem zajmuje się najbiedniejszymi jak i rodziną królewską, łącznie z samym monarchą. Zaczyna dzień o czwartej nad ranem modlitwami w świątyni boga Shivy – niszczyciela, który dopuszcza do destrukcji, aby wprowadzić nowy porządek. Kobieta często modli się, spacerując. Ludzie zaczynają pojawiać się w jej domu przed szóstą i uzdrawianie trwa do południa. Po krótkiej przerwie wraca do pracy. Babcia Aama przyjmuje około stu osób dziennie. Ludzie przybywają z całego Nepalu, Indii i Tybetu w poszukiwaniu rozwiązania problemów fizycznych, emocjonalnych i duchowych dla siebie i swoich bliskich. Babcia Aama uzdrawia, oczyszcza domy z negatywnych energii, udziela wskazówek i naucza. Sugestie jakich udzieliła rodzinie królewskiej okazały się prawdziwe, łącznie z przepowiednią masakry, która miała doprowadzić do upadku dynastii. Dużo pracowała z niedawno zmarłym monarchą.

W trakcie uzdrawiania, Babcia Aama przywołuje najpierw duszę ojca, następnie duchy jej klanu, duchy miejsca, w którym się znajduje, następnie bogów i boginie czterech kierunków, a także duchy nieba, ziemi, wód oraz świata powyżej i zaświatów. Kali, ciemnoskóra, nieustraszona matka, jest dla Babci Aamy najważniejszą boginią. Małpi bóg – Hanuman, również odgrywa istotną rolę w uzdrawianiu. Hanuman, który pomógł Ramie w wyprawie przeciwko siłom zła, jest jednym z najpopularniejszych bóstw w hinduskim panteonie. Uważa się, że jest awatarem Shivy i uczniem Ramy. Jest czczony za siłę fizyczną, wytrwałość i oddanie. Przekazuje swoim wyznawcom mądrość o niewyczerpanej mocy, która spoczywa w każdym z nas. Babcia Aama jest kanałem i przekazicielką mądrości tych wszystkich duchów i bóstw.

Babcia Aama jest drugą z żon swojego męża i mimo, że nigdy nie miała własnych dzieci, jest traktowana jak prawdziwa matka. Jest uzdrowicielką ogniska domowego i faktycznie opiekunką całej rodziny.

Domem Babci Aamy jest Boudhnath, na obrzeżach sławnego miasta Katmandu. Katmandu z rozlicznymi świątyniami z czerwonej cegły, przepełnione pielgrzymami, nie należy do czystych miast. Jest pełne małp, żebraków i spalin. Podobnie jak samo Katmandu, Nepal jest krajem wielu kontrastów. Pomimo, że jest biedny materialnie, ma bardzo bogatą historię i kulturę. Położony w najwyższych partiach Himalajów zapewnia najwspanialsze widoki na świecie. W wyniku długotrwałych napięć politycznych pomiędzy tymi, którzy pozostają wierni królowi, a współpracownikami maoistycznych buntowników, rząd Nepalu jest bardzo niestabilny. Przemoc może wybuchnąć tam w każdym momencie. Do końca nie było pewności czy Babcia Aama będzie mogła opuścić kraj, aby przyłączyć się do Rady. W ostatnim momencie dostała pozwolenie, a jej potężne modlitwy wzmacniają modlitwy wszystkich Babć.

Dzisiaj stoi u boku innych starszych kobiet, aby szerzyć przesłanie o pokoju, harmonii i braterstwie.

Przemierzam Ziemię z modlitwą, aby stworzyć świat bez wojen i napięć – mówi Babcia Aama – *Chcę widzieć tę planetę pełną naturalnego piękna, gdzie każdy będzie miał równe prawa i możliwość współdzielenia darów natury.*

Julieta Casimiro
Mazatec
(HUAUTLA DE JIMENEZ, MEKSYK)

Babcia Julieta Casimiro jest członkinią starszyzny ludu Mazatec. Mieszka w Sierra Madre w stanie Oaxaca w Meksyku. Jest matką dziesięciorga dzieci, pracownikiem socjalnym w swojej społeczności, a także uzdrowicielką (curandera). Od czterdziestu lat przybywają do niej ludzie z całego świata, aby wziąć udział w specjalnych obrzędach, otrzymać uzdrowienie i życiowe przewodnictwo.

Babcia Julieta miała siedemnaście lat, kiedy jej teściowa, która także była uzdrowicielką w tradycji świętych roślin ludu Mazatec, wprowadziła ją w świat *świętych dzieci*, Teonanacatl – świętych grzybów. Wiele razy Babcia Julieta spożywała grzyby z matką męża i dzięki uzyskanej mądrości pogłębiała relację z Bogiem. Zdobyta wiedza zainspirowała ją do podróży duchowych razem z innymi ludźmi i do pracy z nimi. Teonanacatl znaczy dosłownie *Ciało Bogów* i jest podstawą fundamentalnej i rozbudowanej duchowo tradycji Mezoameryki, pochodzącej sprzed 5000 lat.

Ponieważ nie mamy pieniędzy na lekarzy, uzdrawiamy siebie przy pomocy grzybów – wyjaśnia Babcia Julieta – *Wierzymy, że Bóg dał lecznicze grzyby prostym ludziom, aby mogli doświadczać Go bezpośrednio. Nie należy obawiać się ich spożywania. Te święte dary natury przynoszą jasność. Przynoszą światło zrozumienia i wiedzy oraz klarowność prawdy, mądrości i zachwytu.*

W pracy Babci Juliety obecna jest Pani Księżyca, Pani Słońca, Pani Gwiazd oraz Dziewica z Gwadelupy, która jest opiekunką wszystkich istot w Meksyku. Dziewica z Gwadelupy jest fizycznym uosobieniem Coatlique, starożytnej bogini ziemi, czczonej od tysięcy lat przez cywilizacje przedhiszpańskie. Dziewica z Gwadelupy objawiła się w 1531 roku na wzgórzu Tepeyac, na obrzeżach Mexico City, w miejscu kultu Coatlique.

Jej święta obecność zajmuje centralne miejsce w życiu religijnym Meksyku i stanowi fundament wszystkich praktyk uzdrawiających z użyciem świętych roślin. Połączenie, jakie Babcia Julieta czuje z Dziewicą z Gwadelupy, daje jej siłę. Życie Babci i jej praca wypełnione są żeńskimi aspektami, takimi jak współczucie, cierpliwość, wdzięk i odwieczna miłość, zakorzenionymi w ziemskich symbolach i niewidzialnych energiach.

Pracuję dzięki Dziewicy z Gwadelupy, która jest źródłem natchnienia i obdarza mnie światłem poznania – mówi Babcia Julieta – *Jest mi naprawdę bliska. Stale czuję jej obecność. Dodaje mi sił do modlitw i pieśni.*

Każdą pracę z ludźmi Babcia Julieta rozpoczyna modlitwą. Zapala trzynaście świec. W starożytnej tradycji Azteków było trzynaście sfer, przez które należało przejść, aby osiągnąć boski poziom świadomości. Z szacunkiem przygotowuje właściwą oprawę ceremonii, co stanowi ważną część jej pracy. Użycie kadzidła z kopalu (rodzaj żywicy – przyp. tłum.), świec, miodu, ziaren kakaowych i odmawianie różańca stanowią specyficzną część przygotowań przewodnika i uczestników. Tworzą przestrzeń dla całonocnej pracy oraz ustanawiają przymierze ze światem duchowym i duchowymi opiekunami.

Składane przeze mnie ofiary sprawiają przyjemność aniołom i świętym – mówi Babcia Julieta.

Przyjęcie świętych grzybów jest traktowane z dużą dozą szacunku i ogromną wiarą. Grzyby przeżuwa się jedynie przednimi zębami, ponieważ w Tradycji Mazatec nie są one uważane za zwykłe pożywienie. Liczbę grzybów Babcia Julieta określa indywidualnie i intuicyjnie, poznając uczestników przed ceremonią. Na początku niektórych może przerażać doświadczenie zmiany zwykłego stanu świadomości. Babcia Julieta decyduje jak wprowadzić ludzi w tę przestrzeń, dawkując ilość grzybów. W miarę jak uczestnicy czują się bardziej bezpieczni, kobieta zabiera ich w coraz głębsze rejony wewnętrznego świata podając większą dawkę.

Wyjaśnia też, że przyjmowanie świętych grzybów pod przewodnictwem uzdrowicielki przenika wierzchnią warstwę świadomości i pozwala poznać przestrzeń lęków, otwiera na głębokie wizje i ofiaruje mistyczną wiedzę. Stapianie się ze stanem duchowej mądrości pozwala wkroczyć w obszar transpersonalny i doświadczyć przebudzenia.

Aby wszystko poszło dobrze, zawsze wzywam Boga – mówi – *Dzięki temu ludzie czują się bezpiecznie i są w stanie wejść głębiej w swoje doświadczenia. Głowa każdego człowieka to osobny świat. Pracuje się łagodnie, delikatnie, dopóki nie minie działanie grzybów.*

Taki nocny proces może trwać od sześciu do siedmiu godzin. Kiedy ceremonia dobiega końca Babcia Julieta modlitwą dziękuje Boskości za wniesienie światła w życie uczestniczących osób.

Zdobyta mądrość uszczęśliwia ludzi – mówi – *Uzyskują wiedzę i wznoszą się ku Bogu, dotykając światła zrozumienia.*

Według tradycji Mazatec, święte grzyby mają moc uzdrawiania. Są czczone jako przewodnicy i *lekarze*, pomagając przy dolegliwościach fizycznych, nierównowadze emocjonalnej oraz konfliktach rodzinnych. Służą także wzmacnianiu intuicji. Rzucając światło zrozumienia na źródło wewnętrznego konfliktu czy chorobę, otwierają wrota uzdrowienia i dzięki temu przywracają równowagę całego systemu na poziomie fizycznym, emocjonalnym, duchowym i energetycznym.

Podczas sesji pacjent jest w stanie wyczuć, w którym miejscu w ciele rozwija się choroba – wyjaśnia Babcia Julieta – *Aby wyleczyć wszelkie schorzenia, zawsze przywołuję Światło.*

Babcia Julieta pracuje z ludźmi chorymi na AIDS, raka, problemami emocjonalnymi, skórnymi oraz z różnymi psychosomatycznymi symptomami braku wewnętrznej równowagi. W zachodnim systemie medycznym, na każdą chorobę podawana jest inna tabletka. W przypadku grzybów, pacjent i uzdrowiciel pracują z energią i z Duchem, będąc w stanie uzdrowić wiele chorób, które spowodowały zaburzenie równowagi w ciele. Jeśli jednak pacjent ma poważne schorzenie lub choruje od dawna, Babcia Julieta zawsze sugeruje mu równocześnie wizytę u lekarza medycyny zachodniej.

Niektórzy nie są w stanie odczuć działania grzybów. Nie potrafią otworzyć ani serca ani umysłu, by wkroczyć w wewnętrzną rzeczywistość – wyjaśnia Babcia Julieta. – *Czasami tym ludziom pomaga praca z tytoniem* (w tradycji mazateckiej zwanym San Pedro).

Podobnie jak w wielu innych tradycjach, używających świętych roślin, tytoń jest czczony i uważany za potężnego sprzymierzeńca. W tej kulturze używa się świeżego tytoniu, zmielonego z limonką i czosnkiem. Modlitwa jest częścią rytuału mielenia liści na kamieniu. Tak przygotowana maść może zostać zaaplikowana na ciało pacjenta. Efekty są łatwo zauważalne – przyspieszony metabolizm, fale ciepła zalewające ciało, wzmocnione poczucie cielesności. Aplikacja San Pedro jest ważną częścią ceremonii. Specyfik jest nakładany na ciało w miejscu choroby przy jednoczesnym przywoływaniu energii Jezusa.

Zablokowana energia zaczyna poruszać się z chorego miejsca w ciele, spływa do nóg i wypływa przez stopy – wyjaśnia Babcia Julieta – *Uzdrowienie wygląda w podobny sposób niezależnie od choroby.*

Dla wielu pacjentów ceremonia stwarza przestrzeń do wewnętrznego wzrostu i relaksu, który umożliwia otrzymanie uzdrowienia. Babcia Julieta bardzo angażuje się w pracę z tymi, którzy chcą uwolnić emocjonalne czy energetyczne napięcia. Czasami na rytuał przychodzą całe rodziny. Jeśli to zazdrość czy złość jest powodem nierównowagi, wszyscy krewni biorą udział w nocnych obrzędach. Każdy członek rodziny otrzymuje osobisty wgląd. Wszyscy wspólnie tworzą rytuał uzdrawiania, którym dzielą się z pozostałymi, aż do momentu kiedy w rodzinie powraca równowaga.

Grzyby otwierają ludzkie serca i nie należy się ich obawiać – mówi Babcia Julieta – *Gdy pacjenci odchodzą, czują się spełnieni, szczęśliwi i jest im dobrze. Kiedy mi dziękują zawsze proszę, aby wyrazili wdzięczność Bogu.*

Zwracając się do Rady Babć po raz pierwszy, Babcia Julieta pobłogosławiła wszystkich wodą i ofiarowała ją czterem kierunkom. Podkreślając jakim zaszczytem jest dla niej bycie wśród Babć, powiedziała – *Wszystkie tutaj pragniemy tego samego. Chcemy żyć w pokoju i chcemy, aby nie było już wojen. Nie potrzebujemy konfliktów. Cierpienie na świecie, szczególnie dzieci i starców, sprawia mi wielki ból. Nasza Matka Ziemia cierpi. Ludzie beztrosko niszczą planetę. Niszczą naszą Matkę. Musimy od nowa zacząć Ją czcić. Szczególnie w obecnych czasach powinniśmy wzbudzić w sobie szacunek. Bezustannie się o to modlę. Wszędzie noszę ze sobą różaniec. To dla mnie zaszczyt, że mogę tu być i modlić się z innymi Babciami. Mam nadzieję, że zgadzacie się ze mną.*

Inne przedstawicielki kobiecej starszyzny

Kobiety z plemienia Indian znad rzeki Hudson, goszczące Babcie w Nowym Jorku, opowiedziały legendę o tym, jak w przeszłości utrzymywano pokój między rdzennymi ludami. Babcie z różnych społeczności odwiedzały się nawzajem, aby zachować dobre stosunki między wszystkimi członkami plemion. Mężczyźni podążali za ich przykładem. Obecnie w tym samym duchu, Babcie spotykały się z wieloma starszymi kobietami z różnych środowisk, aby razem odnaleźć rozwiązania podstawowych problemów współczesnego świata.

Babcie z pewnością powiedziałyby, że na poziomie Ducha wybór przedstawionych poniżej osób nie jest zwykłym zbiegiem okoliczności. Jednak podobnie jak w przypadku samych Babć, zapewne mogłoby się tu znaleźć wiele innych mądrych kobiet.

Alice Walker

Dla Alice Walker, jednej z najbardziej cenionych na świecie pisarek – autorki nagrodzonej Pulitzerem powieści *Kolor Purpury* – to emocjonalne dziedzictwo mądrości własnych przodków natchnęło ją do poszukiwań rdzennych sposobów uzdrawiania.

Alice, najmłodsza z ośmiorga dzieci, urodziła się i wychowała w małej, rolniczej społeczności w hrabstwie Putnam, w stanie Georgia. Rodzice dzierżawili grunty i bywało, że zarabiali zaledwie trzysta dolarów rocznie. Aby utrzymać rodzinę matka dorabiała jako służąca i mleczarka. Rodzina mieszkała w starej szopie, w której właściciel nie chciał trzymać nawet zwierząt. Żyli na łasce pogody – ekstremalnych upałów i przenikliwego chłodu. Pomimo to niezwykła matka Alice zawsze przypominała dzieciom, że życie na tej planecie jest cudem.

W jakimś sensie nie pozwalała mi na pogrążanie się w cynizmie, poczuciu osamotnienia czy depresji – mówi Alice – *Dzięki matce widziałam, że żyliśmy otoczeni cudownością, a cały świat był magiczny. Matka pokazywała, że dzięki naturze nigdy nie jesteśmy sami. Potrafiła wyhodować wszystko. Była niczym bogini.*

Jakiś czas temu, przechadzając się po łące pełnej dzikich kwiatów, przyjaciółka Alice napomknęła, o ileż bardziej fascynująca byłaby to scena, gdyby były pod wpływem marihuany. Jednak dla Alice krajobraz nie mógł być piękniejszy. Nie było potrzebne nic więcej. To nauka, jaką otrzymała od matki. Wszystko jest pełne życia i mocy.

Nie potrzebuję dodatkowych bodźców, technikoloru, przejaskrawiania czy efektów specjalnych. Żadnej z tych rzeczy. To jest część tego co już mam w swojej duszy – mówi – *Jestem niezmiernie wdzięczna matce za tę mądrość.*

Dorastając, Alice pokonała wiele trudności – łącznie z utratą wzroku w prawym oku, po tym jak brat przypadkowo strzelił do niej z wiatrówki. Z tamtego okresu zachowała pamięć historii dwóch przodków. Opowieści te fascynowały ją już kiedy była dzieckiem, ale zarówno wtedy jak i w wieku późniejszym nie potrafiła do końca znaleźć ich wytłumaczenia. Pierwsza historia dotyczyła przodka z plemienia Czirokezów, wiążącego Alice z rdzennymi społecznościami Indian, który w wyniku okrutnego maltretowania w dzieciństwie, wyrósł na brutalnego i podłego człowieka. Druga, która nie dawała jej spokoju, dotyczyła matki jej ojca. Za swoją cudowną urodę, człowiek, który nie był w stanie zapanować nad własnym pożądaniem, zamordował ją na placu przed kościołem. Umarła na kolanach dziadka. Co zdumiewające to ją obarczono winą za morderstwo, wskazując jako powód niezwykłe piękno. Po tym wydarzeniu dziadek wpadł w alkoholizm i znęcał się nad kolejną żoną.

Dużo pracowałam z rodzinnymi historiami – mówi Alice – *Z poczuciem głębokiego zranienia jakie w sobie nosimy. Ludzie, którzy tworzyli naszą rodzinę sto pięćdziesiąt lat temu, nie są jedynie małymi skrawkami przekazywanych informacji typu „była taka piękna – nie powinna być tak piękna".*

Od kilku lat, Alice zgłębia rodzinne historie, stosując uzdrawiającą roślinę o nazwie Ayahuasca, którą rdzenni mieszkańcy Amazonii używają od wielu tysięcy lat.

Ayahuasca i podobne rośliny pomagają w odnowieniu połączenia z własną duszą oraz z innymi duszami, które niegdyś zraniono i przez to nie doznały uzdrowienia – wyjaśnia Alice.

Słowo *medicine* w rdzennych kulturach odnosi się do wszystkiego, co uzdrawia ciało, umysł i ducha.

Doświadczenia ze stosowania Ayahuascy utwierdziły Alice w przekonaniu jak ważna jest ochrona i podtrzymywanie tradycji naturalnych sposobów uzdrawiania.

Podejście lekarzy, firm farmaceutycznych oraz tryb życia współczesnego społeczeństwa – twierdzi Alice – *prawie uniemożliwia wyleczenie chorób i głębokich ran duszy. Możemy je złagodzić, dzięki tabletkom, stać się radosnymi zombie, ale nie doznamy prawdziwego uzdrowienia. Chemiczne leki to srebrne kule, wycelowane w niewielką część problemu, a nie obejmujące całości. Tradycyjny środek uzdrawiający jest używany zawsze w kontekście ceremonii, co sprawia, że leczenie jest bardziej kompleksowe. Wtedy uzdrawia się nie tylko ciało, ale także psychika.*

Alice uważa, że zarówno kościół jak i nastawione na konsumpcyjny styl życia społeczeństwo wyrządziło wielką krzywdę naturalnym sposobom uzdrawiania. Kościół ogłosił wręcz herezją fakt, że stosujący je ludzie są wolni i mają własne, niezależne połączenie z Boskością. Do tej pory już ośmiu znanych szamanów zwróciło się o pomoc do Alice, aby nie delegalizować używanych przez nich świętych roślin i zablokować patenty dla zachodnich koncernów. Tradycyjne uzdrawianie to coś więcej niż zwykłe połknięcie tabletki. Na podstawie własnych doświadczeń w tej dziedzinie Alice napisała ostatnią powieść pt. *Now Is the Time to Open Your Hart* – po części w celu uniknięcia opatentowania wywaru Ayahuasca, co jak twierdzi, chcą uczynić firmy farmaceutyczne.

Przedstawiając się Babciom Alice powiedziała:

Pochodzę z Południa, ale czuję, że zanim przyszłam stamtąd, musiałam przybyć z gwiazd. Czuję się jak w domu, zarówno na Ziemi jak i w przestrzeni.

Gloria Steinem

Pochodzę z plemienia, które utraciło pamięć swojej przeszłości – wyznaje Gloria Steinem, wybitna aktywistka feministyczna i pisarka – *Utrata pamięci o własnej tożsamości jest korzeniem prześladowania.*

Dla Glorii istotne znaczenie miało przebywanie z Radą Babć w miejscu, *gdzie narodziła się idea powstania ruchu sufrażystek* – w tej części kraju, która była głównym ośrodkiem kolei podziemnej – *Naprawdę doceniam to, że w tak głęboki sposób poddajemy wszystko przewartościowaniu* – skomentowała – *Staramy się uczyć od nowa.*

Gloria jest legendarną postacią, działająca na rzecz ruchu kobiet w Stanach Zjednoczonych, a jej wglądy, pasja i chęć obrony kobiet mają swe źródło w osobistych trudnych doświadczeniach. Dopiero kiedy autentycznie zagłębiła się w walkę o prawa kobiet, uświadomiła sobie swoje motywy i przyczyny zaangażowania.

Ruth Steinem, matka Glorii, była inteligentną, wykształconą kobietą, która toczyła ciężką walkę z depresją i spędziła większość życia w łóżku. Choroba psychiczna wywoływała halucynacje, a czasem gwałtowne i autodestrukcyjne zachowania. Przez dziewięć miesięcy w roku, rodzina przemierzała przyczepą obszar między Kalifornią i Florydą, co umożliwiało ojcu handel antykami. Jedynie miesiące letnie, kiedy powracali do Ohio – gdzie ojciec zarządzał ośrodkiem wypoczynkowym – były bardziej beztroskie. W przerwach pomiędzy nawrotami choroby, matka wpajała Glorii i jej siostrze głęboki szacunek do książek i miłość do czytania. Dla Glorii było to jedyną przyjemnością i ucieczką od rzeczywistości.

Kiedy dziewczynka miała dziesięć lat, rodzina rozdzieliła się. Stan matki pogorszył się do tego stopnia, że nie była w stanie zająć się sama sobą. To zadanie przypadło Glorii, która stała się faktycznie matką własnej matki, całkowicie przejmując prowadzenie domu. Mieszkały wtedy w zniszczonym budynku, bez ogrzewania. By utrzymać ciepło, spały w jednym łóżku. Dolną część domu wynajmowano, aby mieć środki na podstawowe wydatki, a Gloria dorabiała stepowaniem. Pomimo trudnej sytuacji w domu, miała świetne wyniki w szkole i w 1952 roku dostała się na Smith College.

W trakcie studiów, Gloria zaczęła lepiej rozumieć czynniki, które wpłynęły na depresję matki. Przed ślubem, Ruth Steinem była odnoszącą sukcesy redaktorką w gazecie w Toledo, w stanie Ohio. Kiedy wyszła za mąż poczuła, że jest zmuszona do poświęcenia swojej kariery, aby spełniać rolę żony i matki. Był to czas kiedy społeczeństwo nie akceptowało łączenia kariery z rodziną. Niszczycielski efekt takiego ograniczenia wzbudził w Glorii potrzebę zmiany postrzegania kobiet przez społeczeństwo. Oliwy do ognia dolała świadomość, że stan zdrowia matki nigdy nie był traktowany poważnie przez środowisko lekarskie, również dlatego, że była kobietą.

W tym samym czasie, kiedy Gloria zyskiwała wgląd w chorobę matki, odkryła, że jej babcia była sufrażystką i pomagała kobietom uzyskać prawo do głosowania. Przykład babci zainspirował ją i dodał odwagi w walce o realizację własnych przekonań. Kiedy kończyła Smith College, była już aktywną działaczką na rzecz kobiet.

Na przestrzeni lat, w swojej pracy dziennikarskiej, Gloria na własnej skórze doświadczyła skutków nierówności i dyskryminacji, co stworzyło wewnętrzną więź z prześladowaniami, jakich doświadczają kobiety, bez względu na kolor czy rasę. Obecnie zajmuje się poznawaniem kultur rdzennych ludów i początkami systemów kastowych, opartych na płci i rasie. Bada w jaki sposób płciowość i znęcanie się nad dziećmi staje się źródłem przemocy w dorosłym wieku, poszukuje też metod konstruktywnego rozwiązywania konfliktów i porozumienia ponad podziałami dla pokoju i sprawiedliwości.

Gloria określa feminizm jako *przekonanie, że kobiety są pełnymi istotami ludzkimi*. Według niej ruch na rzecz kobiet był w pewien sposób matkowaniem sobie nawzajem.

Na głębokim poziomie – wiele z nas miało matki, które nie były w stanie przejawić w świecie swojej prawdziwej mocy.

Gloria wierzy, że nie jesteśmy tutaj, by ocalić kobiety, ale aby ocalić siebie nawzajem.

Wierzę, że jeśli podejmiemy wysiłek w celu poznania przeszłości, przejmując zarówno ból innych kobiet, jak i ich radości, szanując zarówno autorytet każdej z nich, jak i swój własny, pewnego dnia staniemy się potęgą.

Carol Moseley Braun

Reprezentuję nową grupę ludzi na tej planecie – mówi Carol Moseley Braun, pierwsza Afroamerykanka wybrana do Senatu Stanów Zjednoczonych i kandydująca na urząd prezydenta – *Przywiezieni jako niewolnicy z Afryki, odcięci od własnych korzeni i kultury, moi rodacy musieli stworzyć siebie na nowo* – wyjaśnia.

Obecnie, większość czarnoskórych Amerykanów nie wie z jakiego plemienia i z jakiej części Afryki pochodzi. Po przybyciu do Ameryki, rozdzielono ich rodziny na wiele pokoleń, więc ich korzenie – niegdyś mocne i głębokie – współcześnie są bardzo płytkie. Jak słusznie zauważono, niewolnictwo to grzech pierworodny Ameryki.

Fundamentem na którym powstała Ameryka było przymusowe oddzielenie od rodzimych ziem – zarówno Afrykańczyków, jak i rdzennych mieszkańców Ameryki oraz tych, którzy dobrowolnie opuścili swoje ojczyzny. Indianie wciąż żyją w swojej macierzy, wciąż mają przodków i pozostałości swojej kultury, podczas gdy Afroamerykanów pozbawiono zupełnie rdzennego rodowodu.

Czarnoskórzy Amerykanie spotkali się w tym kraju, aby stworzyć nowy typ ludzi – mówi Carol – *Zarówno Afrykańczycy jak i rdzenni mieszkańcy Ameryki padli ofiarą ludobójstwa. Dzięki otwartości oraz dobroci Indian okazanej Afrykanom, te dwie rasy połączyły się i dziś większość Afroamerykanów w swoim rodowodzie może powołać się na ich korzenie.*

W kontekście socjologicznym, rodowici Afrykańczycy postrzegają czarnoskórych mieszkańców Ameryki jako Amerykanów, podczas gdy większość białych Amerykanów postrzega ich jak Afrykańczyków.

Obejmuję czule samą siebie i mówię, że jestem tym wszystkim jednocześnie – Afrykanką, Amerykanką, kobietą nową i rdzenną – mówi Carol.

Kobieta wierzy, że niewolnictwo i sposób traktowania czarnych ludzi obudziło w nich prawdziwą siłę. Doświadczenie bólu oraz trauma pochodzącą z przeszłości i zło, które doprowadziło do przerażających sytuacji, sprawia, że czarnoskórzy muszą dziś dokonać wyboru.

Mogą zająć się życiem lub skupić na umieraniu – mówi Carol – Każdy musi dokonać tego wyboru sam. Jak mówi stara piosenka gospel – „Musisz komuś służyć. To może być diabeł lub Pan, ale musisz komuś służyć". Dla mnie oznacza to, że służysz poprzez działanie lub brak działania, poprzez to, co robisz lub co zaniedbujesz. Możemy stworzyć społeczeństwo, które pomoże uzdrowić świat, pomoże wszystkim przetrwać i zakwitnąć lub możemy pozwolić, aby zło rosło w siłę i pustoszyło planetę.

Carol urodziła się w Chicago. Jej matka była inżynierem medycznym, a ojciec pracował jako policjant. Zajmował się także muzyką. Grał na siedmiu instrumentach i posługiwał kilkoma językami. Prababcia Carol była położną, która przyrządzała własne leki, maści i mikstury, więc dziewczynkę ukształtowała silna wiara w tradycyjne metody uzdrawiania. Od rodziców nauczyła się jak ważna jest ciężka praca i wykształcenie. Ukończyła prawo na Uniwersytecie w Chicago, pracując jednocześnie na poczcie i w sklepie spożywczym.

Miałam trudne, przepełnione bólem życie – mówi Carol – Odnajdywanie wewnętrznej siły, szukanie światła, doświadczanie radości i wykraczanie poza to, co mogłoby uwięzić mnie w cierpieniu, zawsze było dla mnie wyzwaniem. Dlatego maoryskie nauki dotyczące czasu miały dla mnie tak wielkie znaczenie.

W 1992 roku Carol wybrano do Senatu USA, a w 1999 roku prezydent Clinton wyznaczył ją na ambasadora w Nowej Zelandii. Podczas dwóch lat piastowania urzędu, kobieta, której przyznano tytuł honorowej maoryski, poznała rdzenne zwyczaje Maorysów i doświadczyła prawdziwego duchowego uzdrowienia.

Maorysi w szczególny sposób postrzegają czas. Podczas gdy linearny umysł zachodu widzi czas jako pewne continuum – przeszłość jako coś, co jest już zakończone, a przyszłość jako coś, czego oczekujemy – Maorysi na odwrót, postrzegają przyszłość jako coś, co jest za nami, a przeszłość jako coś, co jest przed nami.

Przyszłość jest niewidoczna, więc jest za nami, nieznana i niepoznawalna – wyjaśnia Carol – *Taka zmiana perspektywy jest ważna ze względu na to, co tradycja maoryska mówi o teraźniejszości. Według niej, to co dzieje się obecnie tworzy przyszłość. Jest ona spuścizną wyborów i działań teraźniejszości. Dlatego jeśli przyjrzysz się rezultatom działań z przeszłości, wzmocnisz teraźniejszość, co pomoże ci stworzyć lepszą przyszłość, która stanie się lepsza od odziedziczonej przeszłości.*

Z maoryskiej perspektywy postrzegania czasu, Carol nauczyła się widzieć przeszłość w kategoriach uzyskanych wartości, takich jak wytrwałość, zdolność tworzenia wspólnoty i wzbudzania nadziei na lepsze jutro. Maoryskie nauki dają możliwość prawdziwego zaangażowania się w życie i stworzenia innej przyszłości w dowolnym momencie.

W takim kontekście – wyjaśnia dalej Carol – *widzę ogromną potrzebę spotkania się z przeszłością, bycia szczerym wobec tego jaka byłam, bez udawania, że przeszłe wydarzenia nie miały miejsca lub, że nie mają znaczenia dla dnia dzisiejszego. Dopóki nie wejrzysz szczerze w przeszłość, nie otrzymasz siły, która doprowadziła cię do dnia dzisiejszego i która pomoże stworzyć radośniejszą, bardziej świadomą i pełną miłości przyszłość. Dziedzictwo mocy z przeszłości stworzy lepszą przyszłość, wywodzącą się co prawda z bólu, ale nie poddającą się mu i wykraczającą poza.*

Carol wierzy, że Rada Babć pomoże zjednoczyć ludzi, stworzyć wspólnotę i pomnożyć dobro.

Możemy być siłą, która sprzeciwi się złu i przezwycięży je – mówi Carol – *siłą, dzięki której zyskamy pewność, że złość, zranienia i przemoc przeszłości nie staną się dziedzictwem przyszłego pokolenia. Właśnie teraz tworzymy lepszą przyszłość.*

Tenzin Palmo

Tenzin Palmo spędziła dwanaście lat pogrążona w intensywnej buddyjskiej medytacji, w małej jaskini, osłoniętej przez majestat Himalajów. Obcowała na co dzień z dziką zwierzyną, lawinami i była bliska śmierci głodowej. Żywiła się tym, co sama wyhodowała i spała w pozycji pionowej w tradycyjnej drewnianej skrzyni do medytacji o powierzchni metra kwadratowego.

Wchodząc do jaskini, Tenzin złożyła przysięgę osiągnięcia oświecenia w ciele kobiety, bez względu na to, ile zajmie jej to żywotów. Jednak po dwunastu latach zakończyła odosobnienie, całkowicie oddając się działaniom na rzecz niesienia duchowej pomocy dla kobiet.

Diane Perry (bo tak brzmi jej prawdziwe nazwisko – przyp. tłum.) przyszła na świat jako córka sprzedawcy ryb w dzielnicy East End w Londynie. Kobieta, która miała stać się buddyjską legendą, dorastała jak zwykła nastolatka. Miała chłopaka, pracę i pałała miłością do Elvisa Presleya. W wieku osiemnastu lat przeczytała pierwszą książkę na mało znany temat buddyzmu tybetańskiego. Odkrywając silne połączenie z tymi naukami, w wieku dwudziestu lat kupiła bilet do Indii. Bilet w jedną stronę.

W Indiach, przyjmując imię Tenzin, została mniszką w buddyjskim zakonie linii Drukpa Kagyu. Była jedyną kobietą pośród setek mężczyzn. Szybko zrozumiała, że to oni nadają ton duchowym tradycjom Tybetu. Z powodu menstruacji kobiety uważano za nieczyste i nie pozwalano na uczestnictwo w wielu rytuałach, ceremoniach i tradycyjnych obrzędach. Kobiety nie mogły także odwiedzać niektórych świętych miejsc.

Co ciekawe rdzenne nauki buddyjskie podkreślały znaczenie kobiet w społeczności, ich równe prawo oraz zdolność osiągania duchowej wolności. Widząc więc, że współczesne ograniczenia są niezgodne z prawdziwymi naukami Buddy, Tenzin postanowiła zmienić, wyrosłe na podłożu systemu patriarchalnego przekonanie, że jedynie mężczyźni mogą osiągnąć wyzwolenie.

Kiedy udała się do jaskini, nikt nie wierzył, że wytrwa w tak ekstremalnych warunkach. Nie zrobiła tego przed nią żadna kobieta. Mnisi nie utrzymywali kontaktów z kobietami, a tym bardziej nie mieli wiedzy na temat problemów, jakie może napotkać kobieta w trakcie takiego przedsięwzięcia. Wchodząc do jaskini Tenzin wkraczała więc na zupełnie niezbadany teren i wytyczała nową ścieżkę dla kobiet.

Planowałam pozostać w jaskini na zawsze – mówi Tenzin – *Jednak jak się okazało życie daje ci to czego potrzebujesz, a nie to, czego chcesz.*

Jej guru, Jego Wysokość Ósmy Khamtrul Rinpoche, przed śmiercią w 1980 roku, kilkakrotnie prosił Tenzin, aby otworzyła klasztor dla kobiet. W 1992 roku, lamowie klasztoru Khampagar w Tashi Jong, ponowili te prośby i Tenzin poczuła gotowość, aby podjąć się tego wyzwania. Zebrała fundusze i otworzyła kobiecy klasztor buddyjski w północnych Indiach. Jednym z celów Klasztoru Dongyu Gatsal Ling jest przywrócenie tradycji joginek zwanych *togdenma* – co oznacza *urzeczywistnione*. Wcześniej ani jedna przedstawicielka tej tradycji nie przetrwała przejęcia Tybetu przez Chiny. Ich trening był równie rygorystyczny, długi i surowy jak ten, przez który przeszła Tenzin.

Tenzin jest obecnie całkowicie oddana upowszechnianiu kobiecej samorealizacji i duchowego oświecenia. Ofiarowuje kobietom przewodnictwo, którego sama nigdy nie otrzymała. Jej entuzjastycznie przyjęta książka, *Reflections on a Mountain Lake*, jest doskonałym źródłem wiedzy dla ludzi zachodu – zarówno mężczyzn jak i kobiet – którzy próbują zrozumieć buddyjskie nauki i stosować je w życiu. Tenzin planuje stworzenie międzynarodowego centrum, gdzie buddystki, zarówno amatorki jak i mniszki, będą mogły spędzać czas w bezpiecznym otoczeniu, poświęcając się duchowej kontemplacji i rozwojowi.

Życie w jaskini nauczyło Tenzin niezależności i samowystarczalności oraz radzenia sobie z myślami i problemami. Ponad wszystko jednak, poznała siebie. Na początku niechętnie, powróciła jednak do społeczeństwa, dostrzegając jak zaangażowanie w jego sprawy rozwija wyższe wartości w człowieku, takie jak współczucie, hojność i cierpliwość.

Staramy się urzeczywistnić naszą prawdziwą naturę – podkreśla Tenzin.

Tenzin czuje, że nadszedł czas, aby przywódcy religijni zaczęli dostrzegać drugą połowę rasy ludzkiej, uwzględniając głos kobiet w swoich rozmowach i decyzjach. Uważa, że gdyby mężczyźni rozwinęli swój kobiecy aspekt, który jest wrodzoną częścią ich natury, służyliby lepiej sobie i innym.

Helena Norberg-Hodge

Helena Norberg-Hodge, czołowa badaczka wpływu globalnej ekonomii na lokalne kultury, urodziła się w Nowym Jorku, a większą część dzieciństwa spędziła w Szwecji, niedaleko Sztokholmu. Studiowała filozofię, psychologię i historię sztuki w Austrii i w Niemczech. Następnie sporo podróżowała po Włoszech, Francji i Meksyku. W wieku dwudziestu pięciu lat posługiwała się biegle sześcioma językami. We wczesnych latach siedemdziesiątych pracowała jako lingwistka w Londynie i Paryżu.

W 1975 roku Helenę poproszono, aby przyłączyła się do ekipy filmowej, jadącej do odległego zakątka świata – Ladakhu, o którym nigdy wcześniej nie słyszała. Jako lingwistka miała choć trochę opanować tamtejszy trudny język, co miało ułatwić nakręcenie dokumentalnego filmu z dziedziny antropologii. Ladakh, zwany też *Małym Tybetem*, jest usytuowany w transhimalajskim rejonie Kaszmiru, w zachodniej części Tybetu. Politycznie należy do Indii.

Początkowo projekt nie wzbudził w Helenie entuzjazmu. Po odbyciu wielu podróży chciała wreszcie zapuścić korzenie w Paryżu. Zgodziła się jednak, myśląc, że spędzi za granicą jedynie sześć tygodni. Jak okazało się później, podróż całkowicie odmieniła jej życie. Helena uważa wręcz, że pobyt w Ladakhu stał się punktem zwrotnym dla kolejnych trzydziestu lat jej pracy. Jak podkreśla był zarówno wielkim przywilejem jak i brzemieniem.

Przed wyprawą do Ladakhu, Helenie wydawało się, że rozumie większość spraw, które miały miejsce na świecie. Miała przecież duże międzynarodowe doświadczenie z dziedziny znajomości ekonomii i lokalnych kultur.

W 1975 roku wielu ludzi nigdy nie słyszało o tym miejscu i wielu nadal nic o nim nie wie – mówi Helena.

W Ladakhu Helena spotkała najszczęśliwszych ludzi z jakimi kiedykolwiek miała kontakt. Od 1940 roku nikomu nie pozwalano wjechać do tego kraju, co razem z jego odległym położeniem i odosobnieniem chroniło tamtejszą kulturę przed zmianami powodowanymi przez kolonializm i zachodni imperializm – czemu nie oparło się wiele rdzennych społeczności.

Pomimo surowych, pustynnych warunków, ponad trzy i pół tysiąca metrów nad poziomem morza, ludzie, których Helena spotkała w Ladakhu żyli na bardzo wysokim poziomie cywilizacyjnym. Do irygacji używali jedynie wody z lodowców, a okres wegetatywny trwał cztery miesiące. Ladakh miał wspaniałą sztukę, biżuterię i architekturę, a życie toczyło się tu w niewyobrażalnie wolnym tempie. Kiedy podczas pierwszej podróży Helena poprosiła Dawę, młodego przewodnika, aby pokazał jej biedne, odległe wsie, mężczyzna był zaskoczony. Powiedział, że w Ladakhu nie ma ludzi żyjących w nędzy.

Podczas tej pierwszej podróży do Ladakhu, zobaczyłam, że kiedy ludzie są wewnętrznie wolni potrafią stworzyć bogactwo z jałowej pustyni – mówi Helena – *Zobaczyłam, że możliwe jest inne życie – spokojne, radosne i szczęśliwe. Gdy ludzie są wolni, mogą rozwijać się zgodnie z własnymi wartościami i potrzebami.*

W 1977 roku, po ukończeniu pracy z ekipą filmową, Helena rozpoczęła studia lingwistyczne w Instytucie Technologii w Massachusettes z Noam'em Chomsky'm. Rok później wróciła do Ladakhu z angielskim adwokatem, Johnem Page'm – mężczyzną, w którym się zakochała i którego później poślubiła. W tym czasie rząd Indii umożliwił powszechny dostęp do Ladakhu, dzięki czemu obce wpływy zaczęły powodować potężny i gwałtowny chaos. Ludzie, którzy do tej pory byli dumni i samowystarczalni ulegli demoralizacji i ogłupieniu przez kontakt ze współczesnym światem.

Przypadkowo, po dwóch latach, Helena spotkała ponownie Dawę, swojego pierwszego przewodnika.

Dawa stał się chodzącą reklamą zachodniej mody – mówi Helena – *Metaliczne okulary przeciwsłoneczne, koszulka z amerykańskim zespołem, obcisłe dżinsy i buty do gry w koszykówkę. Ledwie go poznałam.*

Helena wierzy, że globalna ekonomia i ci, którzy ją napędzają – w świadomy lub nieświadomy sposób – *narzucają strukturalną przemoc na świecie.*

Przesłanie Babć i innych rdzennych ludów z całego świata zostało zniekształcone, poddane manipulacji i potraktowane instrumentalnie – wyjaśnia Helena – *przez to tak trudno jest je udostępnić i rozpowszechnić.*

Widząc, że ubóstwo na świecie jest produktem ekspansjonistycznej, globalnej, kolonialnej ekonomii, Helena walczy o odbudowę siły lokalnej kultury i gospodarki. To co zaobserwowała w Ladakhu chce wykorzystać do batalii z globalną ekonomią na całym świecie.

Od dwudziestu pięciu lat, Helena wraz z mężem, spędza w Ladakhu sześć miesięcy w roku. Jej inspirującą książkę – *Ancient Futures: Learning from Ladakh*, przetłumaczono na czterdzieści dwa języki. Na jej podstawie powstał też film. Helena poświęciła życie na przekazanie wiedzy o tym jak ważna jest lokalna ekonomia i kultura. Utworzyła Międzynarodowe Stowarzyszenie ds. Ekologii i Kultury. Jest członkinią zespołu redakcyjnego magazynu Ecologist, współzałożycielką Międzynarodowego Forum ds. Globalizacji i Globalnej Sieci Wiosek Ekologicznych. Otrzymała także alternatywną Nagrodę Nobla.

Luisah Teish

Luisah Teish jest kapłanką Oshun, bogini miłości i wód, wywodzącej się z tradycji Yoruba Lucumi z Afryki Zachodniej, Karaibów i Ameryki Południowej. Luisah dorastała w Nowym Orleanie, na podzielonym rasowo południu. W eklektyczny zbiór tradycji religijnych wprowadzili ją rodzice.

W trakcie holokaustu niewolników – wyjaśnia Luisah – *przywiezionym do Ameryki Afrykańczykom zabroniono własnych praktyk religijnych. Złamanie zakazu karano śmiercią. Dobry niewolnik musiał zostać chrześcijaninem. Szybko odkryliśmy, że praktyki rdzennych mieszkańców Ameryki są bardzo zbliżone do naszych i połączyliśmy nasze rytuały z obrzędami rdzennych ludów oraz z francuskim, hiszpańskim i portugalskim katolicyzmem. Dopasowaliśmy także afrykańskie bóstwa do chrześcijańskich świętych.*

Rodzina ze strony ojca należała do *Kościoła Metodystycznego Episkopatu Afryki*. Od dwóch pokoleń służyła na irlandzkiej plantacji. Matka, po części czarna Haitanka, Francuzka i Indianka Choctaw, starała się być katoliczką.

Dorastałam w obecności matki, która robiła mokasyny, zbierała zioła i odprawiała rytuały oraz z ojcem, który stale powtarzał, aby przestała się tym zajmować – mówi Luisah – *Ponieważ nie pracował już na plantacji, starał się udowodnić, że jest cywilizowanym człowiekiem.*

Luisah wierzy, że próby poznania i zrozumienia własnego rodowodu mogą zająć lata. Kiedy była mała zastanawiała się dlaczego matka i ojciec interpretowali sobie nawzajem sny. Jak to możliwe, że matka wychodziła na podwórze, tworzyła krąg z soli, śpiewała pieśni, odprawiała rytuały i sprowadzała deszcz? Dlaczego kobiety z sąsiedztwa nie robiły tego, co kobiety w telewizji?

Bogu dzięki, że tak było – podkreśla Luisah.

Jako mała dziewczynka, z bliska przypatrywała się kobietom z sąsiedztwa. Tworzyły one społeczność zielarek, położnych, medium i gawędziarek.

Od nich nauczyłam się, że kobieca zdolność tworzenia, karmienia i podtrzymywania życia daje wyjątkową moc – zdolność do współdziałania z siłami natury, której nie mieli mężczyźni. Kobiety polegały na sobie w interpretacji znaczenia snów, przewidywaniu naturalnych klęsk żywiołowych i przygotowywaniu się do nich, uzdrawianiu chorób, rodzeniu dzieci, odprawianiu rytuałów związanych z witalnością fizyczną, rozwojem duchowym i ze śmiercią. Były niezwykle świadomymi organizatorkami wspólnoty – rozstrzygały rodzinne kłótnie, podnosiły rękę na niesprawiedliwość, a urażone stawały się nieprzejednane.

Na prośbę ojca, matka wychowywała Luisah w duchu katolicyzmu. Dziewczynka nie mogła jednak uczęszczać do lokalnego kościoła, ponieważ obowiązywał tam podział rasowy. Konieczne było dojeżdżanie do innej miejscowości, co niestety wiązało się z zagrożeniem utraty życia ze strony Ku Klux Klan.

Czekając na autobus, musiałam nauczyć się uciekać – mówi – *Przyszłam na świat w czasie, gdy czarni ludzie mieli oddzielne naczynia ze święconą wodą i wchodzili do kościoła tylnymi drzwiami. Bycie katoliczką z Luizjany znacznie różniło się od bycia jakąkolwiek inną katoliczką* – wyjaśnia Luisah – *W dzieciństwie przynosiłam do domu świętą wodę z kościoła, wlewałam ją do wiadra z brązowym cukrem i porannym moczem i wycierałam tym podłogę, by odpędzić złe duchy. Święty Michał spoglądał na wszystko z obrazka nad drzwiami.*

Jako otwarte i wrażliwe dziecko, Luisah doświadczała wielu wizji. Intrygowała ją rozgrywająca się wokół magia życia. Podczas gdy krewni zarówno ze strony ojca jak i matki starali się zachęcać ją do własnej wizji religijności, matka dziewczynki mówiła zwyczajnie – *Bóg jest niezbędny. Idź do tego kościoła, do którego możesz, wysłuchaj nauk i stosuj je.*

Z czasem jednak gdy Luisah odkryła, że jej przodkowie – *starzy ludzie* jak ich nazywano – byli Afrykanami, zrozumiała, że to właśnie ten kontynent jest jej macierzą. To otworzyło przed nią nowy świat. Kiedy była w college'u i wykonywała święte tańce tradycji Pan-African, po raz pierwszy doświadczyła Ducha, o którym mówiono w tamtejszej kulturze. Poczuła energię, płynącą przez jej ciało i zdała sobie sprawę, że Duch nie jest jedynie abstrakcyjnym pojęciem. Eklektyczne poszukiwania duchowych wglądów doprowadziły ją do przekonania, że w każdej religii istnieje zarówno prawda jak i fałsz. Z czasem starszyzna tradycji Oshun przekazała jej, że urodziła się po to, aby zostać kapłanką, a nie tancerką.

Zanim Luisah została inicjowana na kapłankę miłości, sztuki i zmysłowości, przeszła osiem lat oczyszczenia. Przez dwadzieścia lat była *Matką Duchów*, a po czterech kolejnych stała się *Matką Przeznaczenia*. Otrzymała wskazówki na resztę życia, które były zgodne z misją jakiej podjęła się wobec Stworzenia, kiedy inkarnowała się na Ziemi.

Powiedziano mi, że moim zadaniem jest przekazywanie historii pogłębiających więzi między ludźmi Ziemi. Opowieści wzbudzające szacunek dla sił natury i pomagające pamiętać o dobroci przodków, z naciskiem na rolę kobiet.

Obecnie, Luisah naucza o afrykańskich boginiach, szamanizmie i tradycji Yoruba Tambola. Jest autorką książki pt. *Jambalaya: The Natural Woman's Book on Personal Charms and Practical Rituals, Carnival of the Spirit* oraz *Jum Up*. Jest też założycielką Domu Przeznaczenia i Miłości (Ile Orunmila Oshun), Szkoły Pradawnych Tajemnic/Centrum Świętej Sztuki (The School od Ancient Msyteries/Sacred Arts Center) i dyrektorką teatru Ase. Wykonywała tańce związane ze światową mitologią i folklorem nawiązującym do ruchu feministycznego w Europie, Ameryce Południowej i Nowej Zelandii.

Wilma Mankiller *(zmarła 6 kwietnia 2010 – przyp. tłum.)*

Jako pierwsza kobieta wybrana na głównego wodza Narodu Czirokezów, Wilma Mankiller wygłosiła swoje przemówienie na rozpoczęcie Konferencji Babć i stała się ważną częścią ich dialogu

Wilma wychowała się w ubogiej rodzinie, na ziemi przodków ojca, niedaleko Tahlequah w Oklahomie. Na kolację często jadała wiewiórki i inną małą zwierzynę. W domu nie było prądu, a do oświetlania używano oleju mineralnego.

Do czasu przymusowego wysiedlenia, zwanego Szlakiem Łez, którego dokonało wojsko Stanów Zjednoczonych, naród Czirokezów zamieszkiwał Północną i Południową Karolinę oraz Tennessee. W trakcie wyczerpującej podróży do Oklahomy, zmarło tysiące mężczyzn, kobiet i dzieci. Dopiero ponad sto lat po tym wydarzeniu, tamtejszą społeczność uznano za obywateli, a zaledwie w 1970 roku pozwolono jej na bezpośredni wybór swoich przywódców.

Dwie dekady przed ustanowieniem autonomii, ojciec Wilmy przeprowadził się wraz z żoną i dziećmi do dzielnicy Hunters Point w San Francisco, w nadziei na zapewnienie lepszego bytu rodzinie. Wilma miała wtedy jedenaście lat. Przeprowadzka była częścią programu relokacyjnego Biura do Spraw Indian, który podczas drugiej wojny światowej powstał dla Amerykanów japońskiego pochodzenia. W ramach eksperymentu, rdzennych mieszkańców różnych społeczności wysiedlano z przestrzeni wiejskich, dając im pracę w przemysłowych dzielnicach miast. Nawet jeśli nie było to głównym celem programu, na pewno osłabił on powiązania z rezerwatami i odebrał tubylczym mieszkańcom wszelkie polityczne prawa.

Dziewczynce brakowało obycia i nie mogła przyzwyczaić się do życia w mieście. Ostatecznie urozmaicona kulturowo ludność zapoznała ją ze swoją obyczajowością . Ojciec wpajał jej dumę płynącą z indiańskiego pochodzenia, którą umacniano w Indian Center w San Francisco. Wilmy nie interesowało jednak formalne wykształcenie, nie miała planów dotyczących dalszego życia i żadnych prawdziwych aspiracji. Po krótkim narzeczeństwie, poślubiła studenta z Ekwadoru i urodziła dwójkę dzieci.

Rodzina wiodła spokojne życia aż do 1969 roku, kiedy to grupa studentów, okupujących wyspę Alcatraz, zainspirowała Wilmę do działań na rzecz zwrócenia uwagi na problemy, z którymi borykały się rdzenne plemiona. Wkrótce potem rozpoczęła pracę w przedszkolach i zajmowała się programami edukacyjnymi dla dorosłych w kalifornijskim plemieniu Pit River. Jej działalność była źródłem nieporozumień z mężem i po jedenastu latach małżeństwa oboje zdecydowali się na rozwód. Wróciła wtedy do domu przodków w Oklahomie, gdzie natychmiast stała się obrończynią Czirokezów, pomagając w pozyskiwaniu dotacji i inicjując wiele programów socjalnych.

Rozpoczęła też studia na pobliskim Uniwersytecie Arkansas. Pewnej nocy, wracając do domu, uczestniczyła w czołowym zderzeniu. W wypadku zginął kierowca drugiego samochodu, jeden z jej najlepszych przyjaciół. Ona sama ledwo uszła z życiem. By uratować nogę przed amputacją, musiała przejść siedemnaście operacji. Długa rekonwalescencja stała się okazją do głębokiego duchowego przebudzenia.

W 1980 roku, zaledwie rok po wypadku, u Wilmy wykryto miastenię – chorobę powodującą zanik mięśni. Radząc sobie z nieuleczalną chorobą, zrozumiała jak wartościowe jest życie. Wkrótce potem stworzyła Bell Project, w którym aktywizowała członków różnych społeczności plemiennych, tak aby nie czekali na pomoc z zewnątrz. Dzięki temu programowi, stała się światowym ekspertem do spraw rozwoju wspólnot.

Wilma wyszła ponownie za mąż, poślubiając Charlie'go Soap'a, długoletniego przyjaciela i byłego dyrektora odpowiedzialnego za rozwój społeczności plemiennej. Z chorobą wygrała dzięki przeszczepionej nerce, ofiarowanej przez brata. Wtedy postanowiła ubiegać się o stanowisko wodza narodu Czirokezów. Wierzyła, że byłaby w stanie wprowadzić w życie projekty wspólnotowe, które zainicjowała. Podczas wyborów w 1987 roku jej kandydatura spotkała się z niezwykłym oporem. W trakcie kampanii pocięto jej opony w samochodzie i otrzymała wiele pogróżek. Mimo to zwyciężyła, a jej historyczne dokonanie skierowało uwagę opinii publicznej na jej lud, co było bardzo ożywcze dla całej społeczności. Wilma uważa, że wytrwałość i determinacja Czirokezów wynika bezpośrednio z kultywowanej od niepamiętnych czasów tradycji

Według niej prawdziwym kluczem, zarówno do publicznego jak i prywatnego życia, jest duchowość. Świadomość połączenia między wszystkimi rzeczami, wywodząca się z pradawnych nauk jej plemienia, umacnia ją i rozbudza pasję do tworzenia zdrowych, niezależnych wspólnot i relacji. Dzięki mądrości płynącej z własnych korzeni ona sama stała się ważną duchową siłą w Stanach Zjednoczonych.

Jej Świątobliwość Sai Maa Lakshmi Devi

Sai Maa Lakshmi Devi, czczona duchowa przewodniczka, uważana za błogosławioną indyjską świętą, urodziła się w hinduskiej rodzinie, na afrykańskiej wyspie Mauritius. Już od wczesnego dzieciństwa dostrzegała niesprawiedliwość świata. Niemożność zrozumienia tego co widzi dookoła przysparzała jej wiele cierpień. *Dlaczego niektórzy ludzie żyją w małych chatkach, w ubóstwie, podczas gdy inni pławią się w dostatku w dużych, pięknych domach?* Podróżując po Europie widziała żebraków i inwalidów, o których nikt się nie troszczył. Taki widok był niczym nóż, przeszywający jej serce. Rodziców martwiła ta nadmierna wrażliwość dziewczynki, a nauczyciele w szkole skarżyli się, że Sai Maa nie bawi się z innymi dziećmi.

Otaczający świat nie dawał takiej miłości, jaką J.Ś. Sai Maa czuła od pięknych świetlistych istot, które odwiedzały ją odkąd ukończyła cztery lata. Im ufała bardziej niż ludziom i uważała za najlepszych przyjaciół. Po jakimś czasie odkryła, że istoty te są urzeczywistnionymi mistrzami, w Indiach znanymi jako siddhas. W Indiach wierzy się, że materia jest jedynie formą światła. Niektórzy ludzie zdolni są do doskonalenia i przeobrażenia substancji ciała fizycznego w światło, stając się świetlistymi istotami. Podobno Jezus jest jednym z takich wzniesionych mistrzów.

Aż do czternastego roku życia nie było mi dobrze na tej planecie – wyznaje J.Ś. Sai Maa – *Coś we mnie tęskniło do innego miejsca. To było bardzo bolesne. Myślałam nawet o samobójstwie.*

Dzięki wspomnieniom przeszłych wcieleń i głębokim wewnętrznym uczuciom, wiedziała, że ma w sobie ukrytą mądrość o lepszym życiu. Jej świat wewnętrzny zawsze wykraczał poza czas i przestrzeń. Zwykły świat był dla niej ograniczeniem. Ten nieznośny kontrast, między wewnętrznym i zewnętrznym światem, prowadził ją jednak ku duchowemu przebudzeniu. Gdy była nastolatką została uczennicą Sai Baby z Puttaparthi w Indiach i po niedługim czasie poczuła się znacznie lepiej na ziemi. To był jej jedyny nauczyciel.

Głębsze zrozumienie miłości przyszło kiedy dwudziestokilkuletnia J.Ś. Sai Maa przebywała sama w Europie. Tęskniła bardzo za rodzicami, a intensywny płacz przeniósł ją w odmienny stan świadomości, w którym poczuła coś znacznie większego i głębszego. W ten sposób umocnił się jej związek z Bogiem i odzyskała nadzieję, że znajdzie sposób, aby podnieść ludzkość na duchu, wskazać jak możemy stać się lepszymi ludźmi.

W nas samych jest doskonałość, której musimy dotknąć – tłumaczy J.Ś. Sai Maa – *Świadomość piękna, obfitości, czystości i harmonii.*

J.Ś. Sai Maa twierdzi, że nie jest konieczna przynależność do żadnej konkretnej religii, aby przebudzić się duchowo. Należy tylko zaprzestać oddawania czci rzeczom materialnego świata i zwrócić się ku Boskości w sobie. Jedną z mocnych stron J.Ś. Sai Maa jest umiejętność wykraczania ponad podziały i twórcza praca z przywódcami religijnymi różnych tradycji świata. Dorastając, uczestniczyła w ceremoniach muzułmańskich, afrykańskich i katolickich. Na małej, spokojnej wyspie Mauritius, wyznawcy kilku różnych religii żyją bezkonfliktowo na jednym podwórku. Chociaż większość to imigranci, wszyscy odnoszą się do siebie z szacunkiem i traktują jak jedna całość. Wszyscy mówią po kreolsku i tańczą razem na plaży.

Podobnie jak wielu mistrzów przed nią, J.Ś. Sai Maa twierdzi, że istnieją tylko dwie energie, z którymi mamy do czynienia – miłość i lęk. Strach jest powodem złości, zazdrości i braku harmonii, podczas gdy pokój i harmonia płyną z miłości. Nasze serca albo kurczą się ze strachu albo wzrastają w miłości.

Nic innego nie istnieje – mówi – *Wszystko zawarte jest pomiędzy nimi albo jest ich połączeniem.*

Przebywanie w ludzkiej formie jest dla J.Ś Sai Maa najwspanialszą możliwością doświadczania Boga w pełni.

Życie jest tak bogate. Jest święte i potężne. Nie możemy wciąż go przegapiać.

J.Ś. Sai Maa ma uczniów na całym świecie i uczestniczy w wielu akcjach humanitarnych. Zwracając się do Babć, powiedziała – *Łaska Boskiej Miłości Wielkiej Matki sprawiła, że ponownie się spotkałyśmy. Radujmy się sobą z wielkim szacunkiem.*

J.Ś. Sai Maa została wyróżniona bardzo rzadkim i ważnym tytułem 1008 Mahamandelshwar, co oznacza *Mistrz Wielu Aszramów*. Na przestrzeni tysięcy lat jest jedyną nie urodzoną w Indiach kobietą i jedną z niewielu osób, które otrzymały ten tytuł. Jest też autorką książki *Petals of Grace: Essential Teachings for Self-Mastery.* Działa w organizacji Zjednoczona Ludzkość (Humanity in Unity).

CZEŚĆ DRUGA

Wskazówki na obecne czasy

Przepowiednie

Babcia całego stworzenia, Ta, która daje życie i Ta, którą zapomnieliśmy, wzywa nas. Nie jest zagniewana, lecz smutna, że nie pamiętamy kim jest.

Powraca do naszej świadomości poprzez wizje i przepowiednie. Przynosi ożywienie, głębię współczucia i ten rodzaj miłości, którego nie ma już w naszej pamięci, ale który był czymś esencjonalnym w czasach starożytnych. Ta czysta, żeńska energia zostanie rozbudzona zarówno w mężczyznach jak i kobietach dzięki opowieści, którą rozpoznacie w swoich sercach w momencie, gdy ją usłyszycie.

Powrót Babci przepowiedziano setki lat temu. Wizję Rady ujrzały różne osoby, nie tylko z rdzennych społeczności. Babcie zbierają się, ponieważ zgodnie z proroctwami wielu tradycji, kres znanego nam świata jest bliski. Babcie mówią, że powraca równowaga jako sposób życia, równowaga we wszystkich związkach, łącznie z relacją z Matką Ziemią. Dla tych, którzy dokonają niezbędnych zmian w sercu, nadchodzi tysiąc lat pokoju.

Babcie mówią, że krąg życia został przerwany około pół wieku temu, kiedy biali ludzie przybyli do Ameryki. Według Indian Hopi, osadnicy zapomnieli o pierwotnych naukach. Kiedy w zamierzchłych czasach Stwórca zebrał ludzi na wyspie, która obecnie jest pod wodą, powiedział – *Roześlę was na cztery kierunki świata i dam różne kolory skóry. Każdą rasę obdarzę pewnymi naukami i kiedy zbierzecie się ponownie, podzielicie się nimi. Zaczniecie żyć we wspólnocie, a na Ziemi zapanuje pokój i nastanie czas wspaniałej cywilizacji.*

Przepowiednie mówiły, że kiedy nadejdzie właściwy czas, biali ludzie – strażnicy ognia, zaczną przemieszczać się po Ziemi i połączą wszystkich w jedną rodzinę. Niestety po drodze wielu przedstawicieli żywiołu ognia zapomniało o świętości wszechrzeczy, a ich przemoc wobec rdzennych ludów, ziemi i natury zaburzyła równowagę planety i rozproszyła żeńską energię. Wyginęło mnóstwo plemion, a wiele mądrości rdzennych Babć odeszło w zapomnienie razem z ich śmiercią. Ci z tubylczych mieszkańców Ameryki, których nie wymordowano, umarli z głodu, wywiezieni na tereny, na których nikt inny nie chciał mieszkać. Okrucieństwo wobec plemion, ziemi i tradycji ogarnęło cały świat. Obecnie jest wiele krajów, w których kobiety i dzieci traktuje się w nieludzki sposób i w których planeta jest nadmiernie eksploatowana. Babcie wierzą, że sama Matka Ziemia napomina, że taki stan rzeczy musi się skończyć.

Podczas holokaustu rdzennych mieszkańców Ameryki, kilka osób poznało przepowiednię o powrocie Babć i kiedy później przekazywana historia układała się w spójną całość, zaczęła przywracać ludziom nadzieję i przygotowywać ich. Dzięki przepowiedni o powstaniu Rady, wielu ludzi odnalazło w sercu siłę, aby przebaczyć okropności, przez jakie przeszli ich przodkowie i ziemia. Niestety są też tacy, którzy nie potrafią tego zrobić.

Według Babć, prawdziwa przepowiednia to wiadomość ze Świata Ducha i najczęściej jest ofiarowana jako odpowiedź na noszoną głęboko w sercu modlitwę. Na początku możemy nawet nie być jej świadomi. Otrzymywanie wizji lub proroctwa jest mistycznym doświadczeniem widzenia i wiedzenia. Przepowiednia może rozwinąć się w świadomości jako historia, biorąca swój początek w sercu. Ofiarowanie proroctwa i jego zewnętrzne przejawienie dozorowane jest przez wyższą inteligencję. Z czasem przepowiednia coraz bardziej się rozjaśnia, ale jej strażnicy – ludzie, którzy mają kontakt ze Stwórcą – nie wyjawiają całej historii od razu. Jak w przypadku układanki, poszczególne części są objawiane i potwierdzane na wielorakie sposoby oraz przekazywane we fragmentach różnym ludziom. Czasem trwa to tak długo, aż nadejdzie odpowiedni czas. Sami możemy nie być świadomi, że niesiemy jakąś część przepowiedni. Proroctwo manifestuje się właśnie w ten sposób, aby nie utracić wszystkiego, kiedy umrze jedna lub kilka osób, które znają całą historię.

Babcie mówią, że rozpoznawanie sensu przepowiedni nie przypomina otwierania drzwi. Jej znaczenie nie od razu jest jasne. Raz zapoczątkowane proroctwo wciąż się rozwija. Dlatego podobnie jak intensywny, poruszający sen, w miarę upływu czasu przepowiednia odkrywa coraz więcej warstw i znaczeń. Z czasem wizja staje się bardziej realna niż życie na jawie i przekazuje prawdy tak głębokie, że trudno przekazać je za pomocą słów. Moc, siła i przesłanie raz otrzymanej przepowiedni nie opuści cię i nie da spokoju dopóki nie zostanie spełniona.

Każdy z nas otrzymuje przepowiednie i wskazówki adekwatnie do miejsca, w którym akurat się znajduje – wyjaśnia Babcia Bernadette – *Wizje dotyczą tego kim jesteśmy w czasie i przestrzeni jako jednostki, narody oraz dzieci Matki Ziemi. Razem z przepowiednią nadchodzi nowy poziom zrozumienia, dlaczego jesteśmy w miejscu, w którym akurat jesteśmy. Podobnie jak w chwili ujawnienia proroctwa, dzięki poszczególnym jego częściom, na naszej drodze stają odpowiedni ludzie, a pojawiające się sytuacje mogą nabierać nowego znaczenia. Nagle wcześniejsze, niejasne wydarzenia okazują się być połączone z przepowiednią. Mamy poczucie jakby jakieś ziarno zostało wcześniej zasiane w ramach przygotowań.*

Na przestrzeni dziejów, przetrwanie ludzkości często zależało od przepowiedni. Pewni członkowie danych społeczności, szamani bądź uzdrowiciele – ludzie z większym darem wchodzenia w inne przestrzenie świadomości i podróżowania po nich – przygotowywali własne ciała i umysły, aby stać się dobrze nastrojonym odbiornikiem wiedzy i prowadzenia. Rdzenni mieszkańcy Ameryki tradycyjnie wybierali się na poszukiwanie wizji, na które składały się odosobnienie, głodówka i modlitwa w poszukiwaniu przewodnictwa z duchowych przestrzeni istnienia. Jednak duchowe światy dostępne są dla ludzi z każdej kultury i tradycji. Możemy połączyć się z duchowym wymiarem w momentach głębokiej ciszy, dzięki intensywnym snom czy w poszerzonych stanach świadomości – podczas medytacji, autohipnozy lub przyjmując święte rośliny o uzdrawiającej mocy.

Babcie nauczają, że w Świecie Ducha czas nie biegnie w sposób linearny. Wszystko istnieje jednocześnie, co pozwala na ujrzenie wydarzeń z dalekiej przyszłości. Niektórzy z największych proroków i jasnowidzów z różnych religii, mieli wgląd w setki, a nawet tysiące lat do przodu. Niemniej jednak przepowiednia rozwija się elastycznie jako odpowiedź na pozytywny lub negatywny kierunek obrany przez społeczeństwo. Kiedy ludzie nie chcą dokonywać zmian, może spełnić się jej zgubny wariant.

Jako przykład tego jak przepowiednia ujawnia się w miarę upływu czasu, Babcia z plemienia Jupików Rita Pitka Blumenstein opowiada historię drewnianej miseczki, którą dziadek zrobił dla niej gdy była małą dziewczynką. Wszystkie miski, które wykonał dla członków rodziny, były udekorowane krukami, nurami oraz innymi ptakami i zwierzętami. Tylko w naczyniu Rity była pajęcza sieć z pająkiem w rogu. Zaniepokojona, że miska nie wygląda jak pojemniki innych, Rita zapytała dziadka, dlaczego jej naczynie nie jest ozdobione pięknymi zwierzętami.

Dziadek roześmiał się, podrapał po głowie i powiedział – *To taka komunikacja przyszłości* – wspomina Rita – *Kiedy po raz pierwszy usłyszałam o Internecie i o sieci, pomyślałam: Oto moja miska!* (W tradycji Jupików pająk jest symbolem komunikacji).

Chociaż przepowiednia o Babciach pojawiała się w wielu wizjach i istniała od setek lat, uruchomiła ją dopiero wizja Jyoti o świętym koszu. Tym niemniej gdy kobieta otrzymała ten obraz po raz pierwszy, nie zdawała sobie sprawy z proroctwa dotyczącego Rady.

Kiedy w 2004 roku Babcie zajęły miejsca wokół okrągłego stołu Rady, przepowiednia dotycząca ich spotkania ujawniała się wyraźniej razem z każdą opowiedzianą historią.

Dzisiaj, wczoraj, trzydzieści lat temu, żyjemy w emanacji świętej przepowiedni o Radzie Babć – powiedziała Babcia Majów, Flordemayo.

W odniesieniu do ich roli w przepowiedni, Babcie uważają, że zebrały się o wiele lat za późno, a Rada powinna powstać już dawno temu. Kiedy przez pierwsze trzy dni Babcie rozmawiały ze sobą, wszystkie mówiły o poczuciu pilności i tym, że nie ma czasu do stracenia.

Wybiła jedenasta godzina – powiedziała Babcia z ludu Hopi, Mona Polacca.

Decydujące rozdroże w dziejach ludzkości

Na ziemi ludu Hopi stoi święty głaz, zwany Proroczą Skałą (ang. Prophecy Rock), na którym przedstawiona jest linia czasu nadchodzących wydarzeń. W pewnym miejscu, linia rozdziela się na dwie odnogi. Dolne odgałęzienie symbolizuje ludzi o *jednym* sercu. Na końcu tej linii pojawia się rysunek przedstawiający mężczyznę, trzymającego laskę i kwiat – atrybuty życia i szczęścia. Górne odgałęzienie wyraża ścieżkę ludzi o *dwóch* sercach, ludzi żyjących wedle praw materializmu i technologii. Linia ta zmniejsza się z czasem, aż w końcu zanika. Rysunki ludzi mają tu głowy oddzielone od reszty ciała. Niedługo po tym jak dwie linie ulegają rozdzieleniu, pojawia się jeszcze trzecia linia, która na pewien czas łączy je ze sobą. Symbolizuje ona krótki okres, jaki nam pozostał, abyśmy mogli wybrać ścieżkę, którą chcemy podążać.

Jedne z najstarszych przepowiedni, dotyczące czasów współczesnych. pochodzą z kultury Majów. Mówią one o roku 2012 jako o końcu świata, który znamy.

Według tamtejszego proroctwa wciąż jeszcze mamy wybór. Nic nie jest prze-
sądzone. Kalendarz Majów opiera się na cyklach symbolizujących ruch Ziemi
po niebie. Zgodnie z przepowiednią, w tym krótkim czasie – około roku 2012
– wkroczymy w pas fotonów, przestrzeń emitującą intensywną energię elektroma-
gnetyczną, która przenika nasz układ słoneczny co dwadzieścia pięć tysięcy lat,
zwiastując zawsze nową erę.

Obecny okres jest niezwykle istotny – twierdzi Babcia Flordemayo – *Ważne, abyśmy
w tym czasie z prędkością światła wkraczali w Światło. W przeciwnym razie, coraz wyższe
duchowe wibracje mogą zostawić wielu z nas w tyle. I pomyśleć, że w przeciągu ostatnich stu
lat prawie całkowicie zatracono świadomość tej wiedzy. My ludzie straciliśmy szacunek dla
tak wielu rzeczy, że w tym czasie zmian, kiedy otworzyły się niebiańskie drzwi i boskie istoty
nadchodzą z czterech kierunków, aby nam pomóc, jeśli nie zrobimy tego, o co nas proszą, cóż…
rezultaty będą smutne. Musimy się przebudzić i pozostać w tym stanie, w obliczu tych ciem-
nych i zmiennych czasów, w których przyszło nam żyć.*

Indianie Hopi nazywają bieżący czas Okresem Oczyszczenia, a przepowiednie
mówią o oczyszczeniu Ziemi. Niektóre z ogólnoświatowych zmian środowiska,
o których wspominały proroctwa rdzennych ludów, już mają miejsce – efekt cie-
plarniany, chaos klimatyczny, głód, choroby, wymieranie dzikich zwierząt i dziura
ozonowa, którą w przepowiedniach określono jako *dziurą w naszym namiocie*. Jednak
członkowie tubylczych społeczności najbardziej zaniepokojeni są lotami w kosmos. Hopi widzieli statki kosmiczne w swoich wizjach setki lat wcześniej zanim
się pojawiły i teraz mówią, że to one bardziej niż cokolwiek innego zakłócają równowagę Ziemi. Już teraz przestrzeń kosmiczna jest bardzo zaśmiecona naszymi
odpadami, podobnie jak woda i powietrze. Wiele rdzennych plemion postrzega
stacje kosmiczne jako sygnał początku końca.

Kiedy Babcię Clarę z Amazonii odwiedziły Gwiezdne Istoty potwierdziły, że
czas wydarzenia, które będzie zwiastowało coś, co nazwały *Galaktycznym Brza-
skiem*, nastąpi w roku 2012. Dojdzie wtedy do powszechnego przebudzenia ludzkości na swoje kosmiczne pochodzenie i intergalaktyczne powiązania.

W dzisiejszym świecie – mówi Babcia Clara – *widzę wiele ciemności i kilka rzeczy, które
próbują rozświetlić drogę przez mroczny tunel naszej ery. My, Babcie, trzymamy się za ręce,
oświetlając tę ścieżkę, tak aby uzdrowić Matkę Ziemię i rany, które sprawiają jej cierpienie,
a które zadawane są przez nieświadomych Światła i Stwórcy ludzi. Przesłanie od Gwiezdnych Istot mówi wyraźnie, abyśmy wszyscy otworzyli serca na prawdę Ducha i Świat Ducha,
bo to właśnie ta prawda poprowadzi nas do ocalenia.*

Ludzkość razem z całą planetą jest obecnie oczyszczana z nagromadzonej negatywnej energii, wytworzonej przez skupienie się na materii i technologii, które doprowadziło do utraty połączenia ze Światem Ducha i naturą. Naszym zaślepieniem niszczymy Ziemię i siebie. Ponieważ to natura jest źródłem wizji i sprowadza nas ku Prawdzie, im bardziej ją dewastujemy, tym trudniej jest żyć w harmonii i tym więcej doświadczamy chorób, wojen i nierównowagi.

Babcie mówią, że zmiany na Ziemi rozbudzą duchową świadomość w ludziach. Dopiero gdy porzucamy własne ego, możemy usłyszeć głos Ducha. Zazwyczaj to właśnie w czasie kryzysu ego pokornieje i pojawia się szansa, aby zwrócić uwagę na intuicję oraz otworzyć się na duchową wiedzę. Zawsze można mieć nadzieję, że w obliczu ogromnych naturalnych katastrof, ludzkość zareaguje, niosąc pomoc i modlitwę dla tych, którzy są w potrzebie i choćby na chwilę świat ulegnie zjednoczeniu.

Babcia Agnes mówi, że Świat Ducha jest tuż obok, zawsze dostępny.

My, Rada Babć, jesteśmy ponaglane przez Babcie i Dziadków ze Świata Ducha, którzy przemawiają stamtąd do nas. Bez Ich mocy i wielkiej determinacji, nie powstałaby Rada Babć. Jako opiekunki tradycji, przekazywanej nam od niepamiętnych czasów, wierzę, że Stwórca ma dla nas pewien scenariusz, a my musimy go jedynie odegrać. Daje nam znać kiedy mamy działać lub przemawiać, a kiedy zatrzymać się i po prostu słuchać.

Wszystkie Babcie podkreślają, że musimy nawiązać i rozwinąć inną relację z samym Stwórcą. W przeciwnym razie podzielona ludzkość będzie poruszała się w niebezpiecznym kierunku i przepadnie nadzieja na odwrócenie naszego losu. Chociaż niektóre przepowiednie, mówiące o zmianach na Ziemi, są przerażające, Babcie wierzą, że kataklizmy dotkną jedynie tych, którzy nie słuchają ostrzeżeń. Mówią, że ludzie będą potrzebowali fizycznej, emocjonalnej i duchowej siły, aby się zmienić – w przeciwnym razie wielka część populacji dozna bezgranicznych cierpień. Niestety, ponieważ większość nadal nastawiona jest bardziej na materię niż Ducha, istnieje niebezpieczeństwo, że reakcja wielu ludzi na ogromny stres, którego emocjonalnie nie będą w stanie udźwignąć, doprowadzi do zniszczenia wszystkiego wokół nich.

W trakcie modlitwy Babć w Nowym Meksyku, Babcia z Nepalu, Aama Bombo, przywołała imiona bogów i bogiń ze swojego kraju. Wezwała Kali, żeńską boginię – która może przybrać postać Niszczycielki – aby pomogła Babciom wskazać drogę.

Aama przekazała myśli Kali.

Kali nie jest zadowolona z tego, co dzieje się na świecie – powiedziała Aama – Dostrzega, że ludziom brakuje prawdziwych wartości, jest też zasmucona z powodu okrucieństwa tych, którzy zabijają siebie nawzajem jedynie po to, aby zaspokoić ego. Zatruwają zarówno Macierz jak i niebiosa. To przez nich udusiło się wiele zwierząt, którym brakło czystego powietrza. Prawdziwa duchowość i jej wartości zostały podporządkowane ego.

Przepowiednia dotycząca Babć podkreśla, że musimy na nowo nauczyć się obdarzać siebie miłością. Przetrwają ci, którzy kochają i na różne sposoby afirmują Życie. Dlatego powinniśmy wprowadzić świadome zmiany w sposobie, w jaki postrzegamy życie i w swoim postępowaniu względem całego Stworzenia. Ci, którzy są otwarci na zupełnie nowy poziom świadomości i poszukują prawdziwej komunikacji z Ziemią i Stwórcą, przejdą zwycięsko przez nadchodzące zmiany.

Dzięki doświadczeniu własnej transformacji, Babcia Clara uważa, że kluczem do wewnętrznej przemiany jest wiara w siebie.

Wcześniej sama bardzo wstydziłam się swojej mocy. Każdy ma wewnętrzny dar i misję, nawet jeśli nie jest tego świadomy. Każdy ma zdolność dokonania wspaniałych rzeczy, szczególnie kiedy otworzy serce. Matka Ziemia może nam pomóc. Powinniśmy cenić siebie coraz bardziej, nie pozwalając, aby w codziennym życiu zdominowało nas to, co negatywne. Niestety często ma to miejsce. Ciemne duchy gotowe są wejść w każdą negatywną przestrzeń. W czasie przemiany musimy trwać przy Bogu, wielkim duchu Prawdy, świetle o kryształowo czystych promieniach. Musimy pracować ze świętą wiedzą, która istnieje na naszej planecie.

Babcia Flordemayo mówi, że przepowiednie Majów ujawniają, iż nowa świadomość przygotowuje nas na ducha kobiecości, ducha Babć – na czas, kiedy ludzkość przybędzie z czterech kierunków do światła w centrum. Dla Majów, jaguar, który niesie na plecach wszechświat, a który symbolizuje ducha kobiecości, jest zwinny, łagodny, nieugięty, mądry, piękny i nie ma w nim cienia lęku.

Pochodzę od Gwiezdnych Ludzi z Plejad. Jestem też dzieckiem Ameryki Środkowej – mówi Babcia Flordemayo – W naszych przekazywanych ustnie naukach, powiedziano wyraźnie, że w tym szczególnym czasie, to właśnie kobiety poprowadzą narody. Składam pokłon duchowi kobiet, który istniał od początku czasu, duchowi, który spoczywa w nas wszystkich. Męskość/kobiecość, kobiecość/męskość – wszyscy pochodzimy z Jedności. Powiedziano nam także, że w tym czasie to energia z gwiazd poruszy narody.

Babcia Maria Alice z Amazonii, od dziecka zbiera informacje potwierdzające przepowiednie, które usłyszała od starszyzny.

My również mamy przepowiednię, że to kobiety będą przewodzić innymi w tym ostatecz-nym czasie przemiany – mówi – *Oto więc jesteśmy.*

Po tym jak ojciec Sebastião, przywódca duchowej społeczności Babci Marii Alice i Babci Clary, odszedł do świata Ducha, kolejny przewodnik wspólnoty, star-szy mężczyzna, wiedząc, że ma przed sobą jedynie rok życia, rozpoczął głodówkę. Nie jadł ani nie pił nic, przyjmując tylko święty napar, Santo Daime.

Skutkiem tego – mówi Babcia Maria Alice – *wciąż słuchając świętych pieśni, otrzymał wiele przekazów od Ducha przeznaczonych dla kobiet. Przekazano mu, że pośród całej ludz-kości to właśnie kobiety jako pierwsze ulegną przemianie. To one mają wziąć sprawy w swoje ręce i wyzbyć się wątpliwości. Zobaczył też, że mężczyźni powinni przejąć niektóre zadania kobiet, aby dać im przestrzeń i swobodę działania. To kobiety pokażą inny sposób istnienia w tym świecie. Natura daje znaki, a kobiety już się zmieniają.*

Natura jest naszym przewodnikiem

Według Babć sama natura to przepowiednia, a jej mądrość zawarta jest w każdej nici Stworzenia. Duchowa moc Ziemi i nieba uwalnia uśpioną wiedzę i dzięki temu pojawiają się chwile transpersonalnego przewodnictwa. W obecnym cza-sie jesteśmy karmieni nową, przekazywaną przez naturę i wszechświat, czystą energią, z pomocą której zdołamy w łasce i integracji sprostać pełnym wyzwań czasom.

Dla Babci Mony przepowiednia nie jest czymś co wydarzy się w przyszłości, ale tym, co nieustannie przejawia się w naturze.

Zawsze wpajano mi, abym uważnie rozglądała się wokół – mówi – *Patrz na wodę, wiatr, powietrze, ogień i słońce. Przyroda mówi nam wszystko, co powinniśmy wiedzieć. Ze względu na miłość do ludzi i przyszłych pokoleń, musimy zwrócić się w stronę natury.*

Kiedy siostry Rita i Beatrice Long Visitor Holy Dance były nastolatkami ich babcia już wtedy mówiła, że starożytne przepowiednie zaczęły się spełniać. W miarę jak na ziemie Indian Lakota przybywali osadnicy, siostry musiały być bardzo ostrożne, nawet podczas zwykłych spacerów czy połowu ryb. Babcie pa-miętają samoloty, zrzucające bomby na Badlands – dokładnie tak jak przepowie-dziano. Widziały jak maszyny, które wcześniej pojawiły się w wizjach, niszczyły Czarne Wzgórza i inne święte miejsca ludu Lakota. Siostry nadal obawiają się o dalsze losy ich ojcowizny.

Nasi przedstawiciele i wodzowie prowadzili rozmowy, ale poza tym nie byli w stanie zrobić nic więcej – mówi Babcia Rita – Przynoszę tę wiadomość, aby dać moim rodakom nadzieję. Nowi osadnicy muszą zrozumieć jak ważne są dla nas Czarne Wzgórza. Chcemy ofiarować i pozostawić coś dobrego wszystkim nienarodzonym, tym którzy nadejdą, przyszłym pokoleniom.

Indianie Lakota są świadomi, że ich język i ziemia stanowią jedność. Jeśli dojdzie do utraty jednego lub drugiego nie będą już tym za kogo się uważają.

Przepowiednie to żywe słowa, które codziennie mamy wcielać w życie – wyjaśnia Babcia Beatrice – Nasza babcia nieraz przypominała, abyśmy zawsze były skupione na sobie i utrzymując w jasności myśli, kontynuowały swoją pracę. Jest nam lżej w tych trudnych czasach, jeżeli wszystko wykonujemy z modlitwą.

Indianie Lakota są w szczególny sposób związani z żywiołami. Dziadek Kamień jest pierwszym Dziadkiem. Kamienie pojawiły się tu przed całą resztą stworzenia, dlatego niosą w sobie całą pamięć.

To Dziadek Kamień jest osnową świata – wyjaśnia Babcia Beatrice – Sam w sobie jest żyjącą przepowiednią, ożywionym słowem, któremu każdego dnia oddajemy cześć w modlitwie. Każde proroctwo może ulec zmianie. Możemy powiedzieć duchowi Dziadka Kamienia, że nie jesteśmy w stanie czegoś udźwignąć i wtedy On bierze to na siebie, ponieważ wie jak się tym zająć.

Dla Babci Mony przepowiednia dotyczy troski i miłości do ludzi oraz nadchodzących pokoleń. Jej dziadek, ostatni wódz Indian Havasupai, opowiedział kiedyś legendę o pewnej skale stojącej na tamtejszej ziemi. W dawnych czasach zjawiał się tam żółw i telepatycznie porozumiewał z ludźmi.

Zwierzę przekazywało nauki jak żyć, jak przygotować się do nadchodzącej pory roku, jak postępować wobec siebie nawzajem i jak utrzymać moc w społeczności – mówi Mona – Nauczało co należy robić, aby zachować przychylność opiekuńczego ducha. W tamtych czasach żółw mówił również o wielu rzeczach, które miały pojawić się w przyszłości.

KONDOR I ORZEŁ

Jedna z najważniejszych, przekazywanych przez Babcie, przepowiedni na temat obecnych czasów dotyczy Kondora i Orła. Chociaż istnieje kilka wersji tego proroctwa, wszystkie zawierają te same kluczowe elementy. Według starożytnej legendy, kontynenty Północnej i Południowej Ameryki stanowiły niegdyś całość. Nadszedł jednak wielki kataklizm, który oddzielił je od siebie, pozostawiając podzielonych ludzi i społeczności oraz zmuszając do obrania różnych dróg życia. Ścieżka mieszkańców Ameryki Południowej – zwanych Ludem Kondora – symbolizowała serce, intuicję i mistycyzm. Droga narodów Ameryki Północnej wyrażała mózg, racjonalny umysł i świat materialny. Zgodnie z przepowiednią, pod koniec piętnastego wieku, ścieżki obu ptaków miały się ze sobą spotkać i Orzeł miał doprowadzić Kondora na skraj wyginięcia. Tak też się stało. Jednak w ciągu kolejnych pięciuset lat miała pojawić się szansa na nową epokę, kiedy Kondor i Orzeł zjednoczą się ze sobą i ponownie razem wzbiją w powietrze.

Przepowiedziano też, że ziemie Ludzi Środka – mieszkańców Ameryki Środkowej (do których zgodnie z legendą zalicza się także mieszkańców Brazylii i Amazonii) – będą miejscem, gdzie różne kultury zjednoczą się w pokoju – mówi Babcia Maria Alice – *Już teraz wiele plemion Indian zbiera się wspólnie, dzieląc rytuałami i świętymi roślinami. Przybywają tam również prowadzeni nadzieją ludzie z całego świata – Japończycy, Afrykańczycy, Europejczycy, Amerykanie, Chińczycy. Dochodzi do łączenia różnych tradycji z poszanowaniem dla odrębności każdej kultury. Podczas zgromadzeń, wszystkim przekazywana jest wiedza na temat współczucia oraz przebaczenia wszelkich cierpień z przeszłości. Matka Ziemia pokazuje nam jak tego dokonać. Uczy tego również las i natura.*

Babcie wiedzą, że społeczności Orła i Kondora potrzebują siebie nawzajem. Ludzie Orła rozbudowali nadzwyczajny intelekt, który stworzył współczesny, technologiczny świat, ale odbyło się to kosztem serca. Ludzie Kondora – rdzenni mieszkańcy Ameryki – dzięki bliskiej relacji z naturą, rozwinęli głębię mądrości serca, ale zubożeli materialnie.

Babcie podkreślają, że Orzeł i Kondor mają dla siebie wiele nauk. Kiedy Orzeł i Kondor znów wzlecą skrzydło przy skrzydle, będzie to zwiastunem czasu partnerstwa, miłości i uzdrowienia – Ziemia powróci do równowagi. Kiedy Ludzie Orła pomogą szybować Kondorowi i przestaną dokonywać wyborów niszczących Ziemię, zniknie stres, nieszczęście oraz poczucie izolacji. Razem stworzą nowy wzór życia dla dzieci i przyszłych pokoleń. Przepowiednia wypełni się dla dobra wszelkiego stworzenia.

Bielik amerykański, podobnie jak kondor, był ptakiem, który prawie wyginął. W Stanach Zjednoczonych o jego przetrwanie walczono na podstawie specjalnej ustawy. Obecnie, choć wciąż jest rzadko spotykany, nie jest już uważany za gatunek zagrożony wyginięciem.

W Oregonie nie widziano kondorów od ponad dwustu lat. Babcia Agnes wzruszyła się na wiadomość, że niedawno w niewoli urodziły się dwa ptaki tego gatunku. Powszechnie uważa się, że kondor niesie ducha Ptaka Grzmotu, legendarnego drapieżnika, żyjącego w czasach starożytnych, kiedy kontynent Ameryki Północnej zamieszkiwali pierwsi mieszkańcy. Mówiono, że Ptak Grzmotu, większy od orła i kondora, był obdarzony niezwykłą siłą widzenia. W czasach prehistorycznych potrafił telepatycznie przekazywać starożytną mądrość i wiedzę.

To będzie coś wspaniałego kiedy Ptak Grzmotu powróci do domu – mówi Babcia Agnes – *Wierzymy, że Orzeł zaniesie naszą wiadomość do Istot Niebios oraz Stwórcy i pomoże nam w naszych przepowiedniach. Naprawdę ufam, że zobaczymy zmianę opisywaną w proroctwie. Nasze modlitwy dotyczą całego świata i wszystkich ludzi. Obecnie stoimy na progu. Bardzo wiele zależy od kobiet. Dzięki macierzyństwu jesteśmy tymi, które mogą mieścić więcej niż jednego ducha w sobie. Nazywam nas wielofunkcyjnymi istotami – możemy jednocześnie nosić dziecko, mieszać zupę i wyrzucić kota z domu!*

Słowo wytrwałość ma dla Babci Czejenów Margaret Behan, szczególne znaczenie w odniesieniu do zrozumienia zadania kobiet w wypełnieniu przepowiedni.

Wśród mojego ludu często powtarza się zdanie, że narody będą trwać dopóki serca kobiet będą na ziemi – mówi.

MOTYL

Babcia Mona wierzy, że legenda Indian Hopi o motylu, który ukazuje ścieżkę transformacji, może pomóc nam w tych burzliwych czasach ciemności i zamieszania. Okres ten można postrzegać jako konieczny etap, umożliwiający ludzkości transformację w kierunku zrozumienia prawdy o jedności ze sobą i całym Stworzeniem. Tylko poprzez wkroczenie w ciemność i odejście od utartych ścieżek, możemy zrezygnować z zawężonego punktu widzenia gąsienicy i przejść do nowego horyzontu postrzegania motyla, niezbędnego dla zachowania piękna i naturalnych zasobów planety dla kolejnych siedmiu pokoleń. Wyjdziemy wtedy z mrocznej nieświadomości larwy w jasne piękno motyla, aby dostrzec zachwyt, nadzieję, współczucie, wiarę i życzliwość jako elementy niezbędne do przetrwania i dalszego życia.

Babcia ludu Jupików , Rita Pitka Blumenstein, wyjaśnia, że z każdym kolejnym doświadczeniem zyskujemy moc, aby stwarzać siebie na nowo. Nie jest ważne jakie błędy popełniliśmy w przeszłości, zawsze możemy się zmienić.

Przeszłość nigdy nie jest ciężarem – mówi Rita – *To rusztowanie, które doprowadziło nas do dnia dzisiejszego. Z takim zrozumieniem jesteśmy wolni, aby być tym kim jesteśmy. Stwa-*

rzamy nasze życie splatając przeszłość z teraźniejszością. Szybszą drogą ku uzdrowieniu jest poruszanie się do przodu, a nie poświęcanie czasu i energii na rozpamiętywanie przeszłości. Uzdrawiając siebie, jesteśmy swoimi przodkami. Uzdrawiamy zarówno ich – babcie i dziadków – jak i nasze dzieci. Kiedy uzdrawiamy siebie, uzdrawiamy Matkę Ziemię oraz przyszłe pokolenia.

Moc modlitwy

Dzięki nieustannej modlitwie, Babcia Julieta z Meksyku jest w stanie odczytać przepowiednie.

Żyję w mocy modlitwy. Według mnie dzisiejszy świat powinien dążyć do jedności. W niej wszystko ponownie się spotyka. Nasze związki odradzają się na nowo w kręgach ludzi, którzy czują wewnętrzny spokój i okazują cierpliwość tym, którzy jeszcze tego nie osiągnęli. Takie kręgi powinny powstawać wszędzie, tak aby cała planeta mogła się zjednoczyć, zarówno w świecie widzialnym, jak i niewidzialnym.

Dla Babci Juliety przepowiednie są danym nam przez Stwórcę testem, abyśmy mogli podążać przez życie drogą pełną wiary.

Chociaż jako dorośli uważamy, że wiemy już tak dużo, wciąż musimy się uczyć, ponieważ wszystko, co się wydarza, dzieje się z jakiegoś powodu.

Babcia Flordemayo wierzy, że ocalimy siebie trwając w momencie teraz, z chwili na chwilę, ponieważ jedynie żyjąc w bieżącym momencie jesteśmy pełni życia, miłości i poczucia wspólnoty.

Jeśli w tej właśnie chwili oddamy się w stu procentach modlitwie, możemy poruszyć świadomość całej ludzkości. Zakończył się już okres rozproszonych modlitw i rozproszonych życzeń. Musimy modlić się do ducha nieba, ducha świętych wód, ducha Matki Ziemi. Musimy modlić się do ducha ludzkości, aby rozpoznać w sobie braci i siostry, ludzi oddychających tym samym powietrzem, karmionych przez duchy przodków świętych wód. Jeśli tego nie rozpoznamy, zbłądzimy. Modlę się więc za ten moment. Modlę się, abyśmy porzuciwszy ego byli całkowicie obecni i podążali z głęboką pasją i miłością dla Ducha, ponieważ to jest jedyna ścieżka.

Podczas wydarzeń 11 września 2001 roku, Babcia Flordemayo nie wiedziała do kogo ma zwrócić się z modlitwą. Rozpoczęła intensywną modlitwę i poprosiła Babcie ze Świata Ducha, aby dały jej choć odrobinę zrozumienia.

Modliłam się nieustannie i w dzień i w nocy. Siódmego dnia, w siódmej godzinie,

*dokładnie w tym czasie, kiedy miały miejsce wydarzenia w Nowym Jorku, północna ścia-
na w mojej sypialni jakby zniknęła. Kiedy otworzyłam oczy, zaczęły pojawiać się anioły,
tworząc potężny krąg. Były ogromne – mogły mieć od trzech do pięciu metrów wysokości. Miały wielkie skrzydła, które dotykały nieba i ziemi. Pośrodku stał święty człowiek.
Anioły zaczęły śpiewać mantrę. Dźwięk był tak niebiański, że trudno opisać go słowami.
Melodia emanowała na cały wszechświat. Anioły śpiewały modlitwę sufickiego mistrza
Hazrata Inayata Khana, ofiarowując ją Jedynemu, na cześć doskonałej Miłości, Harmonii i Piękna, jedynej istocie zjednoczonej ze wszystkimi oświeconymi duszami, które
tworzą wcielenie Mistrza, duchowego przewodnika. Wciąż płaczę, kiedy przywołuję ten
obraz w pamięci.*

Flordemayo wierzy, że wszyscy ludzie, którzy są świadomi pokoju i modlitwy tworzą ten święty krąg aniołów oraz stanowią część pełnej chwały wibracji dźwięku i pieśni.

*Tym właśnie jesteśmy. Modlę się, abyśmy potrafili zanieść to wszystko poza Ziemię
do wszechświata. Już nie chodzi jedynie o Ziemię, ale o cały kosmos.*

Przepowiednia o Radzie Babć wciąż się rozwija

Podczas jednego ze spotkań Babcie zdecydowały, że co pół roku odwiedzą jedną z nich. W Nowym Meksyku spotkały się w obecnym domu Flordemayo.
Były wtedy goszczone przez członkinie organizacji *Tewa Women United.*

Podczas jednej z pierwszych nocy w Nowym Meksyku, Babcia Bernadette miała wizję miejsca, do którego powinny się udać – miejsca, które będzie
znane z ich pracy i stanie się ośrodkiem pielgrzymek. Ujrzała, że każda z nich
kładzie na ziemi wielki kamień, a wszystkie trzynaście są w jakiś sposób połączone ze sobą w wielkim kręgu. Tej samej nocy, Babcia z plemienia Jupików,
Rita oraz jej towarzyszka podróży, Marie, ujrzały w wizji potężnego wieloryba.

Następnego dnia, Bernadette podzieliła się wizją z Jyoti. Okazało się, że zaledwie dzień wcześniej kobieta słyszała o mężczyźnie nazwiskiem James Jereb.
James mieszkał w Galisteo w Nowym Meksyku, czterdzieści minut drogi od
miejsca pobytu Babć. Na jego ziemi powstała świątynia, poświęcona starożyt-
nym Babciom i Dziadkom. Dla jej potrzeb, w niewielkiej odległości, ułożono
w kręgu trzynaście ogromnych kamieni, z których każdy wkopany był około
metr w ziemię. Słysząc o wizji Bernadette i dowiadując się, że takie miejsce

istnieje w pobliżu, Babcie postanowiły nawiązać kontakt z Jamesem i odwiedzić świątynię.

Osiem lat wcześniej James, z grzeczności wobec swoich przyjaciół – ludzi wierzących – wszedł do wielkiego kręgu uzdrawiającej mocy w Sedonie, w Arizonie. Ku swemu zdumieniu, w momencie gdy doszedł do środka kręgu, ujrzał ducha Kachinę Niebieską Gwiazdę – mężczyznę olbrzyma, z długimi, falującymi włosami. Zadaniem Kachiny jest służenie jako pomost pomiędzy czwartym a piątym światem. James, archeolog i historyk sztuki, uważał siebie za sceptyka i racjonalistę, który nie wierzy w żadne wizje. Jednak po tym wydarzeniu jego życie uległo radykalnej przemianie.

Kachina przekazał James'owi, że to za kogo się uważa jest iluzją. Od tamtej pory mężczyzna zaczął odkrywać prawdziwego siebie. Po swoim wyjątkowym przebudzeniu nawiązał kontakt z różnymi mistrzami z wyższych wymiarów świadomości. Z początku przerażony i zdezorientowany, wypełniał otrzymywane instrukcje, dotyczące nowego życia i pracy.

Chociaż nigdy wcześniej nie malował, stał się wizjonerskim artystą i zdał sobie sprawę, że jego duch jest budowniczym świątyń. Z czasem stworzył Stardreaming i na swojej posiadłości w Galisteo wybudował jedenaście kamiennych świątyń i kręgów mocy. Wszystkie świątynie odwzorowywały kosmiczne zasady. Kiedy ukończono ich budowę, u mężczyzny zjawiła się Lilith, którą on sam uważa za *główną boginię* i przekazała mu – *Za wszystkimi bogami i boginiami stoją Babcie i Dziadkowie. Wszyscy mamy Babcie i Dziadków, nawet sama Boska Matka. Aby wypełnić przepowiednię i zwiastować początek nowego świata musisz zbudować dla nich ostatnią świątynię.*

James otrzymał wizję kręgu z trzynastoma głazami, które otaczały potężną spiralę jasnego światła, emanującego z białego kryształu. Nazwał ten krąg Świątynią Magii. Wielką ciężarówką przewiózł głazy zebrane w odległości setek kilometrów. Największy z nich ważył osiemnaście ton. Według Jamesa każdy głaz został wybrany dzięki prowadzeniu Starożytnych, do których należy świątynia. Miało to być święte miejsce dla Tęczowej Rasy. Mężczyzna dowiedział się też, że otwierając serca na gwiazdy, ludzie mogą doświadczyć magii jedności. James i jego pomocnicy odkryli, że każdy kamień miał swoją własną naturę i właściwości. Prace przy budowie Świątyni Magii ukończono w dniu zimowego przesilenia 2004 roku, gdy na dworze panowała niezwykła śnieżyca.

Dwa dni po wizji Bernadette, Babcie odwiedziły Świątynię Magii. Wchodząc na ziemię Stardreaming, Babcia Rita i Marie rozpoznały wykutego w kamieniu, ogromnego, trzydziestometrowego, wieloryba z ich wizji. Zapytały czy mogą odprawić tam ceremonię, aby uświęcić to miejsce. James wyraził zgodę. Każda z Babć intuicyjnie wyszukała swój kamień. Nie zdając sobie sprawy, Babcia Agnes, najstarsza członkini rady, wybrała najstarszy głaz. Babcia Rita z Alaski, która miała na sobie naszyjnik przyozdobiony niedźwiedziami, wybrała kamień poświęcony niedźwiedziowi, a Babcia Flordemayo, wybrała kamień z glifami Majów. Kobiety były zaskoczone i zdumione, że istniał idealny kamień dla każdej z nich.

Rytuał miała poprowadzić Babcia Bernadette. Kobiety usiadły na krzesłach, każda naprzeciw swojego kamienia, a piękny księżyc w pełni zawisł nisko nad wszystkimi zebranymi. Było tak jasno, że nie widać było żadnych gwiazd. Nikt, łącznie z Babciami, nie wiedział czego się spodziewać.

W każdym z czterech palenisk, umiejscowionych dokładnie pośrodku czterech kierunków, które symbolizowały przechodzenie do nowego świata, rozpalono ogień. Babcia Bernadette rozpoczęła rytuał poprzez ceremonialne *przebudzenie* ducha każdego z głazów. Dla każdego kamienia śpiewano inną pieśń i inne modlitwy. W trakcie obrzędu niebo zaczęło wypełniać się milionami gwiazd. Wyglądało to tak, jakby w miejscu gdzie stała Świątynia Magii razem z Babciami, niebiosa dotykały ziemi. Po zakończeniu ceremonii, Babcie oznajmiły, że wszyscy bogowie i boginie przeszły przez krąg, przekazując swoje błogosławieństwa. Wkroczyliśmy w nowy, święty czas.

Od momentu wizyty Babć w świątyni, odwiedzający to miejsce ludzie doświadczyli wielu niezwykłych zmian. Szczególnie kobiety, które przybyły tam w poszukiwaniu odpowiedzi, doświadczyły w swoim życiu wielu cudów. Świątynia przesycona jest ogromnym oddaniem ludzi, szacunkiem oraz bezwarunkową miłością.

Podobnie jak liście opadające na ziemię, nie widziane i nie słyszane, te starożytne nauki – tak bliskie, a jednak tak dalekie od naszych myśli i wspomnień – deptano, jak gdyby nic ważnego nie było pod stopami. Nadzieją i modlitwą Babć obecnych tu na Ziemi oraz tych ze świata Ducha jest, aby głębokie uczucie bezwarunkowej miłości rozpaliło świadomość wszystkich ludzi na świecie i aby wszyscy doświadczyli jedności serc i umysłów, jak przepowiedziano w zamierzchłych czasach.

Mądrość kobiet

Dzisiejsza cywilizacja odcięta jest od korzeni, które ukształtowały ludzkość – mówi Babcia Bernadette.

Według Babć korzenie te sięgają głębi Świętego Wszechświata, obszaru Ducha, gdzie żeńska oraz męska energia istnieją w doskonałej harmonii i równowadze, gdzie odsłania się jedność i połączenie, właściwe wszelkim czującym istotom. We współczesnym świecie moc kobiecości – najpotężniejsza, najbardziej kochająca i twórcza z ziemskich sił – jest zduszona i jeśli nie zostanie ponownie uszanowana, nierównowaga między męską a żeńską energią doprowadzi do zniszczenia ludzkości, jeśli nie całej Ziemi. Ta żeńska moc, podtrzymująca Ziemię i jej mieszkańców – tak istotna dla przetrwania planety – jest w każdym z nas, zarówno w kobietach jak i w mężczyznach.

W dzisiejszym świecie dominują męskie energie, a ich moc nie jest zrównoważona bezwarunkową miłością. Prym wiedzie agresja, chciwość i strach. Wyzysk kobiet, dzieci i natury skutkuje powszechnym chaosem i zniszczeniem. Nawet obszary, które przez tysiące lat były w bezpiecznych i miłujących rękach kobiet, są im odbierane. Od początku istnienia, kobiety skutecznie troszczyły się o swoje ciała, cykle płodności, ciąży i narodzin. A dzisiaj znajdują się pod wpływem tych, którzy mają własny plan, oparty na zysku, sile i kontroli. To nie jest ścieżka Boskiej Kobiecości.

Według Babć, głęboko, w każdej komórce ciała, kobiety niosą pradawną mądrość Boskiej Kobiecości. Ponieważ ich ciała są poddane cyklom księżyca i gwiazd, kobieca mądrość ma połączenie z niebiosami. Naturalna mądrość dotycząca rytmów narodzin, życia i śmierci jest o wiele głębsza od mądrości mężczyzn i dlatego nigdy nie powinna podlegać żadnym religijnym czy sądowym ograniczeniom.

Pamiętajcie – mówią Babcie – *że my, kobiety, zostałyśmy obdarowane – jesteśmy wszechwiedzącymi stwórczyniami życia, nosicielkami nasion dzieci Ziemi. Musimy być silne i kro-*

czyć ze świadomością wrodzonej wiedzy i mocy, pod ochroną czterech żywiołów. W świecie, który znajduje się na skraju destrukcji, kobiety muszą obudzić tę potężną moc, która w nich drzemie, aby ponownie sprowadzić pokój i równowagę. Kiedy zarówno kobiety jak i mężczyźni uruchomią tę transformującą żeńską siłę bezwarunkowej miłości, którą noszą w sobie, nastąpi niezwykłe uzdrowienie i głęboka przemiana.

W zależności od duchowej i religijnej tradycji, Boska Kobiecość może przejawiać się pod różnymi postaciami. Jako elektryzująca żywotność Shakti, która rozpala płomień życia lub jako Dziewica z Gwadelupy czy Błogosławiona Maryja, której łagodne serce niesie ogromną zdolność wsparcia w cierpieniu oraz pociechy dla najpokorniejszych, najskromniejszych i często zapomnianych sióstr i braci. Może objawić się jako świetlista istota – Tara, Matka Zwycięzców, której nieskończona mądrość wypełnia bezkresną przestrzeń lub jako Quan Yin – bodhisattva nieskończonego współczucia. Może przemówić jako Czarna Madonna, wcielenie wszystkiego, co święte na Ziemi albo przybyć jako Kobieta Biały Bizon, która przyniosła świętą fajkę ludowi Lakota, używaną do modlitwy i służącą jako pomost między tym co święte na ziemi i w niebie. Może wniknąć w nasze ciała w trakcie uzdrawiania, karmienia czy transformacji, dzięki komunii z Jej roślinami. Manifestacji Boskiej Kobiecości nie są w stanie ograniczyć ludzie, miejsca, przekonania ani czas. Możemy spotkać Ją wszędzie – w medytacji, modlitwie, wizjach, w osobie siedzącej obok, w naszych matkach i ojcach, w dzieciach, które kochamy i wreszcie w nas samych. Inni zaś mogą poczuć Ją dzięki nam.

Babcia Bernadette łączy się z duchem kobiecości w lesie.

W lesie nadal wiem jak zjednoczyć się z pejzażem pełnym tysiąca sekretów. Las pozwala mi dotknąć niewidzialnego świata i tajemnic, których wszyscy jesteśmy powiernikami. Tajemnice te już wkrótce posłużą ludzkości jako cenne kompasy.

Według Babci Bernadette, przejawiana w naturze Boska Kobiecość, naucza nas akceptacji dla czyjejś odrębności, poszanowania różnic i cieszenia się nimi. W obliczu wielkości Matki Ziemi, widzimy małostkowość człowieka, próżność jego postępowania i ulotną naturę egzystencji. Dzięki Niej możemy głębiej zrozumieć siłę pokoju i pojednania w rodzinach oraz nauczyć się szacunku dla ludzi i natury – szacunku, którego współcześnie tak bardzo nam brakuje.

Tenzin Palmo wyjaśnia, że żeńska energia przyjmuje najbardziej dostępną dla ludzi formę.

To nieprawda, że boginie przebywają za zamkniętymi drzwiami niebios. Wszystkie są archetypowymi manifestacjami uniwersalnej żeńskiej energii. Mamy do nich dostęp nie tylko poprzez energię z zewnątrz, ale także dzięki energii naszego wnętrza. W ostatecznej rzeczywi-stości nie ma rozróżnienia na to co wewnątrz i na zewnątrz – wyjaśnia.

Tenzin twierdzi, że czasem, aby łatwiej absorbować żeńską energię, pomocna jest jej obserwacja na zewnątrz. W religii tybetańskiej, po otrzymaniu inicjacji od bogini, kobieta zaczyna samą siebie postrzegać jako boskość. Bardzo istotne jest zrozumienie, że w istocie nie kierujemy się do czegoś *na zewnątrz siebie.*

Staramy się urzeczywistnić naszą prawdziwą naturę – podkreśla Tenzin – *W tradycji buddyzmu tybetańskiego postrzegasz siebie jako Tarę i rozpoznajesz Tarę w innych. I choć może się wydawać, że tylko ją udajesz, w rzeczywistości jesteś Tarą udającą Marię Kowalską. O to właśnie chodzi.*

Jedna z uczestniczek konferencji, opowiedziała osobistą historię odkrycia twa-rzy, którą miała przed narodzeniem – oblicza jej własnej Boskiej Kobiecości. Pew-nej nocy, w pokoju hotelowym w Chicago, zgwałcono ją i pobito prawie na śmierć. Kiedy dotarła do lustra, nie mogła rozpoznać swojej dawnej twarzy. Patrząc spod zapuchniętych powiek, starała się mimo to przypomnieć sobie kim naprawdę jest. Ostatecznie udało jej się wyjść poza przerażenie i ból oraz głęboko wejść w siebie. Wtedy odnalazła spokój.

W tym momencie narodziła się Shakti – wspominała – *Płomień energii rozbłysnął w ca-łym moim ciele.*

Gdy policja dobijała się do drzwi, ona powtarzała w kółko – *Niesamowite, to tym jestem. Właśnie tym jestem!*

Policja zastała ją w ekstazie błogości. Teraz mówi, że wyzwaniem dla niej jest utrzymanie tego stanu. Po tym doświadczeniu zaczęła postrzegać kobiety jako te, które przetrwały mimo odłączenia od swojego wewnętrznego źródła mądrości.

Kobiety nie muszą przechodzić przez tak ekstremalne doświadczenia, aby przypomnieć sobie własną prawdziwą naturę i mieć dostęp do wyjątkowych da-rów. W zamierzchłych czasach, większość rdzennych społeczności praktykowało rytuały inicjacyjne, wprowadzające dziewczynki w okres dojrzewania i kobiecość. Obrzędy te na zawsze łączyły je z duchem kobiecości oraz otwierały na intuicyjne zdolności i własną wyjątkową mądrość. Dzięki połączeniu kobiet z naturą i cy-klami nieba, przejście, inicjowane pierwszą miesiączką, było postrzegane przez rdzenne ludy jako coś bardzo głębokiego. Starszyzna przekazywała dziewczyn-ce wiedzę o tym jak być kobietą, matką i partnerką dla mężczyzny, co zapew-niało plemionom ciągłość. Młodym kobietom wpajano dumę z roli, jaką będzie pełniła w życiu społeczności. Fakt, że niektóre ludy odprawiały dosyć brutalne i niezrozumiałe dla nas rytuały i inicjacje, nie powinien umniejszać wartości tego wyjątkowego czasu w życiu kobiety.

Z opowieści Babci Bernadette wiemy, że w Gabonie kiedy dziewczynka kończy dwanaście lat, musi przejść przez inicjację, która trwa od czternastu do dwudziestu jeden dni. W tym czasie przekazywana jest jej mądrość rytuałów, a starsze kobiety dzielą się wiedzą na temat istoty bycia kobietą. Inicjowana zaczyna rozumieć naturę – tajemny język drzew, rzek, ptaków i zwierząt.

Nasza kultura docenia i uznaje fakt, że to kobieta jest łagodną, delikatną siłą i strażniczką naszej wiary – wyjaśnia Bernadette – *Dlatego w naszym kraju nie zaczyna się żadnej sprawy, bez uprzedniej konsultacji z kobietami. Mądrzy ludzie, starszyzna, to prawdziwa biblioteka. Za każdym razem, kiedy podejmujemy ważne decyzje, zasięgamy ich rady.*

W wielu rdzennych tradycjach na świecie, w trakcie *czasu księżycowego* izolowano kobietę nie dlatego, że była wtedy splamiona. Wręcz przeciwnie – wierzono, że w czasie miesiączki kobieta ma największą moc. To głębokie połączenie z niebem i Ziemią daje kobiecie łatwy dostęp do intuicji, wewnętrznego przewodnictwa i głosu Ducha. To, co niektórzy traktują jak *przekleństwo*, jest w istocie największym błogosławieństwem kobiety. Nie rozumiejąc jak ważne w tym czasie jest poświęcenie sobie uwagi – dzięki czemu można ponownie połączyć się ze źródłem i duchowym prowadzeniem Boskiej Kobiecości – narażamy się na rozdrażnienie i fizyczny dyskomfort. Energie mogą zwrócić się przeciwko nam. Ponieważ kobieca moc podczas miesiączki jest taka niezwykła, ludzie nie rozumiejący energii, zamiast okazać wsparcie mogą reagować negatywnie. Wynika to ze zwykłej niewiedzy.

Żyjąc blisko siebie w danej społeczności, kobiety krwawiły jednocześnie, a czas, który spędzały ze sobą z dala od reszty plemienia, uważano za święty. Spotykając się w okresie największej mocy, tworzyły wielką siłę dobra, nie tylko dla nich samych i członków własnych rodzin, ale dla całej wspólnoty.

Na przestrzeni dziejów często negowano kobiecą moc, co według Babć jest wielką tragedią. Współcześnie ludzkość również odcięła się od kobiecej mądrości i wszelkich form żeńskiej energii, tak niezbędnych dla uzdrowienia planety. Kobiety oddały władzę nad swoimi ciałami zdobyczom technologii. Dzieje się tak na przykład w przypadku porodów. Zapomnieliśmy starożytną mądrość, która traktowała ciało kobiety jak świątynię. Jak zauważyła Gloria Steinem w swoim wstępnym przemówieniu, w czasach starożytnych wnętrza świątyń projektowano na wzór żeńskich narządów płciowych, pamiętając, że to właśnie przez kobietę Bóg wnosi życie do tego świata.

Według Tenzin Palmo, z całej różnorodności form jakie może przyjąć żeńska energia, najbardziej powszechna jest Matka.

Męskie bóstwa są jak archetypowy ojciec – wyjaśnia – który wymierza kary i którego trzeba zadowalać. Matka natomiast jest zawsze blisko, gotowa by się pochylić i podnieść, bez względu jak nieposłuszni czy obojętni jesteśmy.

Podczas swoich podróży po świecie Luisah Teish przekonała się, że prawie we wszystkich tradycjach istnieje potrzeba uszanowania Matki jako manifestacji Boskiej Kobiecości – między innymi w osobach Marii, Izydy czy Oshun. Sama Luisah została przebudzona przez moc Wielkiej Matki, która manifestowała się w niezwykłych kobietach jej dzieciństwa.

Jak na ironię, kultura zachodu kojarzy dziedzictwo kobiecej mocy głównie z klątwą Ewy i rzadko docenia jego wartość – mówi Luisah.

Babcie uważają, że konieczne jest stworzenie nowych społeczności silnych kobiet. Ze względu na dzieci i siedem przyszłych pokoleń, należy zacząć już teraz.

Ani przez chwilę nie możemy ograniczać się w tym, czego jesteśmy w stanie dokonać – mówi Babcia Agnes *– Musimy wspierać się i zachęcać nawzajem, a także podnosić na duchu wszystkich, których spotkamy na drodze.*

Kobieta Biały Bizon z tradycji którą, reprezentują Babcie Rita i Beatrice Long Visitor Holy Dance, przekazała, że to praca rąk kobiet i owoce ich ciał utrzymują ludzi przy życiu *–Jesteście zrodzone z Matki Ziemi. Wasze czyny dorównują czynom wojowników.*

Za czasów niepodległości Tybetu, kobiety miały wielką moc – mówi Babcia Tsering *– Podobnie jak mężczyźni, posiadały duchową wiedzę. Były wojowniczkami, silnymi ludźmi.*

Tsering wierzy, że kobiety już ze swej natury są pełne mocy, ponieważ są w stanie panować nad nią zarówno wewnątrz jak i na zewnątrz. Potrafią też zrealizować wszystko co sobie zamierzą. Nie powinny zniechęcać się i tracić ducha, a raczej poświęcić się duchowej ścieżce i modlitwie.

Babcie mówią do wszystkich kobiet – *Musimy być wojowniczkami, które kierują się potęgą miłości.* Najważniejszym celem Babć jest połączenie wszystkich serc na świecie. Wszyscy dzielimy to samo słońce, księżyc, planetę i gwiazdy. Kiedy powracamy do jedności, zmienia się krew, a Boska Kobiecość uwalnia nas od lęku i łączy na każdym poziomie.

Babcie mówią, że podobnie jak walczący razem wojownicy, musimy podsycać ducha ziemi, ducha przodków oraz ducha ludzi, którzy w zagubieniu opierają się tęsknocie własnego serca i Światłu.

Wdychajmy światło Ducha – nawołują Babcie – *Poruszajmy się z nurtem Boskiej Kobiecości. Zawsze jesteśmy z Duchem. Poprzez oddech możemy głębiej poczuć wewnętrzną Boskość i ponownie połączyć się ze sobą oraz magicznym światem wokół.*

Wszystko rozpoczyna się wraz z oddechem – mówi Babcia Julieta – *Kobieca mądrość jest w każdej z nas, ale każda kobieta przejawia ją na swój własny, niepowtarzalny i piękny sposób.*

Jej Świątobliwość Sai Maa uważa podobnie.

Pierwszą rzeczą, którą zrobiliśmy po przyjściu na ziemię było zaczerpnięcie powietrza. Oświecenie jest właśnie tą przestrzenią – szczeliną pomiędzy wdechem i wydechem – w której stajemy się przebudzeni. Przebywaj w przestrzeni, w której nic nie musisz. Odpręż się i trwaj w tej świadomości. W takim stanie wkraczamy w królestwo własnej jaźni. Wiedzę można odnaleźć w książkach, ale dopiero dzięki wewnętrznej ciszy docieramy do prawdziwej mądrości. Kiedy kierujemy uwagę na swoje wnętrze, pozwalamy, aby ujawniła się nasza moc – niezwykła mądrość, którą nosimy w głębi istoty oraz świadomość jak wyjątkowe dary mamy do ofiarowania ludzkości. Zdając sobie z tego sprawę wraz z oddechem możemy powrócić do zewnętrznego świata.

Według Jej Świątobliwości Sai Maa, aby wejść w prawdę, moc i boską Shakti, musimy przebywać w energii miłości.

Istnieje tylko miłość i lęk. To jedynie z tymi energiami mamy do czynienia. Kiedy żyjemy w lęku nasze energie ulegają skurczeniu. Miłość natomiast jest wolnością.

Babcie są zgodne co do tego, że osobiste uzdrowienie jest pierwszym i niezbędnym warunkiem uzdrowienia świata. Zanim urzeczywistnimy pokój na planecie, musimy zadbać o bezcenny spokój własnego umysłu. Dopóki nie odkryjemy i nie rozwiążemy naszych konfliktów, nie zdołamy dotrzeć do wewnętrznej mądrości i rozpoznać dysharmonii, które sami nieświadomie tworzymy.

Aby uznać wartość świata, należy najpierw docenić siebie. Szczególnie kobiety muszą się tego nauczyć – mówi Gloria Steinem – *Mężczyźni natomiast powinni dostrzec, że docenianie siebie jest równoznaczne z docenianiem świata. Podobno synapsy i komórki w naszych ciałach są repliką liczby ciał niebieskich we wszechświecie, dlatego – zgodnie z powiedzeniem: „jako w niebie tak i na ziemi" – zharmonizowanie naszej istoty jest tak ważne dla pokoju na świecie.*

Kobiety muszą rozpocząć pracę ze świętą wiedzą, która istnieje na planecie – mówi Babcia Clara Shinobu Iura z Amazonii – *Najpierw jednak muszą uwierzyć w siebie, bardziej siebie doceniać i w codziennym życiu unikać tego, co negatywne. W tych burzliwych czasach, w których przyszło nam żyć, gdzie zabijanie wydaje się czymś naturalnym, ciemne duchy są gotowe wejść w każdą negatywną przestrzeń, aby powstrzymać światło.*

W młodości Babcia Clara wstydziła się swojej mocy, która wynika z kobiecości. Po wielu zmaganiach dostrzegła jednak, że każda kobieta i każdy mężczyzna ma wewnętrzny dar oraz misję, nawet jeśli nie są świadomi czego dotyczy.

Wszyscy mamy wiele zdolności – mówi – *zwłaszcza gdy otworzymy serca.*

Babcie mówią, że w zachodniej kulturze unikamy samych siebie na wszelkie możliwe sposoby. Życie w biegu nie pozwala dostrzegać wewnętrznego świata. Naszym pragnieniom nie ma końca. Wciąż mamy na coś apetyt, ale kiedy to dostajemy, wcale nie odczuwamy spełnienia, tylko wypatrujemy czegoś nowego. Naturą pragnienia jest to, że ostatecznie nigdy nie może być zaspokojone.

W Stanach Zjednoczonych realizacja potrzeb i konsumpcja zasobów urosły do rangi globalnego problemu. Jej Świątobliwość Sai Maa uważa, że pragnieniom nie ma końca, a Amerykanie nigdy nie odczuwają prawdziwej satysfakcji.

Ameryce brak głębokich, prawdziwych korzeni. Ten kraj nie ma historii. Łatwo to zrozumieć – w końcu, poza rdzennymi mieszkańcami, jest to bardzo młode państwo.

Jej Świątobliwość Sai Maa uważa, że pomimo problemów, to właśnie Stany Zjednoczone doprowadzą świat do pokoju. Jednak wydarzy się to dopiero wtedy, kiedy porzucą pragnienie dominacji nad innymi narodami.

Kiedy osiągniemy stan tak głębokiego niezadowolenia, że wszystko zacznie się rozpadać i nie pozostawi nam wyboru, będziemy zmuszeni szukać we wnętrzu źródła prawdziwego szczęścia. Nauczymy się, że bez połączenia z boską naturą i Światem Ducha, który prowadzi nas w każdym momencie życia – bez względu czy jesteśmy świadomi jego wsparcia – żaden związek, praca, dom czy przedmiot nie wypełni naszej pustki.

Babcie twierdzą, że pokój i uzdrowienie biorą swój początek głęboko w sercach. Powierz się Duchowi. Wycisz i słuchaj przewodnictwa przodków. Oni są tuż obok ciebie, bez względu czy mówiono ci o nich gdy dorastałeś czy nie.

Zawsze dbajmy, aby pozostawać ześrodkowani w sobie – podkreśla Luisah Teish – *Z tego punku jesteśmy w stanie otrzymywać błogosławieństwa z góry, dołu i każdego kierunku.*

Życie ma tak wiele barw – jest święte i potężne – mówi Jej Świątobliwość Sai Maa – *Nie możemy wciąż go przegapiać będąc nieobecni w tej chwili, która właśnie jest.*

Według Babci Bernadette, jednym ze sposobów postrzegania ludzkich problemów jest zrozumienie, że każdy z nas chodzi o kulach.

Dlaczego? To prawo samego życia. Każdy ma w sercu lub głowie coś co rani go od środka, więc wszyscy jesteśmy do siebie podobni, bez względu na zewnętrzne różnice.

Kule, którymi się podpieramy, uczą nas, że po drugiej stronie bólu i cierpienia jest współczucie i zrozumienie.

Przeszłość jest w nas obecna, w każdej chwili – wyjaśnia Gloria Steinem – *Sińce i głębokie zranienia pochodzące ze zbiorowej historii lub własnego dzieciństwa, mogły być ciosem lub jedynie dotykiem, ale pozostawiły bardzo głęboki ślad. Każdy z nich może sprawić, że w teraźniejszości nawet na delikatny dotyk zareagujemy tak, jakby był potężnym uderzeniem.*

Według Babć, kobiety nie powinny obawiać się zranień. Zanurzmy się w sobie i dotknijmy tych miejsc, w których czujemy dyskomfort – tam, gdzie czujemy, że byłyśmy zdradzone i gdzie nie miałyśmy wsparcia.

Połóżmy dłonie na podbrzuszu – sugeruje Jej Świątobliwość Sai Maa – *gdzie stłumione są wszystkie trudne emocje, które nie pozwalają nam pójść do przodu. Pozwólmy, aby dłonie stały się dla nich jak kołyska. Wdychajmy powietrze do podbrzusza i wydychajmy w dłonie brak zaufania, wątpliwości i smutki. Odkryjmy własną moc. Wypełnijmy dłonie światłem i aby doświadczyć uzdrowienia zanieśmy całe cierpienie Wielkiej Matce, naszej prawdziwej jaźni.*

Potrzebujemy także przebaczenia.

Aby prawdziwie kochać – mówi Jej Świątobliwość Sai Maa – *musimy porzucić przeszłość i powiedzieć sobie – „tu i teraz zaczynam od początku, staję się nowym człowiekiem". Większość z nas nie jest uczciwych wobec samych siebie. Dlatego ludzie na całym świecie cierpią.*

Niech będą błogosławione nasze stopy – mówi Babcia Rita z Alaski – *Przyszłość rozpościera przed nami nową ścieżkę. Niech będzie błogosławiona obietnica nowego życia.*

Podobnie Babcia Rita Pitka Blumenstein uważa, że musimy uwolnić przeszłość z wszystkimi jej osądami. Dopiero wtedy będziemy gotowi przyjąć teraźniejszość i dar życia. Kiedy uwolnimy przeszłość i wszystkich, którzy nas w niej trzymają, w pełni otworzymy się na Światło. Przestaniemy patrzeć na siebie przez pryzmat innych ludzi czy wcześniejszych doświadczeń i damy sobie pozwolenie stworzenia siebie na nowo. Możemy zamknąć za sobą drzwi i doświadczyć innego rodzaju istnienia. Jesteśmy wolni, by stać się tym kim naprawdę jesteśmy.

Nie jesteśmy ani swoją przeszłością, ani teraźniejszością – wyjaśnia Babcia Rita Pitka Blumenstein – *Jesteśmy tym, kim się stajemy. Możemy tworzyć życie wykraczając zarówno poza przeszłość jak i teraźniejszość. Mamy moc, aby czerpać z przeszłości wedle naszych potrzeb. Ale nie zapominajmy, że jesteśmy tu, aby gromadzić wiedzę i błogosławieństwa życia.*

Kiedy już raz dotkniemy autentycznej mądrości, rozświetlając ciemne miejsca w naszym wnętrzu, musimy wcielać tę wiedzę w codzienne życie – mówi Tenzin Palmo – *Musimy świadomie wyrażać dobre wartości, eliminując to, co niewłaściwe. Każdy element codzienności – związki, rodzina, praca i życie społeczne – stanowi duchową praktykę.*

Babcie podkreślają, że przyszłość naszej populacji zależna jest od mądrości kobiet. Odcięcie od korzeni Boskiej Kobiecości, pozbawiło ludzkość wspaniałych wartości – odwagi, życzliwości, boskiej miłości, miłości do siebie nawzajem i oddania – wartości, które leżą u podstaw kochającej się rodziny i cywilizacji. Bez kobiecej mądrości, współczucia i przebudzonej świadomości, siły zła, które służą jedynie sobie, niszczą naszą wyższą naturę i karmią najgorsze lęki, podważając wszelkie cnoty, które decydują o tym, że jesteśmy ludźmi. Zapominamy, że jako członkowie ludzkiej rodziny, jesteśmy ze sobą połączeni, a to, co przydarza się jednemu z nas, przydarza się wszystkim.

Kobiety postrzegają świat inaczej niż mężczyźni – mówi Wilma Mankiller – *Dla nas świat jest mniej podzielony, a bardziej połączony.*

Według przepowiedni, to właśnie kobiety, dzięki swojej mądrości, ocalą świat. Kobiety powinny bardziej współpracować, aby wzmocnić pojedyncze głosy. Muszą na nowo odkryć swoją mądrość i zacząć się nią dzielić, aby zapewnić zdrowie całej planecie i ludzkości, przez dotarcie do potężnego zbiornika energii, który stanowi podskórną tkankę ziemi i tworzy nową falę kobiecej mocy. Zbiornik ożywczej energii, skupiony jest wokół potężnej, uniwersalnej duchowości, opartej na szacunku wobec Matki Ziemi oraz świadomości świętości i współzależności całego życia. Twórcza moc zjednoczonych kobiet jest potężną siłą dobra.

Mam nadzieję, że praca Rady Babć odbije się echem na całym świecie – mówi Babcia Agnes – *a kobiety zaczną zbierać się razem, spotykać i pomagać sobie nawzajem, nie wstydząc się głosów, które wzywają do wyzwolenia z ucisku. Mam nadzieję, że stworzą matriarchalne mosty i ponownie staną się głosem Matki Ziemi i Jej dzieci. Kobiety słyszą wołanie o pomoc. Starszyzna musi przypomnieć im jak dbać o ciało i podążać właściwie przez życie. W tej pracy zawsze dostępna jest pomoc ze Świata Ducha.*

Z doświadczenia Glorii Steinem wynika, że w pojedynkę niewiele można zdziałać.

Jesteśmy istotami społecznymi. To w innych ludziach możemy zobaczyć siebie. Nie ma większej magii, niż dzielić się doświadczeniami w grupie i usłyszeć jak ktoś mówi – „Naprawdę? A myślałam, że jestem jedyna".

Według Glorii wszyscy jesteśmy wyjątkowi, więc kiedy okazuje się, że doświadczamy podobnych rzeczy, z pewnością ma to wpływ nawet na politykę. Dzięki połączonym siłom, możemy zmienić to, co uważamy za niewłaściwe.

Pewnego dnia, pięć lat temu, Alice Walker razem z przyjaciółką stwierdziły, że świat usuwa im się spod nóg. W trakcie rozmowy, uświadomiły sobie, że bardzo potrzebują grupy innych kobiet. Postanowiły stworzyć krąg i od tamtej pory jedenaście kobiet regularnie spotyka się razem.

Widujemy się w trakcie przesileń – wyjaśnia Alice – *Naszą jedyną zasadą jest brak planu. Jeśli naprawdę chcesz zrozumieć jak magiczną rzeczą jest bycie kobietą, dołącz do kręgu kobiet, które spotykają się regularnie i nie oczekuj niczego. Podczas kobiecych spotkań, wszystko wydarza się samo.*

Według Alice, zdolność działania bez stosowania męskiej, linearnej koncepcji, że rzeczy należy wykonywać w pewien określony sposób, jest dzisiaj stłumioną częścią rzeczywistości kobiet. Mężczyźni zapewne nieraz obserwowali kobiety, nie mogąc pojąć, jak one to robią.

Podczas spotkania nie musisz o niczym pamiętać. Po prostu przyjdź z otwartym sercem.

Uczestniczki grupy Alice przynoszą jedzenie, wiersze i nauki. Przynoszą także swoje nadzieje i lęki. Jedna z kobiet podzieliła się obawą, że umrze w samotności. Na początku Alice odpowiedziała, że przecież wszyscy umieramy sami, ale za chwilę zdała sobie sprawę jak płytkie były te słowa w tamtej chwili.

Objęłam ją i obiecałam, że gdziekolwiek będzie w chwili śmierci, pojawię się przy niej – wspomina Alice – *Dzięki temu oraz wsparciu innych kobiet, stała się bardziej pewna siebie. Już nie obawia się śmierci. A świadomość, że będę przy niej, otworzyła zupełnie nową przestrzeń. To wspaniałe.*

Dzięki spotkaniom w kręgach, kobiety mogą rozbudzić w sercu swoją mądrość. Jeśli nauczą się przy tym polegać na prowadzeniu i wsparciu przodków, poznają czym jest ich wspólna misja. Według Babć, te które dają życie, nie mają dziś innego wyboru. Z uwagi na przyszłe siedem pokoleń, muszą się połączyć i przemawiać jednym głosem ludzkości i Matki Ziemi.

Nadszedł czas, aby kobiety całego świata odzyskały wrodzoną im mądrość. Z pełną miłości mocą, płynącą z samego rdzenia kości, kobiety mogą przywrócić na ziemi raj – stan, do którego ta planeta została stworzona.

Święte związki

Babcie przypominają, że każda rzecz jest święta, a u podstaw wszystkiego leżą związki. To wielka iluzja, że jesteśmy oddzieleni od siebie nawzajem i od tego co dzieje się w świecie. Ta prawda odnosi się również do wszystkich królestw natury. Za każdym razem kiedy w puszczy amazońskiej ścinane jest drzewo, odczuwa to drzewo w Afryce.

Naukowcy potrzebowali wielu lat, aby udowodnić coś, co my wiedzieliśmy od zawsze – mówi Babcia Agnes – *Wszyscy jesteśmy połączeni.*

Babcia Agnes określa *duchową ślepotą* brak zrozumienia, że to co przydarza się jednemu z nas, przydarza się każdemu. Babcia Bernadette wyjaśnia, że wszyscy w naturalny sposób jesteśmy częścią całości, która tylko w małej części jest widzialna. Nasza rzeczywistość nie składa się tylko z tego, co jest dostępne dla zmysłów, ale w istocie – *przenika głęboko w Święty Wszechświat – jest jednością i dynamiką widzialnego z niewidzialnym.*

Święty Wszechświat, świat Ducha, jest jak zanurzona część lodowca, oczekująca na ponowne odkrycie. W swojej esencji wszyscy jesteśmy kosmicznymi bytami. Pochodzimy z gwiazd.

Babcie podkreślają, że wszyscy mamy jednego Ducha. Wiedzą też jak z nim współdziałać – mówi Babcia Rita z Alaski – *Kiedy jednoczymy serca i umysły, jesteśmy w stanie uzdrawiać.*

Istnieje jeden Stwórca – jedna boska inteligencja – więc wszystkie stworzone rzeczy są wypełnione tą samą świętą esencją. Dlatego życie na Ziemi powinno odznaczać się głębokim duchowym połączeniem z Ziemią, całą naturą i Światem Ducha. Wszystko jest częścią jednej boskiej inteligencji, całego Stworzenia. Pomiędzy ludźmi i przodkami istnieje niewidzialne połączenie, nieprzerwana więź, biegnąca poprzez przestrzeń i czas.

W języku Lakota, którym posługują się Babcie Rita i Beatrice Long Visitor Holy Dance, *mitakuye oyasin* oznacza *wszystkie moje związki.* To ich tradycyjne powitanie, bez względu czy spotyka się jedną osobę czy wiele. Stwierdzenie *wszystkie moje związki* zakłada, że w każdym przejawie stworzenia zawarty jest cały wszechświat – wszyscy, którzy żyli w przeszłości, którzy żyją obecnie i którzy mają się narodzić, a także cała natura – Matka Ziemia, słońce, księżyc, planety i wszystkie gwiazdy – cały Święty Wszechświat, od początku istnienia aż po jego kres.

We wszechświecie istnieje niezwykły porządek. Wszystko jest od siebie zależne. Wzajemność i pamięć świętości wszystkich relacji między ludźmi i rzeczami wnosi harmonię. Wszelkie działania niszczące życie prowadzą do zachwiania równowagi. Właśnie z tym zmagamy się w obecnych czasach.

Babcie przypominają, że na najbardziej fundamentalnym poziomie równowaga w świecie bierze swój początek w każdym z nas. Wszystko co żyje powstaje dzięki scaleniu męskiej i żeńskiej energii, męskiej i żeńskiej zasady życia, które muszą pozostawać w równowadze, aby życie mogło kwitnąć. Kiedy męskie i żeńskie energie pozostają w doskonałej harmonii, życie rozwija się i umacniają się wszystkie związki.

Reprezentowane przez Babcie tradycje wskazują, że w momencie narodzin wszyscy zostajemy inicjowani i łączeni z tym światem poprzez cztery podstawowe żywioły Matki Ziemi – wodę, powietrze, ogień i ziemię. Ta pierwotna więź automatycznie łączy nas w święty sposób z całym Stworzeniem.

W łonie matki rozwijamy się w wodzie – wyjaśnia Babcia Hopi Mona Polacca – *Przed narodzinami wody płodowe odchodzą, a po chwili my wypływamy wraz z nimi. Dlatego lud Hopi nazywa wodę fundamentem życia.*

Według Babć to nie zbieg okoliczności, że Ziemia ma taki sam procent wody, co ludzkie ciało. To także nie przypadek, że w tym samym czasie, gdy święte wody planety – krew Matki Ziemi – są zanieczyszczane, zapominamy o naszym wrodzonym połączeniu ze Świętym Wszechświatem, a tylko ta świadomość może nas ocalić.

W chwilę po tym jak podążamy za wodą do życia, bierzemy pierwszy wdech – mówi Babcia Mona – *Dla Hopi powietrze jest drugim filarem życia. Oddech łączy nas z wiatrem, bez którego nie moglibyśmy żyć. Poprzez coraz większe skażenie i zanieczyszczenie powietrza, niszczymy równocześnie siebie, zarówno emocjonalnie, duchowo jak i fizycznie.*

Potem, gdy jesteśmy już w ramionach matki, ojca i wszystkich, którzy nas kochają, napotykamy ogień, trzeci fundament życia – wyjaśnia Babcia Mona – *Hopi mówią, że nasi opiekunowie rozpalają dla nas ognisko domowe, które jest jasne, przyjemne i chroni nas, podobnie jak prawdziwy ogień.*

Wkrótce po narodzinach, zostajemy położeni na Matce Ziemi. Najpierw jako niemowlęta potrafimy tylko się czołgać, potem zaczynamy raczkować, aż wreszcie stajemy na ziemi, na własnych nogach. Według Hopi ziemia jest czwartym filarem życia.

Niestety, jak mówi Babcia Mona, niewielu z nas pamięta moment, w którym postawiliśmy pierwszy krok na Ziemi, poczuliśmy Jej moc oraz wsparcie jakiego nam udziela. Jako dorośli możemy jednak przypomnieć sobie doniosłość tej chwili, patrząc na czysty zachwyt dziecka, które uczy się chodzić.

Mając świadomość pierwotnego połączenia z żywiołami i całym Stworzeniem, powinniśmy każdego dnia, zaraz po przebudzeniu, wyrazić wdzięczność wobec Stwórcy i Matki Ziemi za wszystko, czym nas obdarowali i nadal obdarowują.

Stwórca jest w wodzie – mówi Babcia Julieta – *Jest w ogniu, w ziemi i w powietrzu. Żyje w nas.*

Według Babć, jeśli świadomie przywitamy wodę, kiedy ją pijemy lub gdy się obmywamy, nawiążemy z nią intymną relację.

To poprzez wodę Stwórca może zesłać na nas błogosławieństwo i udzielić odpowiedzi – mówi Babcia Mona – *Ten żywioł pomoże nam osiągnąć zrozumienie. Im bardziej szanujemy wodę i czujemy wobec niej wdzięczność, tym większe otrzymamy wsparcie.*

Ze względu na połączenie z żywiołami, w podobny sposób jak woda może uzdrowić nas, my także mamy zdolność uzdrawiania wody. Obecnie fizyka kwantowa udowadnia to, co pierwotne ludy wiedziały od zawsze – szczera modlitwa może zredukować każde zanieczyszczenie. Babcie codziennie modlą się o czystość wód na Ziemi. Podobnie matka może modlić się za wewnętrzne wody, aby z miłością otaczały rozwijające się w jej łonie niemowlę. Dzięki temu życie dziecka będzie na zawsze błogosławione.

Babcie przypominają, że zarówno ludzka rasa jak i cała natura jest jedną wielką wspólnotą. Na tej planecie wszyscy powinniśmy żyć w pokoju. Tak jak w przypadku pojedynczej rodziny, podstawą zdrowych relacji między narodami powinna być miłość, jedność i szacunek dla życia. Jednak w tym czasie, kiedy rodzina jest zagrożona i rozpada się, często padamy ofiarą ciemnej mocy lęku, który jest plagą całej ludzkości. Oddzielenie, walka oraz podziały w rodzinach i narodach zaczynają dominować. Ludzie izolują się, nie rozumiejąc sposobu życia innych. Kiedy czas przyspiesza mamy go coraz mniej dla siebie nawzajem. Taka alienacja ugruntowuje duchowe oddzielenie i ostatecznie pozostawia tylko ciemność i to co negatywne.

Aby rodzina znów stała się silna, wszyscy jej członkowie muszą świadomie zwolnić tempo i żyć w większej prostocie. W istocie czas jest darem. Musimy przypomnieć sobie jak funkcjonować w zgodzie z rytmem ożywionego świata. Rośliny, zwierzęta, dzieci i starzy ludzie, mogą pomóc nam przypomnieć sobie, jak nie żyć w ciągłym pośpiechu i znajdować czas, aby troszczyć się o siebie i innych.

Kiedy nie płoną domowe ogniska, cały porządek społeczny rozpada się i ulega dezorganizacji. Najpierw należy wzmocnić rodzinę, ponieważ w czasie zmian i dramatów to właśnie w niej leży siła. Moc każdej rodziny odrodzi moc całej ludzkiej rasy. Jednostkowy duch nie będzie niszczony, tylko karmiony poczuciem więzi z całą ludzką świadomością. Możemy wszyscy rozpocząć odbudowę naszej cywilizacji, nie za pomocą dogmatów i zasad dotyczących tego, co rodziny i narody muszą robić, ale dzięki szacunkowi wobec tego, czego możemy się nauczyć i zastosować w praktyce, korzystając z wielkiej różnorodności ludzkiego doświadczenia.

Nie powinniśmy trzymać się sztywnych zasad – uważa Babcia Flordemayo – *Ale w ciszy i z pokorą otworzyć serca i pozwolić naukom kosmosu wkroczyć w nasze życie.*

Łamanie się chlebem jest podstawą duchowości – mówi Babcia Tsering z Tybetu – *Fundamentem wszystkiego jest zdrowy związek z rodziną i ziemią. Szczęście pochodzi z szacunku dla współistnienia.*

Przed napaścią Chin i napływem kultury Zachodu, rodziny w Tybecie były bardzo liczne. Dzieci były szczęśliwe i dobrze przystosowane do życia. Kobiety rodziły dziesięcioro, jedenaścioro, a czasem nawet piętnaścioro dzieci – wyjaśnia Babcia Tsering – *Były jednak w stanie, bez większego wysiłku, zająć się nimi wszystkimi. Obecnie mogą mieć tylko dwoje, a i tak wychowywanie sprawia im wiele trudności.*

Kiedy Helena Norberg-Hodge po raz pierwszy odwiedziła Ladakh – jeszcze przed wkroczeniem tam kultury zachodu – odkryła, że każda matka miała dwudziestoczterogodzinną opiekunkę do dziecka.

We wczesnych latach istnienia Ladakhu nie było słychać płaczących dzieci, jak to ma miejsce teraz. Obecnie dzieci płaczą tam nawet bardziej, niż w innych rejonach świata.

Babcia Tsering wyjaśnia, że jednym z fundamentów duchowej tradycji Tybetu była miłująca dobroć. Niestety współcześnie ta czysta miłość, która tworzy pozytywne relacje między ludźmi i między członkami rodziny, gdzieś się ulotniła. W dzisiejszym świecie, poszczególni ludzie uważają się za kogoś najważniejszego, a taka zarozumiałość prowadzi do współzawodnictwa. Babcia Tsering uważa, że nikt nie zyskuje na tym, że rodzice ponoszą wielkie wyrzeczenia, aby zdobyć pieniądze, ponieważ ani one, ani rzeczy materialne, nie są tym czego wszyscy szukają.

W naszej kulturze zawsze mówiono o miłującej dobroci – wyjaśnia Babcia Tsering – *Przed nadejściem komunistów troszczyliśmy się o siebie z miłością. Dziadkowie często poma-*

gali rodzicom w opiece nad dziećmi. W istocie dziadkowie i dzieci szukali u siebie nawzajem mądrości. Obecnie większość tybetańskich rodzin żyje za granicą i kiedy dzieci biorą ślub, rodzice zostają sami. Najmłodsi i najstarsi są od siebie oddzieleni.

Istnieją całe pokolenia dzieci, których dziadkami jest telewizor – ubolewa Helena Nor-berg-Hodge – *W rdzennych kulturach wszyscy ludzie, bez względu na wiek przebywali ze sobą. Dzieci dorastały z mężczyznami i kobietami w różnym wieku i miały żywe wzory do naśladowania. Istniała codzienna interakcja pomiędzy najmłodszymi dziećmi i starszyzną, która ze względu na brak zębów wyglądała bardzo podobnie. Właściwa relacja między dzieć-mi i dziadkami jest fundamentem bogatej kultury.*

Według Heleny, dzieci powinny znać radość płynącą ze zdrowej współzależ-ności oraz szczęście, które przynosi życie w takim systemie. Duchowe nauki nie-ustannie przypominają nam o jedności i współistnieniu ludzi oraz świata natury. Współzależność to niezwykły dar bycia zauważonym, kochanym oraz słyszanym, co w zamian pozwala kochać i szanować innych. Taka jest właśnie ścieżka świę-tych związków.

Babcia Tsering wierzy, że zajmowanie się dziećmi i przywracanie pokoju po-winny stać się naszym priorytetem.

Nauka ani gromadzenie bogactw nie są najważniejsze. Najbardziej doniosłe jest wychowanie dobrych ludzi, szlachetnych ludzkich istot. Sposób w jaki uczymy dzieci wpływa na świat, bo to one będę przekazywać kiedyś tę mądrość swoim dzieciom. Dla zapewnienia pomyślnej przyszło-ści potrzebujemy zdrowych i wartościowych związków. Właśnie teraz nauczamy kobiety, które w przyszłości będą matkami. Czego ich uczymy? Aby przyszłość niosła nadzieję potrzebujemy dobrych i dobrze wróżących związków. Potrzebujemy dążyć do tego, aby myśl przynoszenia ko-rzyści innym była czymś najważniejszym w naszym umyśle. To niezwykle istotne.

Według Babci Tsering, dzieci, którym od małego nie wpaja się pozytywnego nastawienia, stają się problemem w społeczeństwie. Odpowiedzialność za to spo-czywa głównie na rodzicach.

Pierwszą nauczycielką jest matka – przypomina Babcia – *To ona uczy jak odróżnić dobro od zła. Kiedy matka właściwie przygotuje dzieci, będą dobrymi ludźmi, jeszcze zanim pójdą do szkoły.*

Babcia Tsering podkreśla, że wykształcenie nie powinno skupiać się na wydo-bywaniu jakiegoś talentu. Wykształcenie to kreowanie i kształtowanie pozytyw-nego nastawienia poprzez dobrą motywację. Wykształcenie to tworzenie dobrych ludzi. W kulturze Tybetu nauczanie nie dotyczy tego, co jest na zewnątrz, ale tego co tkwi we wnętrzu człowieka.

Wilma Mankiller mówi, że w starym narodzie Czirokezów – jeszcze sprzed Szlaku Łez – utrzymywanie pozytywnego umysłu było tak istotne, że co roku odprawiano ceremonię na jego cześć, bardzo podobną do rytuału uzdrawiania fizycznych ran.

Wszyscy zbierali się razem i publicznie mówili o swoich żalach. Po Ceremonii Przebaczenia, nikt nie miał prawa wspominać dawnych urazów. Ceremonia pomagała wszystkim utrzymać dobre nastawienie.

Czirokezi wierzą, że wszystkie czyny są następstwem myśli.

Jeśli pozwalamy pochłonąć się negatywnym myślom, wypełniamy nimi swoją istotę, co manifestuje się jako negatywne działanie. Jeśli ktoś ma agresywne, pełne nienawiści myśli, wkrótce zacznie działać gwałtownie i z nienawiścią – wyjaśnia Wilma Mankiller – *W obecnym czasie niezmiernie ważna jest praca z modlitwą, aby w codziennym życiu mieć pozytywne nastawienie do świata.*

U podstaw każdego systemu edukacji powinna leżeć duchowa praktyka – uważa Babcia Tsering – *Obecny układ opiera się na przymusie. Potrzebujemy raczej nauczyć się miłującej dobroci, bo to ona stanowi klucz do właściwego wykształcenia, bez względu na to do jakiej tradycji należymy.*

Według wierzeń i tradycji Babć, dzieci wcale nie rodzą się z grzechem pierworodnym, ale z wrodzoną świętością. Są darami od Boga – odzwierciedlają równowagę zasady matki i ojca w Stworzeniu, źródle całego życia. W tradycji Lakota Babć Rity i Beatrice Long Visitor Holy Dance, dzieci uważa się za uświęcone istoty. Nauki ich świętej kobiety – Kobiety Biały Bizon – mówią, że dzieci posiadają zrozumienie, które wykracza daleko poza ich wiek. Dzieci są najważniejsze i najcenniejsze, bo to one są nadchodzącym pokoleniem. W tradycji Jupików, Babci Rity Pitki Blumenstein, dzieci uważa się za mądrzejsze od dorosłych, ponieważ przyszły ze Świata Ducha i jeszcze niedawno były blisko Stwórcy. Wciąż są czystymi istotami.

Kiedy męskie i żeńskie energie wewnątrz nas pozostają w równowadze, naturalnie kwitnie nasz związek intymny. Każde dziecko, stworzone z takiego połączenia, jest błogosławione już od momentu poczęcia. Babcia Flordemayo mówi, że nie powinniśmy patrzeć na to, co dostajemy lub czego nie dostajemy od partnera, ale szukać odpowiedzi w sobie.

Jedyną osobą, która w związku, może dać ci wszystko czego potrzebujesz jesteś ty sam. Zwróć się ku sobie i zobacz co możesz dla siebie zrobić. Odnajdywanie równowagi w małżeństwie, w pracy, w domu, w obecności dzieci i w sobie samym, jest niesamowitą podróżą przez życie. Jesteś odpowiedzialny jedynie przed sobą.

Zgodnie z nauką Babci Flordemayo, kiedy w każdą relację wniesiemy i będziemy pielęgnować takie wartości jak zrozumienie, współczucie, bezwarunkowa miłość i poszanowanie dla cudzej odmienności, znajdziemy wolność, pokój i spełnienie.

Przez nieustanne powracanie do chwili obecnej, możemy nauczyć się kochać ludzi za to kim są, nie próbując ich zmieniać. Przebywanie całym sobą w danym momencie, powstrzymuje nas przed osądzaniem siebie i innych, płynącym z przeszłości lub przyszłości.

Szacunek to fundament każdej relacji między mężczyzną i kobietą – mówi Jej Świątobliwość Sai Maa *– W intymnych związkach musimy czcić seksualność, zmysłowość, a także wrażliwość i serce drugiej osoby.*

Według nauk Majów, przyniesionych przez Babcię Flordemayo, pozbawiona równowagi energia seksualna tworzy w duszy próżnię. Taka dysharmonia prowadzi do depresji. Dusza nie może pozostawać w związku, który utracił połączenie ze świętością seksu. Bez duszy niemożliwe jest postrzeganie partnera jako ukochanej osoby. Uświęcony seks pozwala na stałe połączenie kanałów energetycznych każdego z partnerów z Boskim Wszechświatem.

Babcia Jupików, Rita, podkreśla, że aby dziecko, które ma się narodzić, mogło pozostać w czystym stanie, oczekująca go matka, musi pozostawać pod szczególną opieką i ochroną partnera oraz tych, którzy ją kochają. Jupikowie od wieków zdawali sobie sprawę, że dusza płodu rozwijającego się w łonie, odbiera wszystko, co dzieje się z matką. Jej emocje, takie jak lęk, złość, smutek czy frustracja, mogą być wchłonięte i stłumione przez rozwijający się płód, tworząc poczucie ogromnej pustki po narodzinach. Wiedząc, że płód jest świadomą istotą, Jupikowie przypominają matkom jak ważne jest zachowanie spokoju. Wpajają im, że dziecko w łonie jest szczególnie wrażliwe na miłość. Babcia Rita podkreśla, że gdy rodzice są zbyt zajęci, aby troszczyć się o dziecko, jeszcze gdy pozostaje w łonie, doświadczy ono braku w późniejszym życiu. Uświadamianie brzemiennej matki o ogromnym wpływie jaki ma na dziecko jeszcze przed narodzinami, sprowadza tę relację na właściwe tory.

Dzieci w swej naturze są nieskazitelne i czyste, dlatego zamiast skupiać się na eliminowaniu ich złego zachowania, lepiej zachęcać je do dobrych uczynków i nagradzać za nie. Wszyscy rodzimy się z duchowymi wartościami, które otrzymaliśmy od Stwórcy. Dzieci powinny być utwierdzane w tym, co robią dobrze, a nie karcone za to, co robią źle. Ponieważ są darem od Boga, należy traktować je szlachetnie, aby rozbudzić w nich wrodzoną dobroć i pomóc osiągnąć samorealizację.

Babcia Flordemayo jest wdzięczna, że wychowała się w domu, w którym tłumaczono sny i uznawano ważność wewnętrznych wizji. Dzięki temu nigdy nie miała wątpliwości co do swojej misji na Ziemi. Od matki nauczyła się, że należy szanować wiadomości płynące ze Świata Ducha, bez względu czy mają pozytywny czy negatywny wydźwięk. Kiedy jako dzieci nie możemy swobodnie mówić o swoich snach i wizjach, zamykamy się na tę część siebie i w dorosłym wieku trudno nam wydobyć tę wrodzoną zdolność. Gdyby dorośli byli bardziej wrażliwi na sny i wizje własnych dzieci – zamiast odrzucać je jako przejaw wybujałej wyobraźni – przyniosłoby to ogromne korzyści dla wszystkich. Taka otwartość na pewno pozwoliłaby stworzyć bliższą relację, a sami rodzice być może dotarliby do własnych snów i zaufali wewnętrznym wizjom.

Według Babć, aby dzieci nie ulegały lenistwu i opieszałości, należy zachęcać je do rozwoju zdrowej dyscypliny i szacunku dla idei dzielenia. Na przykład w tradycji Indian Lakota, młoda dziewczyna, która po raz pierwszy nazbierała jagód czy wykopała korzeń, oddawała zbiory starszyźnie, aby w przyszłości umieć dzielić się swoimi sukcesami.

W tradycji wielu Babć, dzieciom wpajano, aby raczej uważnie obserwować i słuchać niż zadawać pytania. Dzięki temu, kiedy nadchodziła odpowiedź – nawet jeśli oczekiwana długie miesiące – była autentycznie ich własna. Dzieci uczono słuchania i poznawania świata przez uważne przyglądanie się wszystkiemu. W plemionach, sposoby radzenia sobie z różnymi sytuacjami ewoluowały właśnie na podstawie obserwacji. Była to naturalna nauka. Życie, pod wieloma względami, bywało trudne. Dlatego od małego wpajano umiejętność zachowywania spokoju i pokonywania trudności bez narzekania. Ceniono ciszę, wierząc, że wydobywa charakter, cierpliwość i pokorę. Miłość do natury, szacunek dla życia, wiara w najwyższą moc oraz zasady prawdy, hojności, szczerości, równości i braterstwa były fundamentami dobrego życia.

Dzieci uczono, by wszystkich członków społeczności traktować jak rodzinę. Każdy człowiek w plemieniu był ich matką, ojcem, babcią i dziadkiem. Dzięki temu dorastały w przekonaniu, że zawsze mogą liczyć na wsparcie i opiekę. Wpajano im także, aby miały szczególny szacunek dla starszych i zawsze u nich szukały porady. Dzięki takiej podstawie, malało ryzyko, że mogły wyrosnąć na sprawiających kłopoty nastolatków.

Bez poczucia międzypokoleniowej więzi, dzieci nie wiedzą skąd pochodzą i dokąd zmierzają.

Jeśli dziecko nie szanuje starszyzny – mówi Babcia Rita z Alaski – *jak może szanować siebie? Szacunek oznacza bycie szczęśliwym i takie zachowanie, że starsi są dumni z tego kim jesteś. W mojej społeczności starzy ludzie to liderzy i przywódcy. Nauczyliśmy się traktować ich jak kotwicę. Kotwica zapewnia łodzi bezpieczeństwo i zapobiega dryfowaniu bez celu.*

Babcie odczuwają niepokój, ponieważ współczesne dzieci cierpią i często zbaczają na manowce z powodu alkoholu i narkotyków. W społecznościach rdzennych mieszkańców Ameryki Północnej, nastolatki mają wielkie problemy. Jedynie garstka praktykuje tradycje, które trzymały ludzi razem i stanowiły część ich kultury przez dziesiątki tysięcy lat. Z powodu wpływu zachodniej kultury i mediów, młodzi ludzie wstydzą się tego kim są. Babcie podkreślają, że jedynym rozwiązaniem jest powrót do tradycji. Młodzi ludzie potrafią reagować na prawdy zawarte w naukach należących do ich rdzennej kultury i dzięki temu zmienić swoje życie.

Babcia Bernadette martwi się o przyszłość dzieci pozbawionych duchowości i wiedzy o tradycyjnym uzdrawianiu, które mogłyby wskazać im drogę.

Nasze dzieci są w niebezpieczeństwie – mówi – *Popatrzcie na młodych. Są jak zagubione, zapłakane sieroty. Musimy zacząć inaczej postrzegać świat. Zamiast rozwiązywać problemy lekami, należy zbudować pomost między medycyną naturalną i nowoczesną, tak aby dzieci mogły zbliżyć się do Ducha.*

Dzieci i młodzież należy nauczać o świętości natury – mówi Babcia Maria Alice – *Musimy powrócić do niej w nowy sposób. Musimy nauczyć dzieci szacunku dla wody, starych drzew, grzybów, ptaków – wszelkiego życia – i uświadomić im, że jesteśmy częścią całego stworzenia.*

Babcia Rita Long Visitor Holy Dance uważa, że aby powstrzymać dzieci przed autodestrukcją należy wytłumaczyć im, że muszą na nowo wziąć za siebie odpowiedzialność.

Muszą uwierzyć, że nadejdą lepsze dni i że same mogą je stworzyć. Muszą nauczyć się jak kreować wspanialsze życie, nie tylko ze względu na obecną rodzinę – mówi Babcia Rita – *ale ze względu na ich własne dzieci i wnuki, które dopiero się narodzą.*

Według Babci Marii Alice dzieciom powinna być przekazana część władzy, aby miały możliwość zmieniania świata.

Pamiętam jak wiele lat temu pewna grupa dzieci zdecydowała, że zgromadzi pieniądze, aby wykupić część lasów deszczowych w Kostaryce. Zakupiono wtedy tysiące hektarów, które obecnie są pod ochroną. Dzieci nie są bezradne, mogą wiele zdziałać.

Kiedy Babcia Rita z Alaski pracuje z dziećmi, które uciekły z domów, towarzyszy im i słucha tak długo jak tego potrzebują. Jest przekonana, że młodzi ludzie uciekają, ponieważ nie potrafią sprostać oczekiwaniom i standardom rodziców, społeczeństwa, szkoły oraz przyjaciół. Nie mają w ten sposób możliwości, aby dowiedzieć się tego kim naprawdę są.

Mówię im, że ich lęki kształtują przyszłość.

W jednym z ćwiczeń, za pomocą którego pracuje z dziećmi i ich problemami, Babcia Rita prosi, aby na spotkanie przyszły ubrane zgodnie z tym jak się czują.

Pokaż mi kim jesteś i co dzieje się w tobie – mówi – *Jeśli musisz, na początku odziej się w łachmany, potem jednak naucz się ubierać bardziej radośnie.*

Rita słucha uważnie nie tylko samych słów, ale również barwy głosu. Dzięki temu lepiej odkrywa prawdę o danej osobie. Według niej jednym z podstawowych problemów jest zbyt częste mówienie dzieciom co mają robić.

Nie akceptujemy ich i nie słuchamy z uwagą. Zamiast bez przerwy je strofować, powinniśmy wsłuchać się w to czego potrzebują i czego pragną. Obawiamy się kierunku, w jakim zmierzają nasze dzieci, ponieważ ich nie słuchamy. Jest jeszcze gorzej. Nie słuchamy nawet samych siebie.

Babcia Agnes mówi, że dzieciom oraz przyszłym pokoleniom należy dać nowy przykład.

Zdrowe wzorce ukryte są w gwiazdach. Scenariusz jest napisany, musimy tylko za nim podążyć. Musimy otworzyć się na energię wskazówek ze świata Ducha.

Babcia Clara mówi, że musimy zwrócić się z modlitwą do Stwórcy.

Ale jaki to bóg dociera dziś do wszystkich umysłów i serc? Bóg „gadającego pudełka" – te-lewizji, ponieważ to ona ma dziś największy wpływ na ludzi. Przez ogrom nieprawdziwych i pomieszanych informacji, sprowadza nasze dzieci na złe ścieżki.

W brazylijskiej telewizji dominują obrazy przemocy i scen seksualnych. Jeden z pierwszych filmów, który oglądała córka Babci Clary, był o małej myszce, mieszkającej w domku na drzewie. Pewnego dnia przyszli źli ludzie i ścięli drzewo. Babcia Clara była w innym pokoju, kiedy usłyszała krzyk córki. Dziewczynka przez łzy wołała – *Mamusiu, proszę zrób coś! Dlaczego oni krzywdzą tą małą myszkę?*

Tego dnia przestraszyłam się mocy telewizji. Przez to, co stało się z małym zwierzątkiem, dziecko przeżyło szok. Wyobraźcie sobie jaki byłby skutek, gdyby zobaczyła inne okropień-stwa świata.

Wszystkie Babcie są zgodne, że ludzie mediów powinni zdawać sobie sprawę jak ogromny wpływ wywierają na umysły młodych ludzi. Babcia Bernadette uważa, że telewizja ma destrukcyjny wpływ na kulturę, rodzinę, szacunek wobec innych, a nawet na las. Dzieci, idąc do szkoły, muszą radzić sobie z agresją wynikająca z ogólnych trendów wychowawczych, dlatego od małego należy im wpajać, aby nie stosowały przemocy. Wiadomo, że agresja rodzi agresję.

Sama będąc nauczycielką pytam, gdzie dziś są nasi wychowawcy – mówi Babcia Bernadette – *Dzieci czują się zagubione. Nie wiedzą co mają robić. Wychowujemy młodych ludzi, którzy nie wiedzą jak postępować i jak żyć. Wszystko, co usiłujemy forsować w nowoczesnym świecie, rozpada się. Mamy przed sobą ponurą perspektywę, biorąc pod uwagę całą destrukcję jaka ma miejsce dokoła.*

Według Heleny Norberg-Hodge należy zbudować szacunek do siebie, bez względu na to ile ma się lat. To on jest podstawą szacunku wobec innych. Zanim do Ladakhu wkroczyła zachodnia cywilizacja, kobieta spotkała tam najszczęśliwszych ludzi na świecie.

Ich szczęście wynikało z głębokiego szacunku do siebie, który zaczęłam postrzegać jako fundament osobistego szczęścia i trzon szacunku dla innych.

W Ladakhu Helena doświadczyła tak głębokiej miłości do siebie, że osobowość i ego przestały mieć znaczenie. W Ladakhu ludzie czuli się kochani i szanowali siebie za to kim są.

Być może brzmi to bardzo romantycznie, ale na podstawie własnych obserwacji, uważam, że kiedy odrzucamy siebie, odrzucamy też innych.

Obecnie, kiedy Ladakh przestał być odizolowaną enklawą, szczególnie młodzi ludzie są niezadowoleni z siebie. Stale porównują się z bohaterami zachodniej kultury. Przesiąknęli materializmem i poddali się władzy globalnej ekonomii, która każe kupować właściwe buty, właściwe marki i właściwe przedmioty. Niestety w znacznym stopniu utracili szacunek do siebie. Przez wpływ współczesnej kultury na młodzież Ladakhu, możemy wyraźnie zobaczyć co dzieje się z młodymi ludźmi cywilizacji Zachodu. W izolacji, tamtejsi mieszkańcy potrafili zachować i przekazać duchowe tradycje – nauki, które wszystkim pozwalały żyć w szczęściu i harmonii z innymi. Teraz kultura ta upada.

Wilma Mankiller zastanawia się jak to się stało, że w pewnym momencie historii, ludzie uznali się za najważniejsze istoty na planecie. Straciliśmy pokorę i zrozumienie, że w rzeczywistości niewiele znaczymy wobec całości stworzenia. Przed Szlakiem Łez, podczas którego zmuszono Czirokezów do opuszczenia macierzystych ziem, ich świadomość miejsca we wszechświecie była tak głęboka, że budowali swoje wsie na kształt konkretnych gwiezdnych konstelacji.

Kiedy wynosimy siebie ponad wszystko inne, przestajemy być karmieni świadomością istnienia w uświęconym związku ze wszystkim co jest. Zdając sobie sprawę, że mamy bezpośredni i autentyczny kontakt z całym wszechświatem, nigdy nie odczujemy osamotnienia.

Charakterystyczne dla każdej pierwotnej społeczności tradycyjne obrzędy, celebrowały i umacniały relacje między jej członkami. Wilma Mankiller mówi, że raz do roku, na południowym wschodzie Stanów Zjednoczonych, w każdej wsi zamieszkanej przez Czirokezów, wznoszono wielkie palenisko i odprawiano całonocną ceremonię. Przed przyjściem na uroczystość wszyscy gasili ogień w swoich domach. Po świętym rytuale, każdy brał tlący się węgiel z głównego ogniska i ponownie rozpalał ogień u siebie. Taki akt utrzymywał ludzi w poczuciu wspólnoty i pomagał dzielić nie tylko przestrzeń geograficzną, ale również wizję świata i poczucie przynależności. Ceremonia utwierdzała we wszystkich wzajemną więź i pokrewieństwo.

W tradycji Babć, wszelkie wspólne obrzędy są ważnym ogniwem spajającym ludzi. Rdzenne społeczności na całym świecie przeprowadzają mnóstwo sezonowych ceremonii. Na przykład każdej wiosny w stanie Utah, aby uwolnić się z pozostałości po długiej zimie i przygotować na wiosnę, Indianie Ute odprawiają ceremonię Tańca Niedźwiedzia. Społeczność Czirokezów ma natomiast swoją doroczną Ceremonię Zielonej Kukurydzy, podczas której świętuje dojrzewanie tej rośliny. Wilma Mankiller twierdzi, że wszystkie obrzędy, które czciły święty związek człowieka z ziemią, były odprawiane od zarania dziejów.

Podczas takich uroczystości najważniejsze jest celebrowanie pokoju – mówi Wilma – *Główną różnicą między moim ludem a światem wokół, jest świadomość świętej relacji z Ziemią, środowiskiem, naturą i wynikająca z tego wdzięczność oraz szacunek.*

Czirokezi oraz wiele innych plemion, postrzega każdy dzień jako coś dobrego, nawet jeśli pogoda krzyżuje plany.

Po prostu przyjmujesz deszcz i idziesz dalej – mówi Wilma Mankiller – *Mój lud wiele wie na temat akceptacji i zadowolenia.*

Czirokezi nie czują presji, aby cały czas być szczęśliwi. Szczęście jest bardzo ulotne, bo zależy od czegoś na zewnątrz nas. Spokój umysłu rodzi jednak głębsze poczucie zadowolenia. U Czirokezów podobnie jak u innych rdzennych społeczności, sezonowe ceremonie pomagają rozbudzić wewnętrzny pokój i uzdrowienie. Reszta należy do Stwórcy.

Ze spokojem w umyśle jesteś w stanie poradzić sobie prawie ze wszystkim – wyjaśnia Wilma – *My, Czirokezi możemy wyglądać na ubogich, ale czujemy się najbogatszymi* ludźmi na świecie. Wciąż mamy własny język, ceremonie, tradycyjne sposoby uzdrawiania, a co najważniejsze, poczucie wspólnoty. Jesteśmy oddani sobie nawzajem. Stanowimy część społeczności. Nieustannie troszczymy się o siebie. Wcale nie darzymy najwyższym szacunkiem tych z nas, którzy zgromadzili duże bogactwo czy osiągnęli wysoką pozycję. Wypracowaliśmy system wzajemnego wsparcia. Pomagamy sobie. Kiedy biali przybyli na ten kontynent, większość z nich pewnie by umarła, gdyby Indianie nie podzielili się swoją mądrością.

Babcia Tsering uważa, że aby przetrwać trudne, obecne czasy, musimy rozwinąć postawę odpowiedzialności za siebie nawzajem.

Świat nie powinien skupiać się jedynie na pomnażaniu dóbr materialnych i gromadzeniu bogactw. Musimy zacząć myśleć o zdrowym współistnieniu i dobrobycie wszystkich ludzi na Ziemi. Mój nauczyciel, Dalai Lama, nie zabiega o pokój jedynie dla naszego państwa, Tybetu, ale pragnie go dla całej planety.

Babcie przypominają, że w okresie planetarnej ewolucji, gdzie czas biegnie szybciej niż kiedykolwiek wcześniej, to nasze obecne wybory zdecydują jak będzie wyglądał świat w przyszłości. W celu uzdrowienia, rozwoju i poszerzenia świadomości – zarówno na poziomie jednostkowym jak i globalnym – musimy zrezygnować z nawykowych zachowań, opartych na lęku, izolacji i konieczności przetrwania. Musimy pójść w kierunku aktywnych wyborów. Ponieważ wszyscy jesteśmy powiązani ze sobą oraz wszystkim dokoła, niski poziom witalności tworzony przez emocje strachu, wstydu, obrony, oceny, oporu czy chciwości, obniża energię wszystkich i wszystkiego wokół. Musimy rozwinąć instynktowną zdolność sięgania po wyższe energetycznie reakcje, oparte na miłości, wdzięczności i nadziei.

Siła Ducha stojąca za naszymi wyborami zmienia świat i życie. Kiedy zdamy sobie sprawę, że jesteśmy czymś znacznie większym niż nasze potrzeby, osobowość i ego, że w istocie pochodzimy z gwiazd, a nasze dusze wciąż ewoluują, nagle znajdziemy się w innym miejscu. Wzbudzimy ukrytą w Stworzeniu jedność. Babcie przypominają, że narodziliśmy się jako święte istoty. Problem w tym, że zapomnieliśmy o tym. Zapomnieliśmy, że Stwórca prosił, aby miłować siebie nawzajem i opiekować się całym Stworzeniem. Nasze serca i umysły muszą na nowo napełnić się tęsknotą za dobrą wolą wszystkich ludzi i Matki Ziemi.

Nic nie należy do nas – wyjaśnia Babcia Rita z Alaski – *Nawet Ziemia nie należy do Ziemi. Wszyscy jesteśmy tutaj, aby służyć wszechświatu.*

Matka Ziemia

Mała niebieska planeta, zawieszona na obrzeżach Drogi Mlecznej, pomiędzy niezliczoną ilością gwiazd, słońc, innych planet oraz galaktyk, karmiła i chroniła ludzkość, zaspokajając wszystkie jej potrzeby, przez dziesiątki tysięcy, jeśli nie milionów lat. Wody na planecie są jej krwią, lasy deszczowe płucami i apteką, a kamienie, których używamy w budownictwie to jej kości. Mimo wszystkich dobrodziejstw, którymi nas obdarza, większości ludziom nawet nie przyjdzie do głowy, aby jej podziękować, pobłogosławić, a tym bardziej, aby się odwdzięczyć.

Babcie mówią, że Matka Ziemia jest świadomą, żywą i czującą istotą, nieustannie ewoluującą w boskim porządku kosmosu – jest boginią samą w sobie. Babciom jest smutno, kiedy myślą o tym, że święte wody planety nie nadają się do picia z powodu zanieczyszczenia, że puszcza Amazońska wkrótce zniknie z jej powierzchni, a ogromna część jej *twarzy* jest zabetonowana i nosi nieprzebrane pokłady śmieci. Babcie odczuwają cierpienie Ziemi, na własnej skórze.

W niecałe sto lat, motywowani żądzą zysku, gromadzenia dóbr materialnych i wygodą, wyeksploatowaliśmy i wyczerpaliśmy wiele naturalnych zasobów, zakłócając delikatną, naturalną równowagę planety. Brakuje nam szacunku dla współistnienia z Ziemią i zagubiliśmy wszelką pokorę wobec Stworzenia. Babcie mówią, że z powodu arogancji, chciwości i zobojętnienia, w istocie przestaliśmy żyć, a zaczęliśmy egzystować. Brak umiaru i chorobliwy materializm doprowadził nas do granicy samozagłady.

Zaprzedaliśmy pomyślność przyszłych pokoleń za cenę natychmiastowych korzyści – mówi Babcia Agnes – *Z powodu duchowej ślepoty, ludzie patrzą na korzyści, a nie zauważają samego życia.*

Nasza planeta choruje od niekończącej się dewastacji, którą powodują sami ludzie – zanieczyszczeń, wycinki lasów, nadużywania mocy, zazdrości i nienawiści – mówi Babcia Bernadette – *Cierpienie planety pokazuje, że zagubiliśmy drogę i tym samym stajemy się coraz bardziej zdezorientowani.*

Pełne okrucieństwa wojny niszczą w nas to co ludzkie i naznaczają traumą przyszłe pokolenia. Przemoc rodzi głód, ubóstwo i choroby. Uśmierca też ideały i rdzenne kultury. Dzieci pozostają sierotami, a członkowie rodzin są rozdzielani na zawsze. Podobnie jak każde drzewo w Afryce reaguje na to ścinane w Amazonii, tak pojedyncza bomba spadająca na Irak odbija się echem na całym świecie, zmieniając na zawsze świadomość planety oraz nas wszystkich. Sieć destrukcji spleciona jest równie zawile, co sieć życia.

Życie jest niezwykle cenne. Każde źdźbło trawy to w rzeczywistości nasz krewny – przypomina Babcia Agnes – *Każda istota jednonożna – Społeczność Drzew – potrzebuje naszego głosu. Podobnie królestwo zwierząt i stworzenia pływające w wodach. Wszyscy proszą o pomoc i nawołują do opamiętania.*

Babcia Agnes wyjaśnia, że w każdym, pojedynczym drzewie funkcjonuje od czterech do pięciu ekosystemów. Co z tego jeśli na autostradach całego świata, potężne drzewa – starożytne olbrzymy – są bezlitośnie przykuwane do tirów i podążają w kierunku tartaków. Wiele z nich wysyła się do Japonii, gdzie przerabiane są na wieże HI-FI, telewizory i sprzęt elektroniczny dla spragnionych konsumentów.

Babcie przypominają, że na najgłębszym poziomie wszyscy jesteśmy połączeni ze wszystkim. To, co robimy Ziemi i Jej mieszkańcom, robimy sobie. Gdy nie porusza nas bezsensowny, egoistyczny wyzysk natury, tracimy jakąś część szlachetności własnej duszy.

Odzwierciedleniem tego, co dzieje się w królestwie natury, jest fakt, że przychodzące na świat dzieci, już w łonie muszą radzić sobie z toksynami organizmu matki – mówi Babcia Flordemayo – *Mleko z piersi skażone jest chemikaliami, pochodzącymi z kremów, szamponów i kosmetyków, nie wspominając o zanieczyszczeniach środowiska, które wpływają na ciało matki.*

Największą tragedią jest to, że niszczących skutków naszych pozbawionych szacunku działań, które stają się coraz bardziej widoczne, można było uniknąć. Przyszłość, podobnie jak przeszłość, jest naszym zbiorowym wyborem.

Babcie podkreślają, że Ziemia od dłuższego czasu nas ostrzega. Jesteśmy wręcz zmuszani, aby Jej posłuchać. Coraz bardziej destrukcyjne zjawiska – potężne huragany, niezliczona ilość tornad, straszne powodzie i druzgocące trzęsienia ziemi – są naturalną odpowiedzią planety. Wskazują na konieczność przywrócenia delikatnej równowagi, niezbędnej do podtrzymania życia na Ziemi. Wszystkie starożytne przepowiednie mówią o tym, że nadszedł czas oczyszczenia. Zanim będzie za późno, ludzkość musi się otrząsnąć, przebudzić i dostrzec spustoszenie jakie sieje dookoła.

Starożytni przekazali ludziom, że naszym zadaniem jest opieka nad zwierzętami i całym naturalnym królestwem. W pochodzących z tradycji Babć mitach stworzenia, zostało powiedziane, że początkowo Stwórca nie przemawiał bezpośrednio do ludzi, więc mądrość i wiedzę czerpano od zwierząt. Sam Stwórca ukazywał się poprzez zwierzęta. Dzięki obserwacji naturalnych królestw oraz gwiazd, słońca i księżyca, ludzkość miała nauczyć się jak w pokojowym współistnieniu żyć na tej planecie. Wszystko na Ziemi powstało w jakimś celu. Na każdą chorobę można było znaleźć uzdrowienie w królestwie roślin. Każdy rodził się z innym celem i misją.

Potrzebujemy zwierząt, by zachować równowagę – wyjaśnia Babcia Agnes – *Jeśli nie zaopiekujemy się ich królestwem, zginiemy szybciej niż nam się wydaje.*

Zwierzęta są często zmuszane do schodzenia z gór i opuszczania lasów, aby w domach na obrzeżach miast szukać pożywienia. Tak dzieje się na przykład z czarnymi niedźwiedziami. W Everglades (ogromne subtropikalne bagno, cenione za dziką przyrodę, w południowej Florydzie – przyp. tłum.), gdzie buduje się nowe osiedla, powstają równocześnie kanały melioracyjne. Niestety mają one zgubny wpływ na tamtejszą przyrodę, a szczególnie na żyjące tam aligatory.

Aligatory nigdy nie żyły w kanałach – mówi Babcia Agnes – *więc wdrapują się na autostrady, gdzie są masowo zabijane przez pędzące samochody lub znajdowane na werandach gospodarstw. Ludzie boją się wychodzić z domu, a przecież aligatory mają takie samo prawo do życia co my.*

Historia stworzenia, należąca do ludu Babci Agnes, a podobna do opowieści o powstaniu świata wielu innych ludów, mówi, że Stwórca obdarzając ludzi rozumem, a więc zdolnością logicznego myślenia, polecił, aby opiekowali się wszelkim stworzeniem. Babcia wyjaśnia, że zostaliśmy tak wyposażeni, po to aby być głosem tych, którzy głosu nie mają. Polecono nam również byśmy używali wszystkich darów natury z umiarkowaniem i podtrzymywali naturalną równowagę.

Niestety odeszliśmy od tych nauk. Obecnie, istoty jednonożne – Naród Drzew – stworzenia pełzające, uskrzydlone i czteronożne nie mają własnej przestrzeni, wtargnięto w ich środowisko. W niektórych miejscach wody planety są tak zanieczyszczone, że nie mogą podtrzymać życia wielu roślin i zwierząt. Musimy koniecznie to zmienić.

Podczas swoich podróży po świecie Babcia Agnes miała możliwość zobaczyć do czego prowadzi masowa wycinka lasów. Nie ma starych drzew, które utrzymywały wilgoć dla nowych sadzonek, więc rośliny wymierają. Starzy ludzie z jej społeczności mówią, że jeśli usuniemy drzewa z wierzchołków gór, nieodwracalnie zmienimy pogodę, ponieważ to właśnie stare drzewa przywołują wiatr i deszcz.

Zakłócane są naturalne kierunki wiatru, niszczy się to, co niegdyś rosło i podtrzymywało ziemię – wyjaśnia Babcia Agnes – *W wielu miejscach betonowanie spowodowało erozję.*

W każdej części świata znajdują się rośliny i zwierzęta, których nie ma nigdzie indziej, a mimo to człowiek doprowadza do ich wyginięcia lub zniszczenia przez rabunkową gospodarkę oraz budowę sklepów, domów i dróg. Babcie mówią, że przyroda nie ma głosu, za pomocą którego mogłaby się bronić i dlatego wiele gatunków odchodzi bezpowrotnie. Aby dać upust swoim zachciankom i fantazjom zmusiliśmy wiele rodzajów roślin, aby rosły w miejscach, które nie są dla nich odpowiednie. Podobnie dzikie zwierzęta, zabierane są z własnego naturalnego środowiska i umieszczane w klatkach, wybiegach albo rezerwatach. Niestety wpływając w ten sposób na ich zbiorową duszę, wpływamy niekorzystnie na naszą zbiorową duszę. Kiedy podróżujemy po Ameryce wszystkie miasta wydają się wyglądać podobnie. Dzieje się tak dlatego, że kopiowana w nieskończoność zabudowa budynków i centrów handlowych zastępuje oryginalne piękno i unikalny charakter każdego miejsca. Członkowie rdzennych społeczności zawsze wiedzieli, że kiedy tracą ojcowiznę, przestają być tym, kim naprawdę są.

Zachowując bliskość z planetą i naturą, ludzie z pierwotnych plemion wiedzą, że istnieje mnóstwo miejsc, gdzie duchowa energia jest szczególnie silna. Ziemia, podobnie jak nasze ciała, posiada aurę, meridiany i kanały energii (ang. ley lines) przechodzące przez miejsca święte i miejsca mocy. Te szczególne skupiska energii przypominają punkty akupunkturowe i czakry w ludzkim ciele. W miejscach uważanych za święte, członkowie pierwotnych ludów odprawiają ceremonie i rytuały. Niestety we współczesnym świecie wartości materialne zbyt często wypierają walory duchowe. Na przykład rurociąg gazowy na Alasce poprowadzono przez święte miejsca rdzennych mieszkańców, nie zdając sobie sprawy jakie pociągnie to za sobą spustoszenie. Święte miejsca nas uzdrawiają. Są dla nas lekarstwem, niezależnie czy należymy do rdzennych społeczności czy nie. Kiedy są bezczeszczone i profanowane, znieważa to nas wszystkich

Tylko dlatego, że jakieś miejsce nie ma kościoła albo wieży, nie znaczy, że nie jest święte – podkreśla Babcia Agnes – *Takie postrzeganie to duchowa ślepota.*

Babcie mówią, że wiele przepowiedni na temat Czasu Oczyszczenia już się wypełniło. Możemy teraz czekać i patrzeć czy spełnią się pozostałe. Powinniśmy za pomocą modlitwy rozpraszać ciemność i prosić o zmianę sposobu myślenia.

Z tego, co mi przekazano – wyjaśnia Luisah Teish – *Ziemia dała nam wystarczającą ilość pożywienia, wody, roślin, pięknych zwierząt i wspaniałych ludzi. Jeśli zapanujemy nad*

własną chciwością, nikt z nas nie będzie musiał żyć w ubóstwie. Przekonamy się, że material-
nie wszyscy już jesteśmy bogaci.

By dotrzeć do tego miejsca, musimy najpierw połączyć się z bogactwem naszych dusz, co w naturalny sposób sprawi, że zechcemy podzielić się wszystkim
czym już zostaliśmy obdarzeni.

Z każdym upływającym rokiem, podnoszące się wibracje wzmacniają swą inten-
sywność, uświadamiając nam prawdziwą duchową naturę. Kiedy żyjemy w energiach miłości, wdzięczności i hojności, dorównujemy zmieniającym się wibracjom
Ziemi. Dzięki temu zmiany, które pojawią się na skutek otrząsania się planety z bólu,
który jej zadaliśmy, nie dotkną nas tak bardzo. My zaś zaczniemy wychodzić z ma-
terialistycznego więzienia, które sami sobie stworzyliśmy. Zaczniemy mierzyć obfi-
tość nie tym ile zgromadziliśmy, ale ile potrafimy dać z siebie.

Babcie mówią, że kiedy zrozumiemy boskość i kosmologię życia, zaczniemy
bardziej doceniać naszą piękną planetę. W czasie wypełniających się przepowiedni, tak naprawdę to my wybieramy czy zniszczymy Matkę Ziemię i siebie. Już
teraz każdy z nas musi zdecydować czy chce żyć mądrze, czując bezwarunkową
miłość. Czy w obliczu dramatycznych zmian na Ziemi wybierzemy przebudzenie
do wyższego poziomu świadomości? Czy wybierzemy życie?

Wszędzie tam, gdzie woda lub ziemia są zagrożone Babcia Agnes jest proszona o modlitwę. Tak jak w przypadku Ceremonii Łososia, jej prośby są bardzo
skuteczne. W miarę jak odzyskiwana jest przestrzeń wodna dla łososi i z roku na
rok wzrasta ich liczba, zauważono, że równocześnie powracają w tamte miejsca
dawne rośliny i inne gatunki ekosystemu, co poprawia zdrowie dzieci i jest dobrą
prognozą dla przyszłych pokoleń.

Tam gdzie się znajdujemy, bez względu na to czy jest to nasz dom, miasto
czy planeta jako całość, nie chodzi o samo egzystowanie, ale opiekę i tworzenie
takiej przestrzeni, w której wszystko może kwitnąć i współistnieć ze sobą. Babcie
mówią, że stworzenie prawdziwej przestrzeni do życia wymaga czasu i rytuału.
Ekosystem sam w sobie jest tak skomplikowany, że nawet najwięksi naukowcy
nie są w stanie go zrozumieć i kontrolować. W tym przypadku zamiast wiedzy,
potrzebujemy raczej szacunku dla tajemnicy. Da to o wiele większe zrozumienie
niż jest w stanie osiągnąć nauka. W rzeczywistości prawdziwa esencja cywilizacji
jest odkrywana dzięki pokornej obserwacji naszego miejsca w całym Stworzeniu.

Jeśli chcemy stworzyć nową rzeczywistość i nowe przymierze, ludzkość musi zacząć po-
rozumiewać się z naturą – mówi Babcia Bernadette – *Musimy poznać jej podstawową,*

tajemną mowę, którą nieustannie do nas przemawia. Musimy nauczyć się języka, który zawsze rozumieli wspaniali prekursorzy.

Prawdziwej zmiany nie przyniesie przepychanie ustaw czy rozwój technologii. To, co należy rozszerzyć to przede wszystkim głębokie, bliskie połączenie z Ziemią i zrozumienie naszego miejsca we wszechświecie.

Jednym ze sposobów na stworzenie bardziej bezpośredniej łączności z planetą jest odprawianie rytuałów, ceremonii i obrzędów. Rytuały i ceremonie to doskonalone na przestrzeni tysięcy lat, przez członków pierwotnych społeczności, złożone duchowe techniki, celebrujące porządek świata i danego miejsca. Cykliczne obrzędy i ceremonie dotyczą całej wspólnoty, włączając w to świat roślin, zwierząt oraz ziemi.

Rytuały i ceremonie nie tylko budzą szacunek dla naszej współzależności z naturalnym środowiskiem, ale otwierają przestrzeń w taki sposób, że możemy odnaleźć swoje miejsce w naturze, ofiarują niezbędny klucz do stworzenia samowystarczalnej kultury i przywrócenia równowagi. Babcie mówią, że właściwy związek z ziemią i światem przyrody wymaga zaangażowania całej naszej istoty. Nie możemy postrzegać tego co nas otacza jedynie za pomocą praktycznej, racjonalnej lewej półkuli mózgu, ale musimy poczuć więź w sposób, który wydaje się potężniejszy niż my sami. Musimy zaangażować intuicyjną i twórczą prawą półkulę w świętowanie, muzykę, sztukę, taniec, gry oraz mitologię. Wtedy będziemy w stanie połączyć świadomość z nieświadomością, a utrzymując połączenie z samym sobą zdołamy trzymać się z dala od tego, co negatywne. Dzięki temu, po zakończeniu rytuału znajdziemy się w zupełnie innym miejscu, zarówno na poziomie psychologicznym jak i duchowym.

Każda ceremonia angażuje ducha danego miejsca i tworzy obwód energii, w którym uczestniczy cały kosmos. Z odnowionym połączeniem i duchowymi mocami niewidzialnych światów, do których sięga rytuał, odzyskujemy siłę naszej uśpionej mądrości i stajemy się świadomymi ekologami. Zdajemy sobie sprawę jak wiele możemy wziąć z danego miejsca, aby nie zakłócić naturalnej równowagi, ponieważ energia przepływa między wszystkimi rzeczami, włączając w to ludzi. Obrzędy i ceremonie są formą modlitwy, a nasze modlitwy za świat są największą uzdrawiającą i odnawiającą siłą.

Do przeprowadzenia rytuału bądź ceremonii zawsze wymagany jest odpowiedni kontekst historyczny, kulturowy i wspólnotowy. Pierwotnie większość miejsc na Ziemi zamieszkiwały rdzenne społeczności, zanim nie zostały wyplenione przez to, co nazwano cywilizacją. Obecnie odkrywane są starożytne rytuały, ceremonie i celebracje, które wciąż pozostają bardzo prawdziwe i autentyczne dla danego miejsca. Mogą one stworzyć więź z rozwijającą się tam kiedyś kulturą oraz wzmocnić łączność z naturą. Wszystkie rytuały posiadają wiele wymiarów i znaczeń. Najważniejsze dla ich powodzenia jest poczucie żywotności – ze starych obrzędów musi być wydobyte coś świeżego, aby mogły przynieść korzyści.

Babcia Tsering mówi, że w Tybecie, tradycyjne obrzędy i ceremonie były bardzo otwierające i wnosiły wiele przestrzeni w życie mieszkających tam ludzi. Często za ich pomocą wyrażano szacunek dla natury.

Wierzyliśmy, że bóstwa istnieją w przyrodzie. Ze względu na wielki respekt przed nimi, nigdy nie rozkopywaliśmy gór.

W tradycjach rdzennych plemion całego świata, narody, stany, szkoły i uniwersytety posiadają zwierzę, kwiat lub drzewo jako swój symbol. W kulturze Indian Ameryki Północnej wybierano z natury zwierzęta – totemy, które wyrażały moc, dobroć albo podziwianą jakość lub cechę charakteru, do której należało dążyć. Często totem uważano za nauczyciela i opiekuna. Zazwyczaj totemem stawało się zwierzę, na którym najbardziej polegała dana społeczność. Totem zawsze symbolizował współzależność i współistnienie. Wierzono, że zwierzęta są w stanie lepiej zrozumieć ludzi, niż na odwrót.

Totemem plemion basenu Oceanu Spokojnego jest łosoś. Był on także symbolem niektórych plemion celtyckich Starej Europy. Oprócz faktu, że stanowił podstawowe źródło pożywienia, przypominał ludziom o wielkości i jedności świata. Jednocząc się i łącząc z łososiem, ludzie zdobywali umiejętność opiekuńczości i odwagi, natomiast na głębszym poziomie zaczynali rozumieć znaczenie świętych związków.

Legenda głosi, że bizony były darem od Kobiety Biały Bizon. Siuksowie byli od nich bardzo zależni. Bizony dostarczały im pożywienia, ubrań i dachu nad głową. Uważano je za zwierzęta święte. Życie, śmierć i odrodzenie odgrywano w rytuałach i ceremoniach. Odzwierciedlało to głębokie zrozumienie i szacunek dla wszystkiego co istnieje. Niestety, w mniej niż dziesięć lat, wybito dla sportu setki tysięcy bizonów, zachęcając do tego osadników i pionierów, którzy z pewnością nie mieli pojęcia o świętej jedności Stworzenia.

Pogarda i odrzucenie *Innego* – wyjaśnia Babcia Bernadette – *wskazuje na różnego rodzaju formy dyskryminacji.*

Babcie przypominają, że jako dzieci Ziemi, powinniśmy kochać siebie nawzajem i okazywać szacunek całemu Stworzeniu. Gdziekolwiek pojawia się jakaś forma dyskryminacji – zwłaszcza pomiędzy religiami – nie ma zrozumienia prawdziwej duchowości. To niestety zmniejsza nadzieję na kontynuację życia na Ziemi.

Jednym ze sposobów uzyskania większej świadomości jest wgląd w swoje wnętrze i uszanowanie silnego przyciągania do konkretnego dzikiego zwierzęcia, drzewa, rośliny czy miejsca na Ziemi. Wszyscy ludzie posiadają osobiste totemy. W tradycjach Babć naucza się, że ludzie muszą wykazać, że są warci tego, z czym odczuwają więź. Mogą mieć w tym celu sny i wizje, które będę oczyszczać ich życie. Studiuj zwierzę, które cię przyciąga. Poczuj jego niewinność i wielowymiarowość. Dzięki temu lepiej poznasz siebie. Może chodzi o jakość, którą masz rozwinąć, a może coś, co wymaga w tobie uszanowania. Rdzenne tradycje uczą, że zwierzęta pragną komunikować się z ludźmi, ale to ludzie muszą się o to postarać. Dzięki temu uzyskają większą świadomość i przebudzenie.

Babcie mówią, że możemy dokonać zmiany, ale nie mamy zbyt wiele czasu. Już teraz musimy powstrzymać dewastację natury. To najlepszy moment, aby zlikwidować plagę głodu, która nigdy nie powinna była powstać. W szczególności Stany Zjednoczone powinny zrozumieć jak wielkim błędem jest marnotrawstwo. Powinniśmy przyłączyć się do tych, którzy już walczą o Matkę Ziemię, starając się podnieść jakość życia na tej pięknej planecie. Babcie podkreślają, że działając wspólnie mamy moc, aby dokonać koniecznych zmian.

Należy zachęcać mieszkańców miast, aby rekultywowali stare place w ogrody – mówi Luisah Teish – *Uprawiajcie ziemię i zobaczcie co wyrośnie. Patrzcie jak przylatują tam ptaki. Dbanie i uczestniczenie w życiu natury w ogrodach i parkach może powstrzymać to, co negatywne.*

W celu stworzenia zdrowszych warunków życia dla ludzi, w niektórych miastach, na dachach wieżowców sadzi się drzewa i inne rośliny. Można też zadbać o miejscową wodę, pilnując, aby rolnicy nie zanieczyszczali rzek i strumieni karmą oraz lekami dla bydła. Na różne sposoby można zatroszczyć się o ziemię, powietrze i wodę. Babcie mówią, że kiedy mamy czysty i zrównoważony umysł, otwarte serce i chętnego ducha, możemy dokonać niezwykłej zmiany w miejscu, w którym mieszkamy. Mamy przed sobą długą drogę, która wymaga codziennej świadomości.

Zapominamy, że wszystko pochodzi od Matki Ziemi, nawet ubrania, które nosimy – mówi Babcia Agnes *– Zaprzeczamy temu, co robimy. Musimy zobaczyć samych siebie w szerszej perspektywie. Wszyscy wdychamy to samo powietrze. Sprawmy więc, aby było czyste i zdrowe.*

Ziemia i żywioły mają wielką zdolność regeneracji. To, że życie zatacza krąg, jest świętym prawem. Kiedy ludzie są otwarci na nową wiedzę i chcą zmieniać swoje postępowanie kiełkuje nadzieja. Możemy zregenerować ziemię przez pojednanie i powrót do świętych ceremonii. Współczesna nauka nie jest ojcem rytuałów, ale ich wnukiem. Fizyka kwantowa potwierdza to dopiero teraz, ale poruszanie energii poprzez ceremonie i obrzędy było wykorzystywane do uzdrawiania od tysięcy lat. Babcie przypominają, że niegdyś wszyscy nasi przodkowie czcili Ziemię i używali rytuałów, zapewniających Jej równowagę. Ważne jest, aby odzyskać ten szacunek i wdzięczność oraz odnowić to co zostało zatracone.

Według Babci Agnes musimy być ostrożni w tym jak traktujemy każde źdźbło trawy. Powinniśmy wreszcie zrozumieć, że to dzięki drzewom i innym roślinom mamy możliwość życia na tej planecie, ponieważ wdychamy oczyszczane przez nie powietrze. Większość ludzi nie zna nawet historii miejsc, po których chodzi.

Starszyzna od zawsze przypominała, aby w celu uzdrowienia i przywrócenia równowagi, udawać się nad oceany, rzeki i strumienie oraz przywoływać duchy wody. Kiedy czujesz się źle, idź do Matki. Nawet zwykły prysznic lub kąpiel są w stanie wiele zmienić. Obecnie nauka wyjaśnia to, co Starożytni wiedzieli od zarania dziejów – ujemne jony wody wpływają na umysł i działają jak antydepresant.

Luisah Teish przypomina, że mimo swoich osiągnięć, wcale nie jesteśmy największą ani najmądrzejszą cywilizacją jaka istniała na tej planecie. Ewolucja nie jest linearna, lecz przebiega w sposób spiralny.

Na Ziemi żyli ludzie o dużo większej inteligencji niż nasza. Dlatego musimy zrezygnować ze wszystkich starych paradygmatów.

Wszyscy jesteśmy połączeni z wielorybami, wilkami, niedźwiedziami polarnymi i całym Stworzeniem. Babcie mówią, że powinniśmy modlić się o to, aby platformy wiertnicze nie zakłócały migracji karibu, ponieważ dotknie to każdego z nas. Kiedy odczuwamy magnetyzm ziemi, ma nam to pokazać, że jesteśmy mocno połączeni z tym co jest w naturze i co wibruje poprzez nasze ciało.

Musimy nauczyć dzieci nowego sposobu życia, aby przyszłe pokolenia mogły doświadczyć ofiarowanego przez Stwórcę piękna i obfitości. Musimy z pokorą modlić się do kamieni, drzew, nieba, gór, świętych wód, ptaków oraz zwierząt, aby pomogły nam i udzieliły mocy do uzdrowienia, większej służby i radzenia sobie z przeciwnościami.

Prześladowanie

Średniowieczne bulle i papieskie dekrety, podpisywane przez papieża Aleksandra, usankcjonowały prawnie prześladowanie rdzennych kultur. Stało się to w momencie, gdy Krzysztof Kolumb eksplorował Nowy Świat – nowy dla europejczyków, ale pradawny dla wysoce cywilizowanych ludów żyjących od tysięcy lat w Amerykach, Afryce i Oceanii.

Niestety na całym świecie związek pomiędzy państwami/stanami, a ludami plemiennymi nadal oparty jest na *doktrynach podboju*, które usprawiedliwiały podbój ziem *pogańskich ludów*. Dekrety papieskie przyznawały zwierzchnictwo narodom europejskim nad ziemiami zamieszkiwanymi przez społeczności plemienne od tysięcy lat. Rozpoczęły również katastrofalny łańcuch wydarzeń, który ostatecznie doprowadził do całkowitego zawłaszczenia ziem zamieszkiwanych przez rdzenne plemiona.

Chociaż bulle i dekrety papieskie napisano ponad pięćset lat temu, wciąż obowiązują i pozostają duchową, prawną i moralną podstawą wymierzania sprawiedliwości pierwotnym społecznościom. Babcie mówią, że usprawiedliwienie dla doktryny podboju rozprzestrzeniło się na całym świecie jak rak, rozpoczynając nie tylko gwałty i ograbianie rdzennych ludów, ale także trwające do dziś plądrowanie zasobów ludzi słabych i bezbronnych.

Obecnie, podobnie jak odkrywcy i pionierzy, którzy rozprzestrzenili się w obu Amerykach, niszcząc środowisko, dziesiątkując i prawie doszczętnie niszcząc całą populację rdzennych ludów, materializm promowany przez globalną ekonomię niszczy demokrację, wspólnotę, różnorodność kulturową i duchowość. To, co uczyniono rdzennym ludom na całej ziemi w imię kolonializmu i wiary w prawne doktryny podboju, jest czynione nam wszystkim w myśl zasady – *zrabuj i uciekaj.*

Niepohamowany materializm i konsumpcja doprowadziły do degradacji środowiska, groźnych zmian klimatu, wojen, terroryzmu, ekstremalnego ubóstwa i zagrożenia nuklearnego –

mówi Helena Norberg-Hodge – *Musimy ocalić samych siebie od konsekwencji własnego błędnego zachowania.*

Helena twierdzi, że w obliczu działań ogromnych korporacji, nawet władza polityków i rządzących przestaje mieć znaczenie. Międzynarodowe instytucje mogą bez problemu przejąć władzę nad każdym rządem. Takie firmy jak Halliburton miały możliwość działania na terenie Iraku, niedługo po zbombardowaniu go przez Stany Zjednoczone, a nawet w Nowym Orleanie po niszczącym huraganie Katrina, odbierając tamtejszym mieszkańcom swobodną możliwość odbudowania miast. Korporacyjna ekonomia odbiera wszystkim dostęp do ich własnych umiejętności i zasobów. Przybysze z zewnątrz, zarówno w Iraku jak i Nowym Orleanie odebrali lokalnym społecznościom szansę samodzielnej regeneracji, w bardzo podobny sposób, jak rdzenne ludy zostały pozbawione swojej ziemi. Rezultaty w obu przypadkach były podobne. Ludzie w swoich ojczyznach nigdy już nie będą tymi za kogo się uważali.

Według Heleny, współczesne niszczenie integralności dokonuje się w bardziej subtelny sposób. Bogactwa ziemi nie są już faktycznie w rękach społeczeństwa, ale w pozbawionych korzeni kasynach finansjery.

Babcie mówią, że ludzkość nie przetrwa, jeśli nie odnajdzie nowej drogi postrzegania i istnienia, rezonującej z pradawnymi tradycjami i praktykami rdzennych ludów, które przetrwały próbę czasu i bazują na zdrowej relacji z Ziemią.

Babcia Agnes jest potomkinią Szlaku Łez – marszu rdzennych Amerykanów, wypędzonych z własnych ziem. Jej współbracia nie mieszkają już w miejscach, które otrzymali od Stwórcy pod opiekę. Zostali wygnani przez nowych osadników, górników.

Kiedy miały miejsce wydarzenia 11 września 2001 roku, wszyscy mówili, że to najgorsza tragedia jaka dotknęła Stany Zjednoczone – mówi Babcia Agnes – *To nie prawda. To sposób traktowania Pierwotnych Narodów tej ziemi jest największą tragedią i hańbą tego kraju.*

Najwcześniejsze wspomnienia Babci Margaret Behan z ludu Czejenów pochodzą z okresu kiedy miała pięć lat i mieszkała razem z dziadkami w dwupokojowym domu. Każdego ranka babcia przypominała jej – *Nie zapominaj, że to biali ludzie nas zabili!*

Jako mała dziewczynka nie rozumiałam tego – mówi Babcia Margaret – *Przecież żyłam, nie byłam martwa.*

Babcia Margaret, przedstawicielka piątego pokolenia po masakrze nad Sand Creek, jest ofiarą traumy pokoleniowej, spowodowanej prześladowaniami, wojną i przemocą. Na przykładzie jej życia możemy zrozumieć, jak przez kolejnych pięć pokoleń mieszkańcy Iraku będą musieli radzić sobie z piętnem wojny oraz jak duża część ludzkości doświadcza bólu i będzie cierpieć przez traumę wytworzoną przez konflikty zbrojne i prześladowania z przeszłości.

Fakt, że Czejenowie byli ostatnim narodem Indian wysiedlonym do rezerwatów, a współbracia Babci Margaret walczyli o wolność do końca, odbudowuje poczucie dumy i jest ważną częścią historii, opowiadanej obecnie wnukom. Kobieta wyjawia wiele szczegółów dotyczących czasów, kiedy żołnierze przybyli na ich ziemie i mordowali jej przodków. Wnuki nie mogą zrozumieć dlaczego biali robili takie rzeczy.

Mówię im, że żołnierze i biali osadnicy potrzebowali ziemi, a nasza skóra nie była biała – opowiada Margaret *– Nie chcę opisywać tych trudnych momentów, ale czuję, że muszę, bo to prawdziwa historia. Żołnierze odcięli piersi naszej praprababce. Dlaczego okaleczali i zabijali kobiety i dzieci? Ponieważ były słabe i bezbronne. Ludobójstwo moich współbraci nie jest czymś co mogę ot tak przepracować idąc do psychologa. Na to nie ma szybkich odpowiedzi.*

Masakra Indian nad Wounded Knee – strzelanie do płodów w kobiecych brzuchach, jakie miało tam miejsce – jest częścią traumatycznej spuścizny ludu Lakota. Babcie Rita i Beatrice dorastały słuchając opowieści o tym jak żołnierze wycinali dzieci z łon matek, podrzucali je w górę i strzelali jak do kaczek.

Te dzieci były naszą świętością, ale nie przeszkadzało im to – mówi Babcia Rita.

Biali osadnicy przywozili na nasze ziemie różne rzeczy – mówi Babcia Rita *– Najgorsze jednak były alkohol, szkodliwy tytoń i złe używki. Nasze dzieci i wnuki nie pamiętają tego. Są pod zbyt wielkim wpływem alkoholu i narkotyków.*

Pokolenia narodzone po ludobójstwie rdzennych społeczności są osłabione nie tylko przez traumę z przeszłości, ale także dlatego, że ich DNA nie jest w stanie znieść wpływu narkotyków i alkoholu.

Pośród naszych potencjalnych przywódców przyszłości, są dzieci cierpiące na zespół alkoholowy płodu – mówi Babcia Rita *– Prawdopodobnie nigdy nie wykorzystają w pełni swoich możliwości ze względu na zgubny wpływ używki na ich ciała. Naszym największym wyzwaniem jest uzdrowienie tej traumy, zarówno w naszych dzieciach, jak i wszystkich, którzy urodzą się w przyszłości.*

Powrót do korzeni i miejsc, z których się wywodzimy przywraca zdolność regeneracji sił. Alice Walker mówi, że kultywowanie tradycji utrzymuje połączenie i więzi. Bez nich tracimy siły. Kiedy młodzi ludzie zaczynają rozumieć swoją przeszłość i pochodzenie, w naturalny sposób odzyskują moc i są o wiele mniej narażeni na nadużywanie alkoholu, narkotyków, ryzykowny seks czy liczne choroby. Znajomość choćby jednej historii, dodaje sił, nawet jeśli dotyczy przemocy i straty. Dzięki temu maleje prawdopodobieństwo, że przyszłe pokolenia będą znęcać się nad swoimi dziećmi. Członkowie rdzennych społeczności muszą powrócić do korzeni i przypomnieć sobie własną historię.

Transatlantycki handel niewolnikami, podczas którego złapano i uwięziono dwanaście milionów ludzi, szczególnie z Afryki Zachodniej to kolejny przykład holokaustu ludów pierwotnych.

Moi czarni współbracia mają przodków, którzy przetrwali zabójcze podróże statkami i życie na plantacji – mówi Luisah Teish – *Mimo tortur i poniżania nie poddawali się. Zawsze przypominam młodym ludziom, aby w momentach lęku czy obaw przywoływali swoich przodków. Moc praojców stworzy wokół nich ochronny krąg.*

Gloria Steinem mówi, że Stany Zjednoczone powstały na fundamencie przemocy. Obecny zalew agresji w telewizji jest ściśle powiązany z bezprawiem początków tego kraju.

To państwo jest jak dziecko, które samo doświadczyło nadużyć i ma tendencję do ich odtwarzania, dopóki nie pojmie co się wydarzyło i nie poradzi sobie z tym. Wszyscy możemy wiele zyskać dzięki otwartej i szczerej rozmowie o tym, co uczyniono rdzennym ludom, które nie wiedząc co je czeka przyjęły nas tak ciepło na swoich ziemiach.

Gloria mówi, że nagrodą za szczere przyznanie się i wejrzenie we wszystkie okrucieństwa, które miały miejsce, będzie dostęp do mądrości rdzennych mieszkańców Ameryk.

Odczuwamy dotkliwy brak wspólnoty, brak duchowości. Mamy tak wiele do zyskania, ale najpierw musimy stanąć twarzą w twarz z przemocą z przeszłości, wydobyć ją na światło dzienne.

Wojny istnieją od bardzo dawna – mówi Babcia Maria Alice – *Uważam, że sama ich idea pojawia się w umyśle człowieka, kiedy on oddala się od Boga. To błędne przekonanie, że może być kimś więcej od swoich braci i sióstr, zamiast zdać sobie sprawę, że wszyscy jesteśmy równi i mamy boskie korzenie. Taki typ człowieka rywalizuje z Bogiem. Myśli, że może zająć Jego miejsce. Chce być czymś więcej, zapanować nad roślinami, zwierzętami i wodą. Tak rozumiem przyczyny powstawania wojen i wszelkiego rodzaju prześladowań. Pokój rodzi się z dokładnie przeciwnego podejścia. Kiedy czujemy, że jesteśmy braćmi i siostrami z wszelkim stworzeniem i kiedy odczuwamy piękno samego Boga, zaznajemy ukojenia.*

Łatwo jest wszczynać wojny – mówi Babcia Beatrice – *Trudniej pozbyć się zazdrości, chciwości i negatywnych emocji w stosunku do ludzi o innym kolorze skóry. Musimy trochę* się wysilić. *Wierzymy, że aby doświadczyć pokoju nasze myśli powinny być prawdziwe i dobre. Pomimo ludobójstwa w całych Stanach Zjednoczonych, nasi współbracia wciąż modlą się o pokój. Robimy to za pomocą ceremonii fajki. Tańczymy też Taniec Słońca i celebrujemy poszukiwanie wizji. Praktykujemy siedem świętych rytów. Modlimy się, aby wszystkie rasy ludzi przyłączyły się do tych modlitw.*

Babcie podkreślają, że nie jesteśmy w stanie przerwać łańcucha przemocy na świecie bez uzdrowienia tych, którzy ją wywołują. Musimy budować na bólu przeszłości z uczciwością – także uczciwością wobec naszych dzieci. Nie powinniśmy udawać, że cierpienie nie miało miejsca. Ale pamiętając o dawnym bólu nie możemy mu ulegać. Złość sama w sobie może być transformującą siłą. Prawdziwe uzdrowienie dokona się wtedy, gdy oddamy głos bólowi i przygarniemy go. I nie ważne czy jesteśmy sprawcą cierpienia czy jego ofiarą. Tylko dzięki temu, że poradzimy sobie z przeszłością, będziemy mogli zobaczyć rezultaty naszych działań w teraźniejszości.

Jestem Babcią, która przemawia w imieniu moich wnuków i kolejnych siedmiu pokoleń. Uważam, że musimy zdać sobie sprawę, że wszyscy jesteśmy dla siebie lustrami – mówi Babcia Margaret – *Biali ludzie pytają jak mogę ich kochać, a ja odpowiadam, że widzę w nich siebie.*

Niszczenie kulturowego dziedzictwa było świadomym celem osadników i misjonarzy przybyłych na nowe ziemie. Babcie mówią, że dla rdzennych mieszkańców Ameryk i wielu innych ludów na świecie, szkoła była podstawowym instrumentem ucisku, deformującym podstawowe wartości. To właśnie tam młodym ludziom nie pozwalano mówić w ojczystym języku ani praktykować tradycji. Najczęściej przez dziewięć miesięcy w roku dzieci mieszkały w internacie, co zmniejszało wpływ rodziny i bardzo osłabiało wzajemne więzi.

W szkołach bardzo efektywnie niszczono poczucie własnej wartości. Rozbudzano nowe pragnienia oraz niezadowolenie. Zakłócano tradycyjną kulturę – mówi Helena.

Prześladowanie trwa nadal. Helena uważa, że stopniowa degradacja kultur – nawet naszej dominującej – odbywa się głównie za pośrednictwem telewizji. Chociaż nie jest to fizyczna forma ucisku, jego skala i efekty sieją ogromne spustoszenie. Podobnie jak niegdyś w szkołach misyjnych, obecnie młodzi ludzie są celem reklam i manipulacji, ponieważ ich umysły są bardzo podatne na różne wpływy. Telewizja i internet wzmocniły presję na zakup produktów, dzięki którym można przystosować się do ujednoliconej kultury globalnej wioski. Przemoc nie jest fizyczna, ale jest stosowana wobec naszej duszy. Coraz więcej młodych ludzi, a także dorosłych, którzy nie przystają do zachodniego ideału piękna (a większość ma takie mniemanie), wstydzi się tego kim jest. W głębi serca narasta niezadowolenie, które staramy się wypełnić narkotykami, bądź dobrami materialnymi.

Współcześni rdzenni mieszkańcy obu Ameryk, a także Afroamerykanie to pokolenia odległe czasowo od pierwotnej traumy, a jednak ich cierpienie wciąż trwa. Babcie mówią, że jeśli przyjrzymy się uważnie temu, przez co na naszych oczach przechodzi Tybet, zrozumiemy co dla ludzkości oznacza zniszczenie wielkich cywilizacji, takich jak Majowie, Inkowie, Aztekowie czy inne pierwotne społeczności obu Ameryk.

W krótkim czasie, od momentu rozpoczęcia chińskiej okupacji w 1950 roku, pradawna i wspaniała kultura, tradycje i ekosystemy Tybetu są na skraju likwidacji. Mały kraj, niegdyś tak uduchowiony, w którym istniało tysiące zakonów pełnych mnichów i zakonnic, odchodzi do przeszłości. Dzisiaj, chiński agresor nie pozwala Tybetańczykom na praktykę swojej religii na terenie własnego kraju. Od momentu najazdu zniszczono ponad sześć tysięcy klasztorów, świątyń i kapliczek. Jako bezpośredni rezultat okupacji, ponad milion Tybetańczyków umarło w wyniku walki, przymusowej pracy, egzekucji, tortur, samobójstw i głodu. Ponad sto tysięcy uchodźców, włącznie z Dalai Lamą i Babcią Tsering, z trudem zbiegło do Indii i Nepalu.

Tybetanki, a wśród nich Babcia Tsering, stoją na czele walki swojego narodu o niepodległość i samostanowienie. To właśnie kobiety, w 1959 roku, zaplanowały i poprowadziły największe powstanie przeciw chińskiej okupacji. Kobiety kontynuują swoją działalność, pomimo nieludzkiego traktowania, poniżania, wykorzystywania seksualnego i torturowania w sposób, który przekracza wszelkie wyobrażenia. Według *Tibet Justice Center*, zarówno na kobietach jak i mężczyznach, wykorzystuje się pastuchy elektryczny i psy bojowe. Podobnie jak kobietom z plemienia Czejenów i przedstawicielkom innych rdzennych społeczności, Tybetankom odcina się piersi. Mimo tego one wciąż trwają w walce o niezależność. Babcia Tsering mówi, że emigranci zdają sobie sprawę, iż zachowanie tybetańskiej kultury i języka zależy od tych, którzy uciekli, ale sam Tybet niestety umiera. Aby znaleźć pracę we własnym kraju, wymagane jest posługiwanie się chińskim językiem, którego doskonalenie wymaga wielu lat. W rezultacie wielu Tybetańczyków nie ma nadziei na znalezienie stałego zajęcia. Zabronione jest noszenie tradycyjnego stroju. Odcięci od korzeni, kultury i tradycji, które ewoluowały naturalnie z ich Ziemi, Tybetańczycy tracą nadzieję. Dusza całego kraju – jednego z najbardziej uduchowionych na planecie – wkrótce zniknie bezpowrotnie. Obecnie jedynie trzydzieści procent Tybetu jest zamieszkiwane przez rdzennych Tybetańczyków. Procent ten jeszcze zmaleje, gdy zostanie ukończona budowa linii kolejowej łączącej Chiny z Tybetem (data ukończenia projektu 2007 rok; w oryginale książkę wydano w roku 2006 – przyp. tłum.).

Tybet nie jest rodzimym krajem Chińczyków, więc nie żywią wobec niego takich uczuć jak rdzenni Tybetańczycy. W górach, niegdyś traktowanych z szacunkiem, okupanci zakopują radioaktywne odpady. Ziemia jest raniona, a cały Tybet staje się miejscem skażonym. Matka Ziemia, zamiast żywić tamtejszych mieszkańców, tak jak robiła to przez tysiące lat, staje się kolebką śmierci i nie ma możliwości, aby odwrócić to zagrożenie. Tybetańczycy są smutni, że świat pozostaje obojętny na ich los i cierpienie.

Aby zachować kulturę Tybetu – mówi Babcia Tsering – *my kobiety, których pamięć jest wciąż żywa, musimy uczyć nasze dzieci i wnuki. W przeciwnym razie współczesna cywilizacja utraci piękną kulturę, ze swoimi wyjątkowymi naukami.*

Babcia Tsering wierzy, że uchodźcy mają szczęście. Ci, którzy uciekli przed chińską inwazją i okupacją Tybetu wciąż znają swój język i praktykują dawne obyczaje. Na obcej ziemi radzą sobie jak mogą, zachowując tybetańskie stroje, tańce, język i kulturę.

Podczas gdy tragedia Tybetu jest przykładem w jak nieludzki sposób traktowane są rdzenne społeczności na całym świecie, historia Ladakhu jest lustrem tego, co wszyscy tracimy, kiedy zachęcani przez międzynarodowe korporacje patrzymy na świat jak na globalną wioskę. Helena doświadczywszy na własnej skórze fałszu takiego podejścia, z całym jego zamaskowanym uciemiężeniem, przez ostatnie trzydzieści lat stara się o tym opowiedzieć. Dzięki temu, że mogła obserwować Ladakh jeszcze zanim wtargnął do niego nowoczesny świat, miała możliwość zobaczyć prawdopodobnie ostatnich, naprawdę wolnych ludzi na tej planecie.

Helena widziała wspaniale rozwijającą się kulturę i wolnych ludzi pomimo tego, że żyjąc na Płaskowyżu Tybetańskim, na wysokości ponad dwóch tysięcy metrów nad poziomem morza, gdzie okres wegetacji trwa zaledwie cztery miesiące, a do nawadniania używa się wody z lodowca, mieli jedne z najtrudniejszych warunków na świecie. Tamtejsi mieszkańcy rozwijali się, zmieniali i ewoluowali, ale według własnych zasad, zgodnie z własnymi wartościami i potrzebami. Udało im się uciec przed niewolnictwem i pracą przy uprawie bawełny w Europie. Uniknęli również zamiany ich kraju w państwo kawy, cyny czy czegokolwiek innego, na co było zapotrzebowanie w imperium Centralnej Europy.

Architektura Ladakhu była wspaniała i niezwykła – trzypiętrowe budynki, wszystkie pomalowane na biało z pięknie rzeźbionymi balkonami. Nie było odpadów, ani zanieczyszczeń, a przestępczość właściwie nie istniała. Kobiety nosiły biżuterię z turkusów, złota, srebra i pereł, co świadczyło o ich zamożności.

Bogactwa było więcej niż to konieczne. W istocie biżuteria służyła jako przedmiot wymiany – wyjaśnia Helena – Byłam tym zdumiona. Mieszkańcy wsi zaspokajali swoje potrzeby bez pieniędzy. W trakcie podróży po świecie, nigdy czegoś takiego nie widziałam. Pokazało mi to, że rosnące ubóstwo na świecie jest w istocie skutkiem ekspansywnej, globalnej gospodarki i ta ekspansywność tkwi również u podstaw wszelkiej przemocy, utraty poczucia wspólnoty oraz więzi w rodzinie.

Kiedy Helena po raz pierwszy odwiedziła Ladakh jedyną rzeczą, jaką tamci ludzie musieli importować była sól. Kobieta dostrzega, że obecnie, gdy ta niezwykła kraina stała się częścią globalnej ekonomii, jej mieszkańcy są uzależnieni w zaspokajaniu nawet najbardziej podstawowych potrzeb. Zostali podporządkowani systemom ekonomicznym, kontrolowanym przez odległe siły, na które nie mają wpływu – ceny ropy, sieć transportu i zmienność światowej koniunktury.

Społeczność Ladakhu stała się zależna od decyzji ludzi, którzy nie mają pojęcia o istnieniu takiego kraju – mówi Helena – Miejscowa gospodarka rozpada się w miarę jak odebrano mieszkańcom władzę i wpływ na lokalny rynek. Ladakh stał się częścią ekonomii sześciu miliardów ludzi, co zmusza kraj do coraz większej produkcji i zarabiania pieniędzy, aby kupować to, co wcześniej wytwarzali sami. Na przestrzeni lat Helena zaobserwowała, że to wszystko powoduje wzrost poczucia zagrożenia i współzawodnictwo, co prowadzi do konfliktów etnicznych pomiędzy ludźmi, którzy niegdyś czuli się bezpiecznie i współpracowali ze sobą.

Kiedy zachodni świat wtargnął do Ladakhu natychmiast pojawił się szereg problemów społecznych, łącznie z przestępczością, rozpadem rodzin i bezdomnością – mówi Helena – W momencie gdy tamtejsi mieszkańcy zostali oddzieleni od swojej ziemi, świadomość ograniczeń lokalnych zasobów została znacznie zmniejszona. Wzrasta poziom zanieczyszczeń oraz zaludnienie w tempie trudnym do powstrzymania.

Dla Heleny, dawny Ladakh nie był wcale utopią. Istniało co prawda to, co ludzie zachodu zwykli nazywać problemami, jak analfabetyzm czy życie poniżej pewnego standardu, ale tamtejsi ludzie mieli duszę.

Zatracając poczucie bezpieczeństwa, oparte na głębokich, długotrwałych związkach z ludźmi i miejscem, mieszkańcy Ladakhu zaczęli wątpić w swoją tożsamość – wyjaśnia Helena – Obrazy z zewnętrznego świata nakłaniają ich, aby się zmieniali, dostosowywali do nowych trendów i coraz więcej kupowali. Niegdyś silne i odważne kobiety Ladakhu zastąpiło nowe pokolenie – niepewnych siebie i desperacko zaniepokojonych swoim wyglądem.

Ladakijczycy zaczęli nosić zegarki, z których nie potrafią korzystać. Teraz przepraszają za brak prądu w domach, choć kiedy przedstawiono im ten pomysł po raz pierwszy, wybuchali śmiechem.

Jak na ironię, modernizacja, która często jest kojarzona z tryumfem indywidualizmu, doprowadziła do jego utraty i wzrastającego poczucia osobistej niepewności.

Ludzie zmuszani są do dostosowywania się i osiągania idealnego wizerunku – zauważa Helena – *W tamtejszych wsiach, gdzie wcześniej wszyscy nosili niemal identyczne ubrania i dla przypadkowego obserwatora wyglądali jednakowo, panowała większa wolność i swoboda. Stanowiąc część blisko powiązanej ze sobą rodziny, ludzie mogli naprawdę być sobą.*

Szacunek do siebie jest podstawą szacunku dla innych – uważa Helena – *Podobnie miłość do siebie jest fundamentem miłości do innych. W kulturze Ladakhu doświadczyłam tak głębokiej miłości do siebie, że ego zupełnie traciło znaczenie. Mam na myśli taki sposób życia, gdzie ludzie czują się kochani i akceptowani, a dzięki temu mogą kochać i akceptować innych, w sposób którego nie znają ludzie odtrącani i niedoceniani.*

Babcia Margaret wychowała się w rodzinie, w której niektórzy członkowie zachowywali się jak biali. Jej ciotka uwielbiała przebywać w bazie lotniczej i podobnie jak tamtejsi mieszkańcy używała alkoholu i paliła papierosy. Margaret mówi, że ona w istocie chciała być jak biała kobieta. Wywarło to duży wpływ na małą Margaret, która w młodości również chciała chodzić na wysokich obcasach i stosować różne używki. Niestety niedługo potem wpadła w alkoholizm. Zanim w końcu zdołała poradzić sobie z jego przyczyną, zdążyła wyjść za mąż i urodzić trójkę dzieci.

Z powodu nierozpoznanego do końca prześladowania z przeszłości i traumy pokoleniowej pochodzącej z nieludzkiego traktowania rdzennych społeczności, jedynie garstka ludzi, których przodkowie byli ciemiężeni jest w stanie odważnie zareagować i pomóc pozostałym.

Każdy kto mieszka w danym kraju, w naturalny sposób skupia się na problemach miejsca, w którym żyje – mówi Babcia Tsering – *i nie zastanawia się nad tym, że świat ogólnie staje się coraz bardziej niebezpieczny.*

Helena wierzy, że sytuacja na świecie nie jest zupełnie beznadziejna, ale konieczna jest reaktywacja życia na poziomie lokalnym, szczególnie w wymiarze gospodarczym.

Zdrowa ekonomia zajmuje się prawdziwymi potrzebami. Zdrowa gospodarka to gleba, woda, nasiona, mieszkania, włókna na ubrania, paliwo do ogrzewania domów.

Właśnie to zrozumienie łączyło rdzenne ludy z ziemią i dawało im bogate i obfite życie. Helena mówi, że potrzeba współzawodnictwa znika, kiedy dobrostan wszystkiego i wszystkich – łącznie ze środowiskiem i każdą czującą istotą – staje się najważniejszy.

Ludzie przyszłości nie będą podobni do tych, którzy dzisiaj wierzą jedynie w logikę i panowanie cyfr czy kapitału – mówi Babcia Bernadette – *Przyszłość będzie należała do tych, którzy rozumieją, że nowa wartość społeczeństwa leży w szacunku i tolerancji dla odmienności. Takie pojmowanie nie pozostawia miejsca na żadną formę prześladowania.*

Według Carol Moseley Braun powinniśmy szanować to w jaki sposób żyją inni ludzie. Wymaga to zamiany arogancji w pokorę, a ego we współczucie. Musimy zrozumieć, że najlepsze co możemy zrobić dla siebie, a także dla tych, którzy nadal są prześladowani, to zniesienie konstytucyjnych przeszkód, stojących na drodze do samostanowienia i decydowania o własnym życiu. Pomagając ludziom odzyskać możliwość wyboru w przypadku wykształcenia, prawa wyborczego, uczestnictwa w gospodarce czy wychowaniu dzieci, nie możemy narzucać własnych wartości albo egoistycznie zakładać, że racja jest po naszej stronie.

Najważniejszą rzeczą jest szacunek dla kultury i wartości innych, uznanie Boskości w każdej osobie i możliwość wyboru tego jak ktoś chce żyć – mówi Carol.

Musimy wskrzesić wartości, które były żywe w kulturach pięć tysięcy lat temu – mówi Gloria Steinem – *i wnieść je do współczesnego życia.*

Powinniśmy pamiętać, że w walce przeciwko jakiejkolwiek formie prześladowania liczy się każdy głos. Carol Mosely Braun opowiada historię, która to ilustruje.

W Tennessee żył mężczyzna o imieniu Henry Braun, który zamierzał głosować przeciwko prawu wyborczemu kobiet w Stanach Zjednoczonych. Prawo do głosu w pozostałej części kraju zależało od tego, jak zdecydują wyborcy w tym właśnie stanie. Dzień przed istotnym głosowaniem, mężczyzna otrzymał list od matki, o takiej treści – *Synu głosuj za prawem wyborczym dla kobiet i nie każ im wątpić. Bądź dobrym chłopcem i spraw, aby sprawiedliwości stało się zadość.*

Następnego dnia, ku zdziwieniu wszystkich, Henry Braun zmienił zdanie i oddał głos popierający zmiany. Jak się okazało ten jeden głos miał ogromne znaczenie, bo dzięki niemu w Tennessee przyjęto nową ustawę, a w całych Stanach Zjednoczonych kobiety zyskały prawo wyborcze.

Wiemy o Henrym Braunie, liście jego matki i tym niezwykłym głosie wyborczym – mówi Carol – *Lecz pewnie nigdy nie dowiemy się kto rozmawiał z jego matką, czego dotyczyły te rozmowy i co zainspirowało ją do napisania listu, który zmienił syna, jego głos i cały świat. W istocie pojedynczy głos każdej osoby może przyczynić się do wielkich przemian w przekazywaniu prawdy, budowaniu wspólnoty i szerzeniu wizji świata, która go ocali.*

Carol mówi, że ważne jest, aby spotykać się w grupach osób myślących podobnie. Ludzie potrzebują wiedzieć, że są na świecie inni, którzy rozumieją skąd pochodzą ich łzy.

Zamiast łez bólu, przyjmij tę energię i odnajdź radość i światło, ponieważ masz w sobie siłę dobra.

Carol uważa, że batalia z każdą formą prześladowań jest czymś uniwersalnym i należy ją staczać każdego dnia, przy każdej okazji.

Ważnym pytaniem naszych czasów jest to, co zrobimy, by zwalczyć zło prześladowania? Czy odwrócimy się plecami i będziemy udawać, że problem nie istnieje? A może raczej zbierzemy się razem, aby stworzyć nową społeczność? To bez znaczenia czy zajmiemy się tym na skalę światową czy zaangażujemy w inicjatywy na szczeblu lokalnym.

Według Carol im więcej w nas odwagi, aby dzielić się osobistymi wizjami, prawdą czy zrozumieniem, tym większe prawdopodobieństwo, że trafimy na podatny grunt. Odbiorcy będą mieć odpowiednią motywację, aby zareagować w ten lub inny sposób.

Zbyt często ludzie myślą, że ich poglądy nie mają znaczenia, a głosy nie są słyszane, więc zachowują własne pomysły dla siebie. Jednak nikomu to nie pomaga. Komunikowanie naszej prawdy jest bardzo istotne, ponieważ nigdy nie wiemy gdzie nas to zaprowadzi, kto ją usłyszy i przekaże dalej.

Według Carol, kiedy sami jesteśmy głosem prawdy, stajemy po stronie sprawiedliwości.

Przyjęcie zobowiązania, aby stać po właściwej stronie jest jedyną obroną przeciwko ludziom, którzy mają w sercach chciwość, złość, nienawiść i przemoc. Taki wybór może być czymś trudnym, ale z czasem, gdy przyłączy się coraz więcej ludzi, ich głosy urosną w siłę i równowaga zostanie przywrócona.

Pragnieniem kapitalizmu i wybujałej konsumpcji jest eksploatacja, prześladowanie i ostatecznie zniszczenie życia. Babcie mówią, że egzystując na tej planecie ważne jest zauważenie i szacunek dla różnorodności. Podobnie jak nie potrafimy zmienić gór w ocean, lasu w pustynię, słonia w psa czy orchidei w zioło, nie powinno nas oburzać, że wszyscy mamy prawo do różnorodności. W tym świecie, nie ma lepszych i gorszych kultur. Każda wyraża odpowiedź danej społeczności na radzenie sobie z życiem. Wszystkie narody mają swoje odmienne pomysły. Zarówno w wymiarze indywidualnym, jak na poziomie całej ludzkości, nie możemy twierdzić, że coś jest złe tylko dlatego, że jest inne.

Według Heleny różnorodność kulturowa jest wynikiem połączenia ludzi z żyjącym światem lokalnych społeczności. Stale powiększający się zasięg globalnej gospodarki przyćmiewa konsekwencje indywidualnych zachowań, powstrzymując nas przed działaniem pełnym współczucia i mądrości. Obecne poczynania i postępowanie pochodzą z bardzo wąskiej perspektywy ludzkich potrzeb i motywacji. To wzmaga egoizm, przez co tracimy realny kontakt ze światem wokół.

Musimy znaleźć sposób, aby wzmocnić nasze głosy i głos samego życia – mówi Helena – *Musimy wyjść z bezmyślnego transu i zobaczyć, że to stworzony przez człowieka system finansowy i technologiczny umniejsza nas wszystkich, zarówno tych mocnych jak i słabych. Współczesna technologia zamiast służyć, staje się panem. W życiu o bardziej ludzkiej twarzy maleje zapotrzebowanie na ścisłe regulacje. Podejmowanie decyzji może stać się bardziej elastyczne. Wymagany jest mniejszy konformizm. Im dalej znajdujemy się od miejsca gdzie podejmuje się decyzje, tym bardziej czujemy się pozbawieni mocy.*

Według Heleny zanim bezpowrotnie utracimy wszystko, musimy powrócić do mądrości rdzennych kultur i ponownie nauczyć się żyć razem. Musimy odzyskać moc nad społecznością, rodziną i nami samymi. W globalnej gospodarce nie chodzi o zdrową współzależność i współistnienie, a wąskie interesy kilku korporacji. Tworzenie globalnej wioski zakłada, że to chaos wynikający z różnorodności kulturowych leży u podstaw konfliktów. Według tego podejścia jeśli usunie się różnice, zniknie problem. Jednak w rezultacie niszczone są lokalne społeczności oraz wiejskie wspólnoty, a także ich tradycje, obyczaje i kultura. Takie środowiska rozpadają się podobnie jak rdzenne plemiona, które były samowystarczalne przez setki jak nie tysiące lat. Można odnieść wrażenie, że rozprzestrzenianie się konsumpcyjnej kultury jest nie do powstrzymania.

W istocie zacieranie różnic wcale nie buduje harmonii i nie sprzyja lepszemu zrozumieniu – wyjaśnia Helena – *Intensywne współzawodnictwo o ograniczone zasoby wzmaga za to etniczną i rasową przemoc. Wzrost ubóstwa gasi płomień życia.*

Doświadczenia zebrane w Ladakhu oraz naukowe badania prowadzone na zachodzie pozwoliły zrozumieć Helenie, że wzrost przestępczości, przemocy, depresji, a nawet rozwodów, jest w dużym stopniu rezultatem rozpadu lokalnych społeczności. W Ladakhu kobieta widziała kilkulatków, które twierdziły, że są nikim, bo nie mają spodni Levis albo butów Nike.

W ten sposób dzieci błagają o akceptację społeczności. Wmawia im się, że tak zdobędą miłość rówieśników. To bardzo negatywna ingerencja w jedną z najgłębszych ludzkich potrzeb, potrzebę miłości i bycia częścią społeczności – mówi Helena – *Odwrotnie jest w przypadku dzieci dorastających w bliskiej relacji z ziemią i ludźmi wokół. To buduje wysokie poczucie własnej wartości i zdrową osobowość. Tacy ludzie w późniejszym wieku są mniej skłonni do prześladowania i wyzysku innych.*

Tak wiele różnych form destrukcji, kataklizmów i nienawiści wypływa z ego – mówi Babcia Tsering – *Młodych Tybetańczyków wychowuje się tak, aby najpierw myśleli o potrzebach innych, zanim skupią się na sobie. Takie podejście to najlepszy trening dla umysłu. Czysty umysł jest skłonny służyć innym. Kiedy wszyscy postawimy dobro innych na pierwszym miejscu, osiągniemy pokój, harmonię i miłość. W naturalny sposób zyskamy współczucie również dla siebie.*

Musimy walczyć o głos życia. Jednak walcząc z uciskiem, sami nie możemy dać się złapać w jego szpony. Zmiana powinna nadejść nie na drodze wojny, ale z pomocą siły modlitwy. Korupcja kościoła katolickiego, który akceptował doktryny podboju, nie ma nic wspólnego ze źródłowymi naukami chrześcijaństwa. Musimy powrócić do miejsca, gdzie choroba i korupcja wzięła swój początek, przysparzając cierpień tylu ludziom. Tak naprawdę tylko dzięki modlitwie, możemy zasiać nasiona dobra w każdym z nas.

Pokój jest jak zasiane ziarno – mówi Babcia Maria Alice – *Jeśli zajmiesz się nim, urośnie i zakwitnie. Wierzę, że dzieci muszą troszczyć się o to ziarno, a ich opiekunowie powinni dbać, aby idea pokoju została dobrze ugruntowana w sercach ich podopiecznych. Dzieci, podobnie jak wszyscy inni, powinni wierzyć, że świat ma w zanadrzu coś dobrego.*

Babcia Maria Alice mówi, że powinniśmy wydobyć od dawna tłumiony głos, który mówi, że większa część ludzi nie chce wojny i jest przeciwna temu, co dzieje się na świecie.

Nie musimy czekać aż ktoś przywróci nam wolność, ponieważ to Bóg nam ją dał. Dał życie i dzięki temu jesteśmy tutaj. Żyjemy. Zostaliśmy stworzeni na Jego podobieństwo.

Naturalna apteka

Las sam w sobie jest życiem – mówi Babcia Bernadette – *Las, to dana nam przez Boga apteka.*

Babcie mówią, że tradycyjna wiedza medyczna opiera się na roślinach i dlatego jest równie stara co ich pojawienie się na Ziemi. Tradycyjna wiedza nic nie kosztuje i jest uzyskiwana dzięki modlitwie. To właśnie modlitwa jest zasadniczym, wzmacniającym elementem każdego tradycyjnego uzdrawiania. Wszystkie rdzenne kultury i cywilizacje posiadały wiedzę o tradycyjnym uzdrawianiu, którą przekazywano z pokolenia na pokolenie. Dzięki temu jest dobrze sprawdzona. Medycyna współczesna ukształtowała się w istocie, w oparciu o medycynę tradycyjną, ponieważ fundamentem każdego leczenia są rośliny.

W tradycyjnym uzdrawianiu chorobę można pojmować jako wiadomość od ducha osoby, która potrzebuje leczenia. Rolą uzdrowiciela jest odczytanie i zrozumienie tych informacji. Podczas gdy współczesna medycyna skupia się na leczeniu objawów i dolegliwości cielesnych, medycyna tradycyjna uzdrawia zarówno ciało, serce, jak i umysł. Zajmuje się całością – środowiskiem, w którym żyje dana osoba, jej związkami, umysłem, duchem i ciałem. Tradycyjna medycyna uznaje także, że choroba sama w sobie ma *własnego ducha* – Czego potrzebuje choroba? Dlaczego się pojawiła? Czego uczy daną osobę? To niektóre z pytań stawianych przez uzdrowicieli.

W kulturze Majów, medycyna obejmuje także filozofię, dietę i święty seks. Jej celem jest pomoc w urzeczywistnieniu wewnętrznej Boskości. Majowie wierzą, że kiedy dojdzie do zakłócenia równowagi energii seksualnej, duszy człowieka brakuje miłości. Utrata połączenia ze świętością seksu może doprowadzić do depresji. Uzdrowienie – jak w każdym przypadku – będzie powrotem do równowagi i mądrości przodków.

Na całym świecie tradycyjni uzdrowiciele mają podobne sekrety. Pochodzą one z natury oraz ze świadomości niepodzielności całego życia i współzależności ciała, umysłu i duszy. Medycyna naturalna uznaje i szanuje cztery żywioły oraz siedem przeszłych i przyszłych pokoleń, jako że uzdrawiając siebie, uzdrawiamy także przodków i potomków.

Celem medycyny naturalnej jest uzdrowienie, zaś tej współczesnej wyleczenie. W leczeniu zasadnicze jest pozbycie się choroby, natomiast istotą uzdrowienia jest powrót do *całości*, poprzez przywrócenie równowagi oraz dobrego samopoczucia. Leczenie często źle wpływa na resztę organizmu. Na przykład przyjmowanie antybiotyku może zlikwidować konkretną infekcję, ale równocześnie z pewnością zakłóci trawienie lub osłabi system odpornościowy, powodując infekcję w innej części ciała. Leki chemiczne nie wzmacniają pacjenta w procesie uzdrawiania. Zwalczanie skutków ubocznych silnych leków, takich jak te stosowane w chemioterapii, może być żmudnym i długotrwałym procesem.

Modlitwa i ceremonia stanowią integralną część tradycyjnego uzdrawiania. Pomagają pacjentowi poczuć silne połączenie z rodziną lub innymi źródłami wsparcia, a także z mocą, która jest większa niż oni sami. Uzdrowienie odnawia więź pacjenta z naturą, z nim samym oraz ze źródłem nieskończonej siły. Uzdrowienie jednej osoby może przynieść pomyślność całej rodzinie i społeczności. Pacjent ma możliwość nie tylko odzyskać zdrowie, ale również zdobyć mądrość.

Miarą sukcesu we współczesnej medycynie jest wyleczenie. Miarą uzdrowienia w medycynie naturalnej jest dobrostan pacjenta. Niestety, podczas gdy leczenie i jego skutki można zbadać naukowo, nie da się tego uczynić w przypadku uzdrowienia. W ten proces oprócz fizjologii zaangażowany jest bowiem Duch. W medycynie naturalnej uzdrowieniem może być także spokojna śmierć.

Należy mieć na uwadze, że każda chora osoba jest kimś wyjątkowym – mówi Babcia Maria Alice – *Tradycyjna medycyna różni się współczesnej, ponieważ w tej ostatniej to samo leczenie przepisuje się każdemu z podobnymi objawami. My uzdrawiamy w zintegrowany sposób. Ciała mogą chorować podobnie, ale nie ma ludzi o takiej samej duszy, więc każdy musi być traktowany indywidualnie. Nawet matka i dziecko nie mają tego samego ducha.*

Maria Alice wyjaśnia, że fakt, iż medycyna współczesna bardziej zajmuje się chorobą niż zdrowiem i dobrym samopoczuciem danej osoby nie powinien podlegać ocenie w kategoriach dobra lub zła. Niczego nie należy potępiać, ponieważ oba podejścia są częścią całościowego procesu. Ważne jest zrozumienie obu ścieżek.

Aby poznać medycynę tradycyjną i wiele gatunków roślin, potrzeba co najmniej dziesięciu lat nauki. Dodatkowo są rośliny żeńskie i męskie, które mają odmienne właściwości. Wymagana jest również wiedza o umyśle, emocjach i duchu, ponieważ przyjmuje się, że istnieją trzy rodzaje chorób – naturalne, psychosomatyczne i duchowe. Chociaż medycyna współczesna zajmuje się chorobami naturalnymi i psychosomatycznymi, jedynie tradycyjna angażuje się w traumy i zranienia duszy.

Babcia Bernadette wyjaśnia, że każde schorzenie ma swoje cechy i jest traktowane inaczej. W przypadku naturalnych chorób ciała takich jak katar czy ból zębów, zwykle stosuje się specjalne zioła. Czasami sama natura może spowodować chorobę, jak w przypadku ugryzienia przez węża. Bezsenność, choroby psychosomatyczne, pochodzące z umysłu i te wywołane przez stres, są na ogół rezultatem sposobu życia i najczęściej mają podłoże społeczne – na przykład przepracowanie czy problemy finansowe. Z chorobą duchową można przyjść na ten świat – mówi się wtedy o chorobie duszy.

Ludzie chorzy duchowo zwykle bardzo cierpią, jednak lekarz współczesnej medycyny może nie dostrzec żadnego problemu. Chociaż prześwietlenie czy inne badania nic nie wykazują, człowiek czuje się źle. W takim wypadku pomoc przynosi medycyna tradycyjna. W każdym zakątku świata znano *mistrza*, świętą roślinę, uzdrawiającą choroby duchowe. Pejotl, Ayahuasca, Iboga czy święte grzyby to przykłady mistycznych roślin, używanych do uzdrawiania chorób duchowych. Uzdrawianie za pomocą medycyny naturalnej wymaga ich ceremonialnego użycia. Modlitwa i rytuał usuwa to, co negatywne.

Wiele roślinnych środków jest powszechnie znanych, dlatego mogą być stosowane nawet bez konsultacji z lekarzem. Niektóre gatunki leczą poważne choroby lub uzależnienia, takie jak AIDS, alkoholizm, rak, choroby skóry, anemia czy cukrzyca. Tradycyjne uzdrawianie zajmuje się takimi przypadkami od tysięcy lat, jednak współczesna medycyna nie chce angażować naturalnych uzdrowicieli w leczenie tych groźnych chorób.

Babcie odkryły, że każda z nich posługuje się niemal tymi samymi sposobami uzdrawiania. Rośliny mogą różnić się ze względu na klimat czy miejsce występowania, ale metody są bardzo podobne. We wszystkich tradycjach, szczególnie w przypadku chorób duszy, oczyszczanie jest ważnym elementem uzdrawiania. Do tego celu używa się nie tylko roślin, ale także wody i ognia.

Istotne w całym procesie jest również otoczenie, w którym ma miejsce uzdrawianie. W medycynie współczesnej ludzie pozostają zwykle sami w szpitalnych pokojach. Medycyna naturalna bierze pod uwagę fakt, że gdy chorujemy potrzebujemy wsparcia bliskich, pomocy i dotyku. W naturalnym procesie powrotu do zdrowia pacjent otoczony jest czułością, co podnosi go na duchu i zapobiega uczuciom izolacji.

Babcia Jupików Rita, mówi że lekarstwa ziemi są używane przez ludzi od tysięcy lat. Uzdrowiciele doskonale wiedzą co i w jaki sposób leczyć za pomocą roślin. Znają też wszelkie skutki uboczne. Jednak z powodu braku dowodów naukowych, nie mogą powszechnie stosować swoich metod.

Uzdrowiciele z plemienia Jupików wiedzą, że każda myśl może wpłynąć na dynamikę schorzenia i uzdrowienie. Dwie osoby mogą przyjść z podobnym problemem – na przykład artretyzm w tym samym miejscu w ciele – ale choroby nigdy nie będą jednakowe. Każda osoba ma bowiem inne myśli i to one wpłyną na postępy w leczeniu.

Myśl jest jak błyskawica i może trwać jedynie pół sekundy – mówi Babcia Rita – *Czy można zrozumieć ją dzięki nauce? A jeśli tak, to jakiej?*

Babcia Rita mówi, że proces uzdrawiania musimy rozpocząć od świadomości tego kim jesteśmy, od całości naszego istnienia. Chorobę definiuje często osobista historia. Jednak ta osobista historia, staje się w pełni użyteczna dopiero wtedy, gdy jesteśmy gotowi zaakceptować fakt, że to my stworzyliśmy nasze życie. Dopiero wtedy możemy uwolnić przeszłość.

W 1995 roku, kiedy lekarze wykryli raka w ciele Babci Rity, oświadczyli, że nie zostało jej wiele czasu. Jej rodzina, dzieci i mąż płakali, a ona zastanawiała się czy powinna zgodzić się na operację czy po prostu zostawić wszystko losowi.

Coś mi mówiło, że muszę dalej żyć, aby zobaczyć co stanie się z Radą Bab w przyszłości. Nie byłam gotowa na śmierć. Przyszłam na świat, aby czegoś dokonać.

Chociaż nie wiedziała jak powinna się modlić, modliła się, a wszyscy znajomi i rodzina modlili się razem z nią.

Patrząc na wszystkie przysyłane kwiaty myślałam – to od moich braci. Nie mogę ich zostawić. Niczym kwiaty, mają różne twarze, zapachy i kształty. Niektóre przywiędły, inne się połamały. Nie odejdę.

Potem Babcia Rita spotkała się z przyjaciółką, którą poprosiła o pozwolenie, aby mówić o wszystkich okropnych wydarzeniach, jakie miały miejsce w jej życiu. Następnie je uwolniła. Babcia mówi, że emocje, które w sobie nosimy, zamiast je wyrażać, zamieniają się w chorobę. Musimy uwalniać uczucia wraz z oddechem, zamiast je w sobie dusić.

Wszyscy mamy moc, aby w nowy sposób popatrzeć na przeszłość – mówi Babcia Rita *– Musimy dać sobie zgodę, aby popatrzeć na siebie niezależnie od naszej historii. Musimy docenić, że mimo wszystko żyjemy i mamy się nieźle, a przeszłość doprowadziła nas w dobre miejsce. To co jest teraz należy do nas. Przeszłość przyprowadziła nas na próg teraźniejszości. Od takiego zrozumienia rozpoczyna się prawdziwe uzdrowienie.*

W tradycji Jupików całą wiedzę zyskuje się dzięki słuchaniu.

Starszyzna zawsze nakłaniała wszystkich do odłożenia książek – mówi Babcia Rita *– Żadnej historii nie słuchaliśmy tylko raz. Słuchaliśmy jej dopóki nie weszła nam w krew, a wiedza w niej zawarta nie stała się częścią nas. Wtedy nie trzeba niczego szukać w książkach. Można wejść do wewnętrznego komputera i odnaleźć potrzebną informację.*

Babcia Rita *rozmawia* z roślinami. Pyta jak ich używać podczas uzdrawiania. Z doświadczenia wynika, że informacje, które uzyskuje, pokrywają się z wiedzą otrzymaną od starszyzny. Ponieważ Jupikowie żyją w tundrze, większość uzdrawiających substancji uzyskiwana jest z korzeni, choć niektóre pochodzą również z części zwierząt, a szczególnie ryb.

Na przykład pokrzywy używa się w przypadku wielu dolegliwości, głównie jako środka zapobiegającego różnym rodzajom raka i wyciszającego umysł. Pokrzywa poprawia również poziom serotoniny w mózgu. Babcia Rita pracuje z ludźmi zmagającymi się z problemami psychicznymi i mającymi zaburzenia zachowania. Pokrzywa doskonale przywraca równowagę. Babcia Rita odkryła także, że przyczyną choroby Alzheimera może być zmniejszenie aktywności w starszym wieku. Ruch oraz picie dużej ilości wody pomaga w leczeniu tej choroby i wpływa korzystnie na zachowanie zdrowia. Woda jest niezwykle ważna dla zachowania czystości duchowej, emocjonalnej i fizycznej. Picie trzech litrów dziennie i leczenie pokrzywą może znacznie złagodzić artretyzm. Pokrzywę można stosować w zupach i surówkach, co zapobiega rakowi.

W tradycji Jupików, podobnie jak w wielu innych kulturach na całym świecie, brzoza jest jedną z najważniejszych roślin leczniczych. W języku używanym przez Jupików słowo brzoza oznacza *silny*, ponieważ to drzewo jest niezbędne, aby przetrwać. Używa się go do wyplatania koszy, budowania czółen i robienia bębnów. Liście brzozy zjada się, a z małych nasion przyrządza się herbatę, stosowaną w przeziębieniach oraz innych dolegliwościach. Z soku przygotowuje się cukier – z trzech, czterech wiader soku powstaje duży słój cukru.

Jupikowie odczuwają duchowy związek z brzozą.

Jesteśmy brzozą – mówi Babcia Rita – *Kiedy drzewo zostaje powalone, umieramy. Pamiętamy jednak, że nasiona wciąż będą kiełkować, a my wraz z nimi staniemy się nowymi nasionami, nowymi liśćmi i nowymi gałęziami. Staniemy się nowymi korzeniami.*

W tradycji Jupików, kora wewnętrzna czy też warstwa pomiędzy drewnem, a korą białej brzozy jest stosowana w leczeniu raka. Jest zbierana dwa razy do roku – na wiosnę, zanim pojawią się liście i jesienią, zanim sok powróci do korzeni. Tak uzyskany produkt jest suszony, a następnie rozdrabniany na proszek za pomocą kamienia. Wszystko robi się ręcznie. W przypadku raka, półtorej łyżeczki leczniczego proszku dodaje się do dwóch trzecich litra wody i gotuje trzy minuty. Następnie odstawia do ostygnięcia i odcedza. Jedną trzecią szklanki należy pić trzy razy dziennie przez szesnaście dni. Jeśli potrzebna jest kolejna tura, pacjent musi odczekać dziesięć dni. Babcia Rita mówi, że leczenie należy zakończyć po trzech rundach. Według niej to potężne lekarstwo, którego jednak nie powinno się zażywać bez uprzedniej konsultacji z uzdrowicielem lub lekarzem.

Babcia Rita uprawia lecznicze rośliny w Anchorage, w ogrodzie przed szpitalem, w którym pracuje. Szpital nie zezwala co prawda na ich używanie w trakcie leczenia, ale ogród stał się obiektem zainteresowania, zarówno pracowników jak i pacjentów.

W tradycjach społeczności, z których pochodzą Babcie, uważa się że choroba psychiczna pojawia się jako skutek braku równowagi i harmonii. Każda próba zniszczenia życia prowadzi do nierównowagi. Może być ona przywrócona dzięki psychicznemu zdrowiu, właściwemu myśleniu i duchowej pomocy. W tradycji plemienia Babci Bernadette, choroby psychiczne leczy się w wyjątkowy sposób. Zamiast wyciszać pacjenta za pomocą środków uspokajających – co zwykle prowadzi do letargu – obok zwykłych leków, stosuje się naturalne uzdrawianie.

Nie ma beznadziejnych przypadków. Nawet jeśli pacjent przyjeżdża w kaftanie bezpieczeństwa, poddawany jest terapii, dzięki której może przespać noc – wyjaśnia Babcia – *Podczas snu, odtwarzana jest specjalna muzyka, która uzdrawia jego umysł. Po kolejnych dwóch miesiącach terapii, pacjent otrzymuje kolejne leczenie. Nigdy nie traktujemy żadnego przypadku jako beznadziejny i dzięki temu choroba powoli ustępuje. Pacjent zostaje uzdrowiony. Nie ma żadnych skutków ubocznych. Nasz sposób uzdrawiania jest bliski naturze, ponieważ korzystamy z naturalnych środków, a to bardzo pomaga. To jest niezwykle istotne, ponieważ w dzisiejszym świecie jest wiele przypadków chorób psychicznych.*

Babcia Tsering wyjaśnia, że w Tybecie uzdrawianie określane jest mianem *nauki o pielęgnacji*. W tym celu zbierane są rożne odmiany roślin. Dodatkowo stosuje się wiele rodzajów metali, łącznie ze złotem. Jedno z lekarstw nazwano *drogocenną pigułką*, ponieważ uzdrawia różne przypadki zatrucia. Przed przejęciem Tybetu przez Chiny, tamtejsi mieszkańcy nie znali raka i cieszyli się długowiecznością. Teraz różnego rodzaju nowotwory są bardzo rozpowszechnione. Obecnie Chińczycy sprzedają tybetańskie środki lecznicze pod chińskimi nazwami.

Tybetańskie sposoby uzdrawiania – z jednym wyjątkiem – są bardzo podobne do tych praktykowanych na całym świecie. Ten wyjątek to poskramianie umysłu, które stanowi esencję nauk tradycji buddyzmu. Dzięki tej wiedzy mieszkańcy Tybetu byli bardzo szczęśliwymi ludźmi, pomimo braku zewnętrznego bogactwa.

Jeśli każdy oddałby się prawdziwej duchowej praktyce, świat nie byłby w sytuacji, w jakiej obecnie się znajduje – mówi Babcia Tsering.

Babcia Flordemayo, której matka była zielarką i akuszerką, radzi ludziom, aby wybrali tylko parę roślin, które budzą ich zainteresowanie. Na przykład pięknie pachnąca roślina – od której nazwy pochodzi imię Babci – ma wiele zastosowań. Poza wzmacnianiem laktacji i kurczeniem macicy, stosowana jest eksperymentalnie w Meksyku jako środek opóźniający rozwój AIDS. Studiowanie nawet jednej rośliny, na przykład czosnku, może okazać się bardzo pouczające. Według Babci, czosnek jest rośliną magiczną.

Flordemayo wierzy, że na poziomie duchowym i emocjonalnym, drogą do zdrowia jest równowaga.

Ponieważ dzisiaj jest tak wiele kierunków, droga do odnalezienia równowagi jest niezwykła i pełna wyzwań. Moje życie pokazało mi bardzo wyraźnie, że kiedy nie jesteśmy w równowadze, wszystko stoi do góry nogami. Kiedy powracamy do równowagi, odnajdujemy wewnętrzny pokój. Nawet jeśli dotyczy to relacji z partnerem, dziećmi czy przyjaciółmi, uzdrawiamy nie tylko siebie, ale całą planetę.

Babcia Flordemayo wierzy, że na nasze życie ma wpływ przeznaczenie – wszyscy mamy swój czas, miejsce i misję do wypełnienia. Kiedy podążamy do własnego celu, automatycznie jesteśmy w równowadze i zaczynamy zmierzać w jednym kierunku. Nawet jeśli bylibyśmy w stanie skupić się na tym chociaż sekundę każdego dnia, nasze życie byłoby bardziej zrównoważone.

Życie jest tajemnicą – mówi Babcia – *i nikt z nas nie zna wszystkich odpowiedzi. Często możemy jedynie zgadywać.*

W tradycji Indian Lakota, leczniczych roślin nie można zbierać w dowolnym momencie. Jest wiele praktycznych wskazówek jeśli chodzi o tę kwestię.

Jeśli latem wykopiesz jeden z korzeni, który jest dobry na różne dolegliwości, możesz paść ofiarą węży – wyjaśnia Babcia Rita Long Visitor Holy Dance – *Albo ściągniesz na siebie gniew opiekunów grzmotów i błyskawic.*

Dlatego latem, kiedy roślina kwitnie, w ziemię wbija się patyk znaczący dane miejsce. Zimą, kiedy nie ma już węży można bezpiecznie wykopać korzeń.

Jeśli ktoś jest bardzo chory i wymaga leczenia latem, uzdrowiciel musi modlić się do korzenia, zanim go wykopie – wyjaśnia Babcia Rita – *Potem powinien powiesić go na jakiś czas na drzewie, daleko od domu. Gdyby zabrał go od razu do chorego, mogłyby pojawić się tam węże.*

W tradycji Indian Lakota istnieje wiele środków uzdrawiających. Błona pomiędzy drewnem a korą sosny żółtej jest stosowana w gruźlicy. Preparatów przygotowanych z niedźwiedzia używa się przy problemach z sercem. Takie metody, podobnie jak wszystkie sposoby uzdrawiania stosowane przez rdzenne społeczności, powstały dzięki obserwacji zwierząt, informacjom ze Świata Ducha lub pozyskiwanym bezpośrednio od roślin poprzez medytację i modlitwę. Od tysięcy lat, medycyna naturalna uzdrawia wiele współczesnych chorób.

Babcie podkreślają, że filarem każdego uzdrawiania jest modlitwa.

Jeśli wierzysz w Boga czy Stwórcę, naprawdę zaangażuj w modlitwę cały swój umysł – mówi Babcia Rita z plemienia Lakota – *to naprawdę działa. Jeśli modlisz się jednego dnia, a następnego zapominasz o tym, nie uzyskasz wielkiego wsparcia. Jeśli masz wiarę – nie ważne do jakiego należysz kościoła – modlitwy są w stanie ci pomóc. Musisz wierzyć w modlitwy, ponieważ to Bóg nas tu sprowadził. On opiekuje się nami i postawił na tej ścieżce. On wie co będziesz robił jutro i następnego dnia. Jeśli pozostaniesz z tym w zgodzie, Bóg będzie z tobą.*

Babcia z ludu Czejenów, Margaret, uważa, że sama jest żyjącym świadectwem działania rdzennych ceremonii uzdrawiających oraz świętych sposobów rozmów ze Stwórcą. Zainteresowanie, jakie przejawił jej syn w stosunku do ceremonii, sprawiło, że i ona do nich powróciła.

Tak działa tajemnica. Powróciłam do ceremonii, zdając sobie sprawę – „A więc to tak. Oto do czego przynależę. To przodkowie dali mi tę uzdrawiającą ścieżkę". Zaczęłam od zwykłego siadania na Matce Ziemi, budząc się powoli dzięki doświadczeniom własnej duchowości.

To tajemnica, w jaki sposób otrzymujemy widzialne i niewidzialne przewodnictwo, kiedy szukamy pomocy w rozwiązaniu jakiegoś problemu. Tajemnicą jest również to, dlaczego jesteśmy w stanie taką pomoc uzyskać. Przechodząc przez trudny okres, prowadzący do życia w trzeźwości, Babcia Margaret ujrzała pewnego dnia zamarznięte, skute lodem, drzewo. Patrząc na jego piękno i dostrzegając symbolikę, która odnosiła się do jej życia, zdała sobie sprawę, że aby powrócić do równowagi musi nauczyć się funkcjonować w trzeźwości. Przecież patrzyły na nią własne dzieci. Zrozumiała, że jest inteligentną kobietą i powinna wrócić do szkoły. Ceremonialna praca z pejotlem pomogła uzdrowić jej przeszłość. Rozstała się z alkoholem i powróciła do duchowości. Jak mawiał jej dziadek – lekarstwo zadziałało w sobie tylko wiadomy sposób.

Babcie Maria Alice i Clara używają świętego wywaru zwanego Santo Daime. Żyją w duchowej wspólnocie, która stara się wcielać w życie nauki uzyskiwane dzięki tej świętej roślinie.

Santo Daime stale mnie prowadzi – mówi Babcia Maria Alice – *Wiele mnie nauczyło. Otworzyło wewnętrznie, dzięki czemu mogę uzyskać dużo więcej informacji o tym kim jestem i co tu robię. Oczyściło też moją ścieżkę w tym świecie.*

Wiadomość otrzymana po zażyciu świętej rośliny sprawiła, że Babcia Maria Alice zamieszkała na stałe w lesie. Roślina nadal przekazuje informacje o jej misji w Amazonii i na całym świecie. Jej podstawowym zadaniem jest *poznawanie różnych kultur oraz ich tradycyjnej mądrości i odnajdywanie głosu wspólnego dla wszystkich.*

Odczuwana przeze mnie duchowa więź wyraża wdzięczność dla lasu, który jest naszą matką, babcią i prababcią oraz obdarza nas zdrowiem ciała i duszy, ucząc jak żyć w szczęściu i ufności.

Jednym z celów Babć jest stworzenie pomostu między medycyną naturalną i współczesną. Według nich to skomplikowane zadanie ze względu na różnice w filozofii i podejściu. Taki pomost musi opierać się na wzajemnej wymianie zasobów i oddaniu, które w rezultacie wybawi ludzkość.

Dla nas taki pomost i połączenie nie są trudne do stworzenia – mówi Babcia Maria Alice – *W istocie to coś naturalnego. Nie mamy co prawda gotowych lekarstw na standardowe choroby. Ale wiemy, że mamy ducha. Mamy ogień, który jest naszym odwiecznym życiem. Mamy ciała, które są jak podróżnicy. Dla nas wszystkie rośliny, zwierzęta i żywioły są święte. Każde z nich ma moc, a niektóre – połączone w szczególny sposób – uzyskują moc wyjątkową. To wszystko tajemnice odziedziczone po przodkach.*

Według Babci Marii Alice niektóre naturalne środki są tak potężne, że należy wręcz zasłużyć na ich używanie. Inne, chociaż nie tak mocne w swoim działaniu, również wspomagają ludzi w procesie osiągania zdrowia na różnych poziomach.

Kiedy do każdej choroby podejdziemy z poziomu duchowego, nawet ugryzienie owada powodujące malarię, może pogłębić naszą świadomość. Choroba stanie się okazją do oczyszczenia i poznania wiedzy o własnej duszy, przeszłości i niezbędnych przemianach. Babcia Maria Alice wyjaśnia, że to właśnie choroba może stworzyć szansę poznania kim jesteśmy na najgłębszym poziomie. Może też sprawić, że przestaniemy utożsamiać się z własną rasą czy płcią i poznamy prawdziwe znaczenie tego, co określamy jako *jestem* – esencję naszej istoty. Ostatecznie to właśnie to musi przypomnieć sobie cała ludzkość.

Wierzę, że Bóg nigdy nie daje czegoś, czego nie jesteśmy w stanie udźwignąć – mówi Babcia Maria Alice – *Zawsze pomaga w wyzwaniach, którymi sam nas obdarzył. Musimy pamiętać, że Bóg jest we wszystkim. Jest w wodzie, ogniu, słońcu, gwiazdach, ziemi, roślinach i zwierzętach. My sami jesteśmy Bogiem, więc mamy moc, aby poradzić sobie ze wszystkim bez lęku i nawet dzięki chorobie uzyskać inny stan świadomości.*

Również uzdrowiciele, jeśli świadomie wykonują swoją pracę, stają się częścią całego procesu i mogą uzyskać nowe poziomy świadomości razem z pacjentem.

Według Babć, medycyna tradycyjna i współczesna mają sobie wiele do zaoferowania. Najpierw jednak praktycy obu podejść muszą poważnie pomyśleć o stworzeniu pomostu. Otwierając dyskusję, najważniejszym pytaniem powinno być czy obie strony są szczere i z serca zainteresowane wspomaganiem zdrowia ludzkości. Babcia Maria Alice mówi, że jeśli to nie będzie priorytetem, a prawdziwe motywy pozostaną ukryte, nie będzie miejsca na autentyczny dialog.

Babcie są zaniepokojone, że współczesna medycyna podchodzi do sprawy z pozycji siły, twierdząc, że to po jej stronie jest prawda, a akademickie leczenie jest jedynym dozwolonym. Dla utrzymania swojej pozycji oraz osiągania celów ekonomicznych i politycznych nieraz używa się przemocy nawet przez wywoływanie lokalnych konfliktów. Niektóre rządy ścigają tych, którzy zażywają święty napój, Santo Daime. Na całym świecie ludzie trafiają za to do więzień. Z drugiej strony ludzie polegający na naturalnej medycynie – łącznie z tymi, którzy stosują Santo Damie – wierzą że zdrowie to pokój i równość. Maria Alice twierdzi, że boską moc otrzymujemy w momencie narodzin. Możemy zbliżyć się do siebie z tego naturalnego miejsca.

Rozpoczynając dialog między tradycyjną i współczesną medycyną, należy rozumieć i szanować różnice między nimi. Kiedy lekarze medycyny akademickiej przystępują do leczenia, robią przy tym wiele badań, ale zwykle nie zajmują się ogólnym stanem pacjenta. Praktycy medycyny tradycyjnej traktują zachwianie równowagi pacjenta jako wyzwanie prowadzące do zmiany. Dostrzegają potrzebę wsparcia czterech żywiołów, jego ciała emocjonalnego, ducha i korzeni. To zdecydowanie inny sposób patrzenia na chorobę. Niemniej jednak jeśli medycyna współczesna udostępniłaby wyniki swoich badań na temat chorób i leczenia, medycyna tradycyjna mogłaby je włączyć w uzdrawianie. Z poszanowaniem dla każdego punktu widzenia, obydwa podejścia mogłyby wspierać się nawzajem i uzupełniać.

Istotną rolę odgrywa też aspekt prawny i kwestie finansowe. W wielu zakątkach świata, każdy, kto twierdzi, że rozumie działanie medycyny naturalnej oferuje jej dobrodziejstwa za darmo. Konieczne byłoby jednak wprowadzenie pewnych regulacji, aby odróżnić prawdziwych praktyków od szarlatanów.

Przedstawiciele rdzennych społeczności są strażnikami lasu i tego wszystkiego co służy do uzdrawiania. Sama natura wyznaczyła ich do tego zadania. Nikt nie powinien mieć takiej władzy, aby po prostu przyjść, zabrać tę wiedzę i opatentować w celach komercyjnych. To może przyczynić się do upadku naturalnej medycyny i zniszczenia lasu, podczas gdy pieniądze powędrują do kieszeni kilku osób. Według Babć taka eksploatacja to społeczna patologia. Należy zatroszczyć się o poważanie dla lasu, aby zachować jego zdolność regenreracji. Cokolwiek bierzemy z lasu, powinniśmy robić to w duchu pełnej szacunku wymiany, jedynie po konsultacji z rdzennymi mieszkańcami, którzy są jego opiekunami. Zbyt często starzy uzdrowiciele – żyjące biblioteki naturalnej medycyny – padają ofiarą oszustwa ze strony zachodnich koncernów farmaceutycznych. Pełni dobrych intencji wyjawiają swoją wiedzę, nie mając świadomości, że firmy chcą opatentować ją dla własnego zysku.

Uzdrowiciele pojeni są alkoholem i zdradzają sekrety dotyczące roślin – mówi Babcia Bernadette – *po czym przedstawiciele koncernów wracają na Zachód i dorabiają się milionów. A ubogi uzdrowiciel z Afryki nie dostaje ani grosza. My, Babcie, nie zgadzamy się na tego rodzaju wyzysk.*

Babcie podkreślają, że wyniki badań nad uzdrawiającymi właściwościami roślin należą do całej ludzkości. Sprawiedliwości musi stać się zadość i wszyscy powinni dzielić się nimi, zarówno w kontekście medycyny naturalnej jak i zachodniej. Korzyści finansowe pochodzące z badań powinny wrócić do źródła pochodzenia, do rdzennych mieszkańców, jako wsparcie dla przyszłej pracy tych, którzy chronią las.

W Amazonii, która kryje w sobie niezliczoną ilość bogactw, ludzie zachodu nieraz nastawiają plemiona przeciwko sobie, dając im broń do walki. Dzięki temu mogą swobodnie grabić dary lasów deszczowych..

Tu za pieniądze kupuje się życie. Ludzi, którzy nie są w stanie zaspokoić swoich potrzeb materialnych, zmusza się do sprzedawania za grosze tego co posiadają– mówi Babcia Maria Alice – *Mamy liczne dobra, ale równocześnie dotyka nas ubóstwo. Ludziom brakuje pieniędzy. Niestety często dają się uwikłać w iluzję bogactwa i rezygnują z uprawiania roli. Za niewielkie kwoty sprzedają zwierzęta i inne części swojego dobytku. Obecna sytuacja w Amazonii jest bardzo poważna i smutna.*

Pragnieniem Babć jest ocalenie ludzkości. Ponieważ rośliny mogą pomóc wielu ludziom, Babcie chcą, aby były dostępne dla każdego i aby każdy mógł sobie na nie pozwolić.

My tylko pożyczyliśmy wiedzę od naszych przodków. Musimy przekazać ją swoim dzieciom i przyszłym pokoleniom – mówi Babcia Bernadette.

Każdy z osobna i cała ludzkość zapomniała o mocy ducha świętych roślin – mówi Babcia Flordemayo – *Na naszej planecie występują rośliny na wszystkie dolegliwości, ale jesteśmy zbyt zajęci, aby to zauważyć i uszanować.*

Babcia Flordemayo marzy, aby dzieci na całym świecie były uczone jak tworzyć zielne ogrody pierwszej pomocy, tak aby już od małego każdy szanował i chronił rośliny. W ogrodzie byłyby sadzone zioła leczące zadrapania, bóle brzucha, zwichnięcia, katary, grypę, gorączkę i inne znane dzieciom dolegliwości. Byłyby tam również rośliny, które zapobiegają chorobom i te oczyszczające. W ten sposób, niewielkim nakładem sił i środków, dzieci byłyby uczone troski o ziemię i święte nasiona oraz szacunku dla ducha roślin i świętych wód. Dzięki temu bardziej szanowałyby również własne ciała traktując je jako świątynie piękna.

Babcia Bernadette mówi, że ludzie nie są maszynami, na których można prowadzić eksperymenty. Nie można też igrać z żywiołami. Pragnienie pomocy w przywróceniu zdrowia musi pochodzić z serca. Stawianie pieniędzy na pierwszym miejscu nie jest właściwe. Najważniejsze powinno być uzdrowienie, a nie plan finansowy. Babcie krytykują każdego, kto zarabia na podtrzymywaniu choroby i dla kogo korzyść materialna jest ważniejsza niż przyniesienie ulgi w cierpieniu. Z perspektywy naturalnej medycyny są to formy nadużycia.

Luisah Teish mówi, że w Tajlandii oraz innych miejscach na Ziemi istnieją kliniki, w których uzdrowiciele używają ziół, rytuałów i modlitwy w leczeniu AIDS i wielu poważnych chorób.

Niestety przedstawiciele Amerykańskiego Stowarzyszenia Lekarzy (AMA) nie godzą się, na współdziałanie z uzdrowicielami. W istocie pozwalają ludziom umierać. Dzięki temu mogą kontrolować zyski. AMA musi stracić władzę, aby mogli odzyskać ją uzdrowiciele.

Babcie mówią, że wykorzystywanie wiedzy i praktykowanie uzdrawiania, bez zrozumienia darów konkretnej rośliny, to w rzeczywistości zarabianie brudnych pieniędzy. Prawdziwi uzdrowiciele w Amazonii nie są zainteresowani patentowaniem roślin.

Patenty i udzielanie licencji wymyślili ci, którzy rywalizują ze sobą – wyjaśnia Maria Alice – *To nie stanowi części naszej tradycji. Prawdziwa wiedza nie ma właściciela. Należy do wszystkich pokoleń, przeszłych i przyszłych. Chcemy, zapisać i zachować całą mądrość, ale nie patentować jej. Mamy święte sposoby przygotowywania leczniczych specyfików, do których nie używamy maszyn. One mają w sobie moc modlitwy i przez to uzdrawiają na wielu poziomach.*

Babcie zajmują się również zachowaniem dziedzictwa lasu.

Zniszczyliśmy już tak wiele, budując i wyposażając domy – mówi Babcia Bernadette – *Miło jest żyć w ładnym domostwie, ale gdy zachorujesz, czym się uzdrowisz? To las jest apteką naturalnej medycyny.*

Medycyna tradycyjna i ta współczesna potrzebują siebie nawzajem. Stan ludzkości wymaga, aby obie współpracowały ze sobą. Naturalni praktycy muszą znaleźć sposób na przetwarzanie roślin w taki sposób, aby jak najwięcej ludzi mogło z nich korzystać, a medycyna akademicka powinna im w tym pomóc. Babcie są przekonane, że jest wielu naukowców, którzy podobnie jak naturalni uzdrowiciele, kochają swoją pracę i chcą działać dla dobra ludzkości.

W społeczności Babci Marii Alice istnieje coś, co nazwano mianem Santa Casa – *Dom Zdrowia.* Odwiedzają go zarówno chorzy jak i ci, którzy chcą uniknąć różnych dolegliwości. Lekarze i pielęgniarki medycyny współczesnej współpracują tam z uzdrowicielami i często przychodzą do nich po radę. Pacjenci sami podejmują decyzję z jakiego leczenia chcą skorzystać. Czasami nie są gotowi, aby zagłębić się w proces odkrywania źródła problemu i wolą przyjąć leki chemiczne. Na dany moment bardziej potrzebują wyleczenia, a nie uzdrowienia.

Współzawodnictwo może być poważną przeszkodą we współpracy między medycyną naturalną i współczesną. Skoro jednak pacjent doświadczył uzdrowienia albo poprawy zdrowia, nie powinno to być porażką dla żadnej ze stron.

Taki rodzaj myślenia nie jest dobrym pomysłem na budowanie mostów – mówi Babcia Maria Alice – *Właściwym fundamentem dla porozumienia jest gotowość oddania siebie innym.*

Niestety ci lekarze, którzy chcą korzystać z naturalnej medycyny mają ręce związane prawem. Przyłapani na zalecaniu pacjentom tradycyjnych specyfików mogą stracić licencję. Medycyna współczesna, zamiast zaufać tysiącom lat doświadczeń, spowalnia proces współpracy. W Amazonii, wszelka duchowa wiedza i praktyka dostępne są za darmo, ale tamtejsze święte rośliny oraz towarzyszące im modlitwy i rytuały, które działają uzdrawiająco na ludzi, są zabronione w większości krajów.

Kiedy lekarze oświadczyli Carol Moseley Braun, że musi poddać się operacji kolana, doświadczyła na własnej skórze dyskryminacji naturalnej medycyny. Tego dnia wróciła do Senatu o lasce. Parlamentarzysta Robert Byrd sprzeciwił się, aby weszła do budynku, argumentując to starą historią, pochodzącą jeszcze z czasów wojny domowej, kiedy to jeden senator, za pomocą laski niemal śmiertelnie pobił drugiego.

Po tym wydarzeniu inny senator podszedł do Carol i powiedział – *Jestem miejscowym uzdrowicielem. Proszę przyjmij coś, co pochodzi z drzew rosnących blisko mojego domu. Nie możemy tego sprzedawać, ponieważ z wyjątkiem użycia dla celów weterynaryjnych, nie pozwalają na to firmy farmaceutyczne. FDA (Amerykańska Administracja d/s Żywności i Leków) nie zezwala na stosowanie preparatu u ludzi, ale ja używam go na czarno.*

Specyfik rzeczywiście pozwolił Carol poruszać się bez laski, ale kolano nadal nie było sprawne. Kobieta wciąż wierzyła, że potrzebuje operacji. Kiedy jednak została ambasadorem w Nowej Zelandii, wybrała się do samoańskiego uzdrowiciela i po trzech zabiegach nie potrzebowała już ani laski ani leków. Obecnie mieszka w czteropiętrowym domu i nie ma żadnego problemu z chodzeniem po schodach.

Po tym doświadczeniu Carol przekonała się jak niezmiernie ważne jest działanie na rzecz zachowania wszystkiego co dała nam Ziemia, a co służy do uzdrawiania i przywracania pełni.

Dbanie o uzdrawiające rośliny i naturalne środki jest podstawowym sposobem na zachowanie zdrowia człowieka i naszej planety. Należy je chronić.

Modlitwa

Ponad wszystko, Babcie są kobietami modlitwy. Modlą się z serca, które nie dostrzega różnic między ludźmi.

Modlitwa jest najlepszą z rzeczy, którą mogę się posłużyć – mówi Babcia Agnes – *Bez Stwórcy jestem niczym. Kiedy odczuwasz w sobie Boga, stoi za tobą Jego moc i nawet we śnie nie dotknie cię nic, co negatywne. Bez pomocy modlitwy nie zmienisz niczego – nawet własnych dzieci. Modlitwa jest powinnością przekazaną przez Starożytnych, którzy żyli tu przed nami.*

Babcia Agnes jest proszona o modlitwę na całym świecie.

Martwię się czasem, gdy nie przychodzą do mnie żadne słowa. Modlę się wtedy – „Dziadku, daj mi właściwe słowa. Ty je znasz. Proszę powiedz mi co mam mówić". I wtedy przychodzą słowa. Gdy Duch używa mojego głosu, czuję się wypełniona Jego obecnością. Ożywa moje człowieczeństwo. W prawdziwej modlitwie, Stwórca daje potrzebne słowa. Nie jest potrzebne wykształcenie, aby je otrzymać.

W rdzennych tradycjach modlitwa jest sposobem komunikacji z Bogiem/Stwórcą/Wielkim Duchem i mądrymi istotami lub mocami, które stworzył. Zawiera w sobie zarówno słuchanie jak i mówienie. Poszukuje się w niej jedności z Bogiem i możliwości wyrażenia nie tylko własnej prawdy, ale także wysłuchania wiadomości od Niego. Najczęściej modlitwy są recytowane, intonowane lub śpiewane, podczas gdy osoba modląca stoi wyprostowana.

Babcia Indian Lakota Rita Long Visitor Holy Dance mówi, że Stwórca wie kiedy rzeczywiście się modlisz. Modlitwy powinny być wypowiadane z intencją.

Według Babci Clary powinniśmy zanosić nasze modlitwy z wielką miłością i światłem.

W nepalskiej tradycji Babci Aamy Bombo, bogowie przybywają pod różnymi postaciami w zależności od powierzonego im zadania.

Wierzymy w trzydzieści trzy miliony bogów i bogiń. Zawsze modlimy się do Matki Ziemi, Ojca Niebo, boga Słońca, Księżyca i do wszystkich duchów na całym świecie, które nas wspierają. Pochodzimy od jednego Stwórcy. On jedynie przybiera różne formy. Jesteśmy jego stworzeniem. Pijemy tę samą wodę, wdychamy to samo powietrze, więc to, co z nimi robimy, wpływa na nas wszystkich.

Według ludzi środka (Ameryka Środkowa) – wyjaśnia Flordemayo – to właśnie Babcia powołała to wszystko do istnienia.

Pewnej gwiaździstej, bezksiężycowej nocy, Babcia Indian Lakota Rita, modliła się bardzo długo, aż wreszcie otrzymała jedną odpowiedź na wszystkie swoje modlitwy.

Prosiłam o to, aby móc zobaczyć Stwórcę, a kiedy Go ujrzałam, on nie był Lakota – był uniwersalny.

Babcia Rita modli się do Stwórcy przez cały czas, nawet gdy sprząta dom czy gotuje. Modli się, aby powstrzymać złe myśli.

Modlę się za wszystko, co istnieje we wszechświecie – wojny, pogodę, powodzie, huragany, wulkany.

Modlitwa jest święta – mówi jej siostra, Babcia Beatrice – Kiedy ktoś się modli, przyłącz się do niego. Wszyscy jesteśmy równi. Jeśli ktoś dzieli się swoimi zmartwieniami, siedzę przy nim i modlę się, podczas gdy ta osoba mówi co ją niepokoi. Modlę się, aby Stwórca wysłuchał naszych modlitw. Modlitwa jest najważniejszą rzeczą w moim życiu. Jest jedynym sposobem na przetrwanie. Możemy robić wiele rzeczy, mówić o wielu sprawach, ale gdy nie towarzyszy temu modlitwa, nie odniesiemy sukcesu.

Babcia Beatrice jest przekonana, że pomimo braku wykształcenia i jakiegokolwiek stopnia naukowego to dzięki modlitwie radzi sobie w tym świecie. Chociaż jej życie w młodości było bardzo trudne, zawsze się modliła.

Módl się – to najlepsza rada jaką mogę dać komukolwiek, ponieważ Stwórca wejrzy na ciebie i zaopiekuje się tobą. Zrobi to na pewno. Nikt inny nie zajmie się tobą tak jak On. Nie ważne jakie mamy wykształcenie i kim jesteśmy w świecie – jeśli nie potrafimy się modlić, reszta jest niczym. Stwórca jest jedyną istotą, której możemy powiedzieć wszystko. Możemy Mu zaufać – On na pewno zatroszczy się o nas.

Według Babci Juliety możemy prosić Stwórcę, aby pomógł nam usłyszeć wewnętrzny głos.

Stwórca jest wewnątrz nas. Módlmy się do Niego za wszystkich – za naszych braci i siostry, za tych, którzy są wokół nas, nad nami i pod nami. Zwłaszcza w tym czasie potrzebujemy modlitwy. Musimy wzmocnić nasze zaufanie, aby kontynuować duchową pracę i wspieranie innych. Musimy prosić, aby prawda stawała się coraz silniejsza. W tych trudnych czasach, powinniśmy trwać w nieustannej modlitwie.

Babcia Agnes mówi, że Babcie po to odczuwają ból innych ludzi, aby poprzez modlitwę wysłać go do Stwórcy.

Babcia Tsering uważa, że przyjmowanie na siebie cierpienia i zranienia – niezależnie czym one są – buduje współczucie.

Z takiego podejścia rodzi się dobro. Jeśli masz takie nastawienie, nie potrzebujesz kościoła. Dobro na świecie pochodzi od ludzi.

Babcia Beatrice mówi, że należy nieustannie modlić się za naszych ukochanych oraz za wszystkich, którzy byli tu przed nami.

Oni modlili się za nas. Teraz nasza kolej. Modlimy się za nasze rodziny i wnuki. Właśnie tak jest. Musimy to w ten sposób kontynuować.

Po wydarzeniach 11 września, dzięki modlitwie, Aloysius, syn Babci Beatrice, został zainspirowany, aby zanieść fajkę pokoju do Nowego Jorku, na miejsce Strefy Zero i pomodlić się za ludzi, którzy wtedy zginęli oraz uwolnić ich dusze. Ponieważ tragedia była tak gwałtowna i niespodziewana, wiele dusz pozostało tam i było bardzo zagubionych. Aloysius umieścił fajkę w miejscu gdzie zginęli ludzie, napełnił ją i modlił się, a następnie dodał do niej szałwii.

Indianie Lakota używają fajki do modlitwy podczas Tańca Słońca. Fajkę przyniosła ludziom Kobieta Biały Bizon, która przekazała właściwe słowa i gesty modlitwy. Powiedziała, że dym, który się z niej unosi jest oddechem Tunkashila – oddechem wielkiej Tajemnicy Dziadka. Powiedziała też, że dzięki fajce ludzie sami będą jak żywa modlitwa.

Po modlitwie w Nowym Jorku, Aloysius razem z matką i innymi ludźmi, pojechał do Waszyngtonu, gdzie odwiedził grób Johna F. Kennedy. Kiedy wszyscy wchodzili na wzgórze, niosąc koce i fajkę pokoju, ludzie rozstępowali się, robiąc im miejsce.

Minęliśmy ogrodzenie – mówi Babcia Beatrice – *Aloysius wyjął fajkę i odpalił ją od wiecznego płomienia. Następnie odmówił modlitwę za wszystkie dusze, które zebrał w miejscu tragedii w Nowym Jorku i uwolnił je.*

Kiedy Indianie Lakota modlą się, a szczególnie gdy gromadzą się w uzdrawiającym kręgu mocy, rozmawiają ze Stwórcą używając swojego indiańskiego imienia. Kiedy ktoś modli się za nich, również go używa. Indiańskie imię jest imieniem wiecznym, które znane jest Stwórcy i Światu Ducha. Kiedy dzieciom nadaje się indiańskie imię, otrzymują je razem z uświęconym nakryciem głowy zrobionym z piór, które wkładają kiedy się modlą i kiedy uczestniczą w ceremoniach.

W czasach starożytnych, wiele kultur na całym świecie otrzymało boski znak, zwany uzdrawiającym kręgiem mocy, który służy do podtrzymywania pokoju i harmonii oraz jest używany podczas modlitwy. W większości kręgów mocy reprezentowane są cztery kierunki, cztery podstawowe żywioły i cztery rasy człowieka. Zawsze w centrum kręgu jest miejsce poświęcone jedności ze Stworzeniem. Niektóre kręgi są bardzo złożone, inne proste. Mogą być używane w ceremoniach z różnymi intencjami. Podstawowe nauki dotyczące kręgów mocy opierają się na wierze, że ludzie przychodzą na świat z duchowymi wartościami otrzymanymi od Stwórcy, a krąg jest jednym ze sposobów rozbudzenia i przypomnienia ludziom ich własnej wewnętrznej mądrości.

Czejenowie używali kręgu mocy do ceremonii od początku istnienia świata, od czasu stworzenia – wyjaśnia Babcia Margaret – *Zasady kręgu mocy są drogą do uzyskania wewnętrznej i zewnętrznej równowagi. Krąg mocy oznacza związek. To brama, drzwi do duchowości w naszym życiu. Tak właśnie działa Duch. Używamy kręgu mocy podczas Tańca Słońca, który jest dla nas ceremonią życia.*

Krąg mocy jest czymś bardzo świętym dla Indian Lakota – wyjaśnia Babcia Beatrice – *W jego środku umieszczany jest symbol krzyża. Krzyż to ludzkość z rozpostartymi rękami. Obejmuje cztery pierwotne rasy ludzi na Ziemi spotykające się w harmonii. Krąg mocy jest kręgiem życia.*

Krąg jest uniwersalnym symbolem całości, gdzie koniec jest jednocześnie początkiem i reprezentuje jedność całego Stworzenia. Życie samo w sobie jest kręgiem, biorącym swój początek w momencie narodzin i prowadzącym poprzez śmierć ku nowemu życiu. Koło jest najbardziej powszechnym kształtem w naturze. Kiedy ludzie siadają w kręgu, wszyscy są sobie równi.

Indianie Lakota wiedzą, że pochodzimy z Ziemi i do niej wrócimy – mówi Babcia Beatrice – *Innego wyjścia nie ma. Nie musimy martwić się kiedy umrzemy i w jaki sposób. Wszystko zależy od Stwórcy. On nas tu przyprowadził. Dał nam czas, abyśmy mogli zrobić to, co mamy do zrobienia. Kiedy ten czas się kończy, woła nas do domu, a my wracamy do Niego.*

Babcia Rita, mówi, że krąg mocy należy szanować.

Nie można wieszać go na lusterku w samochodzie. Nie można zostawiać go w byle jakim miejscu, szczególnie jeśli jest tam pióro. Nie ważne co się dzieje, krąg mocy musi być uszanowany.

Od tysięcy lat rdzenne społeczności używały ceremonii i rytuałów. Poszukiwały w ten sposób wizji oraz stosowały rośliny w celu stworzenia bram do duchowych rzeczywistości i wzmocnienia wyobraźni. Bezpośrednio doświadczały Boga i uzyskiwały duchowe prowadzenie. Wizje pomagały dotrzeć do wyższej jaźni, znaleźć równowagę i cel. Według Babć, jeśli ma się dobre intencje, nie trzeba obawiać się poszerzonych stanów świadomości, eksplorowania odległych zakątków umysłu czy jego transcendentalnych mocy.

Wszyscy ludzie są obrazem Stwórcy – mówi Babcia Maria Alice – *To największa prawda, jaką kiedykolwiek słyszałam. Jesteśmy potężni. Nasze uczucia są potężne. Możemy wiele zdziałać.*

Jest wiele sposobów modlitwy. Nie istnieje jeden właściwy. Modlić można się w każdym czasie i miejscu. Jedyną radą Babć jest to, aby ludzie modlili się, gdy wypełnia ich wdzięczność i żeby modlili się za całe Stworzenie, ponieważ wszyscy jesteśmy jego częścią.

Babcie ufają, że to właśnie modlitwy i nauki przodków oświecą nam drogę przez niepewną przyszłość. Poniższą modlitwę ofiarowała Radzie Babcia Bernadette Rebienot podczas pierwszego spotkania w październiku 2004 roku –

Wielki Mistrzu Wszechświata, prosimy Cię, abyś wysłuchał naszych modlitw i prowadził swoje dzieci, które cierpią i są pogrążone w niedoli. Cały świat płacze. Jako ludzkość zatraciliśmy zdrowy rozsądek. Zapomnieliśmy, że wszyscy jesteśmy braćmi i siostrami. Obraziliśmy Twoje prawa.

Wszechpotężny Stwórco, zlituj się nad nami. Rozprosz ciemność i otwórz drzwi do naszych serc, do światła życia i duchowego światła.

Babcie z pięciu kontynentów zjednoczyły się tutaj, by przemówić jednym głosem. Chylimy głowę u Twoich Stóp, w imię siły życiowej natury.

Błagamy cię o odpuszczenie. Zanieczyściliśmy środowisko, zniszczyliśmy wszystkie przestrzenie, które stworzyłeś z miłością i pokojem. Błagamy naucz nas kochać siebie nawzajem i wybaczać, tak abyśmy mogli odnaleźć miłość.

Duchy słońca, księżyca, gwiazd, mórz, gór, Ziemi, lasów, powietrza, piorunów, wody, duchu ognia i naszych przodków – pomóżcie nam. Opiekujcie się Ziemią, opiekujcie się naszym potomstwem. Rozbudźcie w naszych sercach tolerancję i jedność. Chrońcie nas przed epidemiami, chorobami i naturalnymi katastrofami – znakami Waszego gniewu.

Dziękuję Ci, Panie, za opiekę jaką sprawowałeś nad nami do tej pory i dziękuję, że dzięki Tobie mogłyśmy się spotkać. Niech Twoją święta dłoń błogosławi naszą pracę i niech pokój zapanuje na świecie. Chwała Tobie.

Dodatek
Opowieść o tym, jak doszło do powstania Rady Babć

W przekazywaniu elementów tradycji, rdzenne społeczności polegają przede wszystkim na ustnych relacjach. Opowiadane historie są istotne nie tylko ze względu na przekazywaną treść, ale stanowią rezerwuar wiedzy, która pozwala na rozwój. Opowieści jako takie powinny być zachowane w całości, bez dodawania czy ujmowanie czegokolwiek. Taka jest właśnie historia, którą za chwilę usłyszysz – historia, która dała początek Radzie Babć.

Chociaż Rada Babć pojawiała się w wielu wizjach i zapowiadano ją od setek lat, dopiero wizja świętego kosza, która ujrzała Jyoti (dr Jeneane Prevatt) uruchomiła przepowiednię. Co ciekawe w czasie samej wizji, Jyoti nie miała świadomości przepowiedni o Radzie Babć. Wizja stanowiła odpowiedź na jej nieustanne modlitwy, aby odnaleźć drogę zachowania i wcielenia w życie nauk rdzennych ludów.

Trzy lata po stworzeniu Kayumari – duchowej wspólnoty w Kaliforni – Jyoti ujrzała w wizji kobietę, którą nazwała *Naszą Panią*. Kobieta przedstawiła wspólnocie misję, mówiąc – *Powierzę wam mój kosz. Są w nim ukryte moje najcenniejsze klejnoty – modlitwy, sięgające czasów pierwotnych. Nie mieszajcie ich ani nie zmieniajcie. Chrońcie je. Niech będą przy was bezpieczne. Przenieście je przez bramę tysiąclecia i wtedy oddajcie, ponieważ jest coś do czego mi posłużą.*

W miarę upływu czasu, wielu członków wspólnoty zaczęło słyszeć wewnętrzne nawoływanie – *Kiedy przemówią Babcie...* Na początku nikt nie wiedział co może to oznaczać. Niedługo potem wiele osób zaczęło otrzymywać inspiracje o powołaniu zgromadzenia kobiet. Przepowiednie mówiły – *Kiedy przemówią Babcie, otworzą się dla wszystkich drzwi do jedności.*

Nie upłynęło wiele czasu gdy Jyoti razem z dziećmi i bliską przyjaciółką, Ann Rosencranz, udały się do Gabonu w Afryce. Pojechały tam, aby spotkać się z Bernadette Rebienot, która praktykowała kult Bwiti. Kobiety chciały porozmawiać na temat uzdrawiającej rośliny, która pozwala zapanować nad demonem uzależnień. Niektórzy ludzie z zachodniej cywilizacji zbierali te rośliny, nie pytając o zgodę ludzi lasu. Kobiety pojechały poprosić o takie pozwolenie. Podczas wizyty, Jyoti i Ann zapytały Bernadette co myśli o stworzeniu rady babć. Kobieta ożywiła się i wykrzyknęła – *Tak, nadszedł już czas. Nadszedł moment, aby zebrać babcie. Musicie to zorganizować.*

Następnie Bernadette pokazała Jyoti list, który podpisała niedawno razem z szamanami z Peru, którzy pracują z Ayahuascą. List inicjował solidarnościowy ruch rdzennych plemion, domagających się przywrócenia prawa do bycia strażnikami planety.

Po tej wizycie, z poczuciem nagłej konieczności, Jyoti wyruszyła do Ameryki Południowej, aby spotkać się z rodziną i przyjaciółmi. W trakcie spotkania z Marią Alice Compos Freire, powiedziała o liście podpisanym przez Bernadette. Ku jej zdziwieniu, Maria Alice pokazała jej niemal identyczne pismo, który właśnie podpisała razem z przedstawicielami sześciu plemion z rejonu Jura w Amazonii. Teraz Jyoti była już pewna, że nadszedł czas, aby zebrać Babcie.

Przytłoczona ogromem wizji i niepewna własnych zdolności, zaczęła modlić się o wskazanie kierunku. Jak odnaleźć Babcie i skąd wiadomo, że będą to te właściwe? Odpowiedź, która przyszła, brzmiała – *Fundamentem wszystkiego są związki. Zacznij z tego miejsca, a reszta pojawi się sama.*

Podążając za wizją, Jyoti sięgnęła po wcześniejsze kontakty nawiązane przez nią i innych członów Kayumari. Przez lata członkowie wspólnoty odwiedzali rdzenne społeczności na całym świecie i uczyli się od nich. Ostatecznie Jyoti wysłała zaproszenie do szesnastu starszych kobiet. Trzynaście przyjęło zaproszenie. Wszystkie, głęboko w środku wiedziały, że mają w tym uczestniczyć. Wiedziały, że Babcie ze Świata Ducha, mądre kobiety, o których ludzkość zapomniała, wzywały je do działania.

Aby uzyskać więcej informacji na temat pracy Międzynarodowej Rady Trzynastu Babć prosimy szukać kontaktu pod wskazanymi poniżej adresami:

The Center for Sacred Studies
P.O. Box 745
Sonora, CA 95370
(209) 532-9048
Jyoti – Spiritual Director
Carole Hart – Media Director
Ann Rosencranz – Program Director
info@grandmotherscounsil.com
www.grandmotherscounsil.com
www.sacredstudies.com
www.forthenext7generations.com

Wydawnictwo Biały Wiatr – poleca

Zapraszamy do naszej księgarni internetowej – ***www.bialywiatr.com***

GANGAJI – DIAMENT W TWOJEJ KIESZENI

„Sekretny klejnot prawdy ukryty jest przez cały czas w rdzeniu twego własnego serca. Zapraszam cię, abyś choć na chwilę zatrzymał wszelki ruch umysłu, który oddala cię od prawdy, tak by móc w bezpośredni sposób odkryć ten klejnot, który żyje w tobie" – *Gangaji* Żyjemy w niezwykłych czasach, w których zwykli ludzie posiadający wiele ograniczeń i uwarunkowanych schematów mają możliwość przebudzenia się do samorealizacji. I to nie tylko do samego przebudzenia ale trwałego pozostania w prawdzie tego co rzeczywiste wobec wciąż zmieniających się myśli, emocji, pragnień i innych 'przeszkód' pojawiających się w świadomości.

Ta piękna książka Gangaji wskazuje bezpośrednio na diament prawdy, którym w istocie jesteśmy. Oferuje też jasną pomoc i wsparcie. Pokazuje jak każdą pojawiającą się „przeszkodę" potraktować jak stopień i możliwość głębszego przebudzenia się, tak aby wewnętrzny klejnot prawdy mógł być w naturalny sposób polerowany przez samo życie.

ADAMUS SAINT-GERMAIN – MISTRZOWIE NOWEJ ENERGII
(pozycja dostępna od stycznia 2011)

Wczesną wiosną 2007 roku w Amsterdamie Adamus Saint-Germain przemawiał do grupy Mistrzów i Nauczycieli Nowej Energii. W otwierającym przesłaniu przekazywanym za pośrednictwem Geoffrey'a Hoppe, Saint-Germain wyjawił, że celem tego wyjątkowego spotkania jest napisanie książki. Oto pozycja, która powstała właśnie wtedy – Mistrzowie Nowej Energii – dar mądrości i inspiracji, dla wszystkich którzy wybrali wkroczenie na drogę osobistego mistrzostwa, w tym właśnie czasie, przełomowej zmiany na ziemi. Przekazywane informacje i energia wzięły swój początek w tych, którzy przeszli już proces stawania się Mistrzem Nowej Energii i chcą w ten sposób pomóc wszystkim, którzy pójdą tą drogą za nimi.

RITA MARIE ROBINSON – ZWYCZAJNE KOBIETY, NIEZWYKŁA MĄDROŚĆ.
KOBIECY WYMIAR PRZEBUDZENIA.
(pozycja dostępna od lutego 2011)

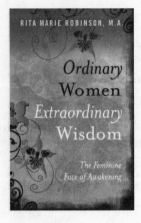

Ta książka to zbiór intymnych, płynących z serca rozmów z kobietami, nauczycielkami duchowymi, które żyją i wyglądają jak każdy zwykły człowiek. Oto niezwykłe dialogi opisujące kobiecy wymiar podróży duchowej – prowadzącej nie mniej ni więcej tylko na ziemię, wprost do człowieczeństwa znanemu dobrze wszystkim ludziom. Prawdziwe historie bohaterek pokazują na konkretnych przykładach co oznacza być w pełni przebudzonym i otwartym na to co się wydarza, bez stawiania oporu – nawet, a zwłaszcza wtedy kiedy nie jest to łatwe czy to z powodu śmierci, rozwodu czy choroby.

Przekaz tej książki jest bardzo prosty – jeśli te zwykła kobiety mogą być pełni przebudzone i zarazem ludzkie to dlaczego nie ja czy ty? Dlaczego nie teraz?